延世韩国语6

연세 한국어 6

[韩] 延世大学韩国语学堂 编著

世界图书出版公司
北京・广州・上海・西安

图书在版编目（CIP）数据

延世韩国语 6 / 韩国延世大学韩国语学堂编著 . —北京：世界图书出版公司北京公司，2014.7（2023.1 重印）

ISBN 978-7-5100-7821-7

Ⅰ . ①延… Ⅱ . ①韩… Ⅲ . ①朝鲜语—自学参考资料 Ⅳ . ① H55

中国版本图书馆 CIP 数据核字 (2014) 第 076177 号

书　　名　延世韩国语 6
　　　　　YANSHI HANGUOYU 6

编 著 者　[韩] 延世大学韩国语学堂
执 笔 者　[韩] 全娜荣　[韩] 孙圣喜　[韩] 金济烈　[韩] 李桂贤
　　　　　[韩] 林智淑　[韩] 全芝仁　[韩] 赵仁沃　[韩] 金允景
策划编辑　韩　玲
责任编辑　乔　伟

出版发行　世界图书出版有限公司北京分公司
地　　址　北京市东城区朝内大街 137 号
邮　　编　100010
电　　话　010-64038355（发行）　64033507（总编室）
网　　址　http://www.wpcbj.com.cn
邮　　箱　wpcbjst@vip.163.com
销　　售　新华书店
印　　刷　河北鑫彩博图印刷有限公司
开　　本　787 mm × 1092 mm　1/16
印　　张　22.75
字　　数　510 千字
版　　次　2014 年 6 月第 1 版
印　　次　2023 年 1 月第 11 次印刷
版权登记　01-2014-0206
国际书号　ISBN 978-7-5100-7821-7
定　　价　69.80 元（扫码听书）

머리말

한국 국내 최고의 명성으로 한국어 교육의 50년 전통을 이어 온 연세대학교 언어연구교육원 한국어학당에서는 한국어 교육의 질을 높이기 위해 그동안 많은 교재를 편찬해 왔다. 최근 한국과 한국 문화에 대한 세계인들의 관심이 높아지고 한국어를 배우고자 하는 해외동포와 외국인이 늘면서 한국어 교재에 대한 학습자들의 요구도 다양해졌다. 이에 따라 연세대학교 언어연구교육원 한국어학당에서는 다양한 학습자들을 대상으로 한국어와 한국 문화를 교육할 수 있는 새로운 교재를 출간하게 되었다.

연세대학교 언어연구교육원 한국어학당에서 출간하는 이 교재는 한국어 초급 학습자를 위한 '연세 한국어 1'과 '연세 한국어 2', 중급 학습자를 위한 '연세 한국어 3'과 '연세 한국어 4', 고급 학습자를 위한 '연세 한국어 5'와 '연세 한국어 6'의 총 6권으로 되어 있다. 각 교재는 학습자들의 한국어 능력에 따라 필요한 여러 가지 유형의 의사소통 기능을 집중적으로 향상시킬 수 있도록 구성되었다.

'연세 한국어'는 한국어 학습 단계별로 요구되는 내용을 주제로 대화가 구성되었으며 어휘와 문법에 대한 집중적인 연습뿐만 아니라 말하기, 듣기, 쓰기, 읽기 능력을 균형 있게 향상시킬 수 있도록 다양한 과제와 활동으로 구성된 통합형 교재이다. 또한 학습자들이 흥미를 가질 수 있는 주제와 장면을 기초로 여러 가지 의사소통 기능을 수행하면서 학습자가 중심이 되어 한국어를 배우고 익힐 수 있도록 배려하였다.

'연세 한국어'가 연세대학교 언어연구교육원 한국어학당에서 공부하는 학생들뿐만 아니라 한국어를 정확하게 이해하고 구사하려는 모든 한국어 학습자들에게 도움이 되기를 바란다.

연세대학교 언어연구교육원
한국어학당 교재편찬위원회

일러두기

- '연세 한국어 6' 은 한국어를 배우려는 외국인과 교포 성인 학습자들을 위한 고급 단계의 책으로 총 10개의 과로 이루어져 있으며, 각 과는 3개의 항으로 이루어져 있다. '연세 한국어 6' 은 고급 수준의 한국어 숙달도를 지닌 학습자가 꼭 알아야 할 주제를 중심으로 구성되었으며 이와 함께 필수적인 어휘와 문법, 문화를 소개함으로써 한국어 능력을 향상시키고 아울러 한국에 대한 이해를 넓히고자 하였다.
- 각 과의 앞에는 해당 과의 제목 아래에, 각 항의 제목과 과제, 어휘, 문법, 문화를 제시하여 각 과에서 다룰 내용을 한 눈에 알아보기 쉽게 하였다. 그리고 매 과의 마지막 항은 복습 항으로 그 과에서 다룬 내용을 종합적으로 복습할 수 있도록 하였다. 문화 부분은 각 과의 주제와 관련된 내용을 선정하여 다루었다.
- 각 과의 제목은 주제를 명사형으로 제시하였으며, 각 항의 제목은 소주제를 명사형으로 제시하였다.
- 각 항은 제목, 학습 목표, 사진과 질문, 시각 자료와 질문, 본문 대화와 질문, 어휘, 문법, 과제의 순서로 구성되어 있다.
- 학습 목표에는 학습자들이 학습해야 할 의사소통적 과제와 어휘, 문법을 제시하였다.
- 사진과 질문은 1단계 도입으로 학습자를 본문 대화의 상황으로 자연스럽게 끌어들일 수 있도록 본문 대화의 상황을 쉽게 연상시킬 수 있는 사진과 함께 관련 질문을 제시하였다.
- 시각 자료와 질문은 강화된 도입 단계로 학습자가 주제에 대한 흥미와 호기심을 가질 수 있도록 그래프, 기사 제목, 사진이나 그림 등의 다양한 시각 자료와 함께 질문을 제시하였다.
- 본문 대화는 각 과의 주제와 관련된 가장 전형적이고 대표적인 대화 상황으로 설정하여 3~4개의 대화 쌍으로 구성하였으며 내용 이해 질문과 대화의 내용과 관련된 말하기 짝활동을 포함시켰다. 본문에 나오는 새 어휘는 대화 아래에 따로 제시하였다.
- 어휘는 각 과의 주제와 관련된 어휘 목록을 선정하여 그 의미나 쓰임새에 따라 범주화하여 제시하였고 담화 맥락 속에서 연습이 이루어지도록 하였으며 연습한 어휘를 학습자가 직접 사용해 볼 수 있게 하는 활동을 포함시켰다.
- 문법은 각 과에서 다루어야 할 핵심 문법 항목을 각 항마다 2개씩 추출하여 담화 맥락 속에서 2개의 문법이 유기적으로 연결되어 나타나는 모범 예시문을 통해 제시하였다. 두 개의 문법을 각각 연습한 후에는 두 문법을 연결하여 담화 차원의 생산을 할 수 있도록 하는 활동을 포함시켰다.
- 과제는 학습 목표에서 제시한 의사소통 기능에 부합되는 것으로 각 항마다 2개를 제시하였으며 주제 관련 통합 과제로 구성하였다.
- 각 과의 마지막 부분에는 문화와 문법 설명을 제시하였다.
- 문화는 각 과의 주제와 관련된 한국 문화를 선정하여 정보나 지식을 설명하는 방식으로 기술하였다. 아울러 학습자로 하여금 자국의 문화와 비교, 분석해 보게 하는 등 비교문화적인 관점을 바탕으로 언어 학습 활동과 연계하도록 구성하여 그 내용이 문화적 지식에 그치지 않고 한국어 능력과 통합적으로 학습될 수 있도록 하였다.
- 문법 설명은 각 과에서 다루는 문법에 대한 설명과 함께 각각 4개의 예문을 제시하였다.
- 색인에서는 각 과에서 다룬 문법과 어휘를 가나다 순으로 정리하였으며 해당 본문의 과와 항을 함께 제시하였다.

차례

내용 구성

	제목	소제목	과제	어휘	문법	문화
01	성공적인 삶	성공한 인물	존경하는 인물 소개하기	성공	-느니	한국 화폐 속의 인물
			인터뷰하기(질문하기)		-을지라도	
		성공에 대한 가치관	성공에 대한 가치관 알아보기	가치관	-는다거나	
			인터뷰하기(대답하기)		-는 데	
02	더불어 사는 사회	지역이기주의의 극복	지역이기주의 현상에 대해서 알아보기	지역이기주의	-어 주십사 하고	한국의 기부 문화
			신문 기사 요약하여 발표하기		-었던들	
		기업 이윤의 사회 환원	기업의 사회 봉사 활동에 대해서 의견 나누기	기업의 공헌	-으면 몰라도	
			신문 기사 작성하기		-겠거니 하고	
03	남성과 여성	남성과 여성의 변화	한국의 전통 여성상과 현대 여성상 비교하기	여성	-은 채	한국의 남성과 여성의 덕목
			토론 시작하기		-으리라는	
		바람직한 성역할	바람직한 성역할에 대해서 알아보기	성역할	아무리 -기로서니	
			상대방의 주장에 대해서 동의 또는 반박하기		-은 끝에	
04	바른 선택	선거와 투표	선거와 투표에 대해서 알아보기	선거	-는다뿐이지	한국의 정치 제도
			설득하기		-을 법하다	
		분단의 극복	남북통일에 대해서 의견 나누기	통일 정책	-는 가운데	
			토론하기(사회자의 역할)		-을 테지만	
05	스포츠	스포츠 과학	스포츠 과학의 발전 모습에 대해서 의견 나누기	스포츠 과학과 효과	-는 셈치고	한국의 무술 '택견'
			발표하기(시작)		-으련만	
		스포츠 정신	바람직한 스포츠 정신에 대해서 의견 나누기	스포츠 정신	-는 탓에	
			발표하기(마무리)		이라도 -을라치면	

	제목	소제목	과제	어휘	문법	문화
06	가까워지는 세계	한국 속의 외국인	한국 생활의 어려움에 대해서 의견 나누기	고민과 조언	-는다는 듯이	외국인을 위한 배려
			통계 자료 분석하기		-건만	
		경제의 세계화	경제적 측면의 세계화와 그 장단점에 대해서 의견 나누기	자유 무역	-는답시고	
			논박하는 글쓰기		-는 날엔	
07	소중한 문화 유산	한국의 문화유산	한국의 문화유산에 대해서 알아보기	문화유산	-은 이상	한국의 문화재 보호
			논리적인 글쓰기 (서론 쓰기)		-는다는 점에서	
		세계의 문화유산	세계의 문화유산에 대해서 알아보기	문화재 훼손과 보호	-는 반면	
			논리적인 글쓰기 (본론 쓰기 1)		으로 말미암아	
08	한국인의 생활	한국인의 집	한국의 전통 주거 문화에 대해서 알아보기	주거	-다 못해	한국인의 종교
			논리적인 글쓰기 (본론 쓰기 2)		-기에 망정이지	
		한국인의 사상	한국의 사상에 대해서 알아보기	한국의 사상과 효	-는 둥 마는 둥 하다	
			논리적인 글쓰기 (결론 쓰기)		-던 차이다	
09	미래 사회	자동화 사회	자동화된 사회에 대해서 전망하기	자동화	-기 나름이다	지난 20년 간 사라진 것
			정보 전달하기		-는다손 치더라도	
		미래형 인간	미래 사회에 대해서 의견 나누기	미래형 인간	-는 한이 있더라도	
			예측하기		은 고사하고	
10	진로와 취업	진로 상담	진로에 대해서 조언하기	진로	-으려고 들다	조선시대의 신분 제도
			상담하기		-노라면	
		취업 면접	면접시험에서 질문에 대답하기	면접	-은 바	
			자기소개서 쓰기		-을 바에야	

나 오 는 사 람

톰슨 제임스
미국 기자

요시다 리에
일본 은행원

제임스의 하숙집 친구

츠베토바 마리아
러시아 대학생

제임스의 반 친구

왕 웨이
중국 회사원 (연세무역)

제임스의 반 친구

김미선
한국 대학원생

마리아의 방 친구/민철의 여자 친구

정민철
한국 여행사 직원

미선의 남자 친구

이영수
한국 대학생

제임스와 리에의 하숙집 친구

오정희
한국 회사원 (연세무역)

웨이의 회사 동료

제1과 성공적인 삶

01

제목 | 성공한 인물
과제 | 존경하는 인물 소개하기
인터뷰하기(질문하기)
어휘 | 성공
문법 | -느니, -을지라도

02

제목 | 성공에 대한 가치관
과제 | 성공에 대한 가치관 알아보기
인터뷰하기(대답하기)
어휘 | 가치관
문법 | -는다거나, -는 데

03

정리해 봅시다

문화
한국 화폐 속의 인물

01 성공한 인물

학습 목표 ● 과제 존경하는 인물 소개하기, 인터뷰하기(질문하기)
● 문법 -느니, -을지라도 ● 어휘 성공

위의 인물들 중 가장 만나 보고 싶은 사람은 누구입니까? 그리고 그 사람을 만난다면 무엇을 질문하고 싶습니까?
위의 인물 외에 여러분이 성공한 인물로 꼽고 싶은 사람은 누구입니까?

	1등	2등	3등	4등	5등
인물	이순신 장군 (20.1%)	세종대왕 (16%)	박정희 전 대통령(15.3%)	김구 선생 (7.9%)	반기문 유엔 사무총장(2.04%)
이유	거북선 발명, 강한 지도력	한글 창제, 측우기 등 다양한 과학 발명품	경제 발전	독립운동	최초의 한국인 유엔 사무총장

위 도표는 전국 성인 1,514명을 대상으로 한국 역사상 가장 존경하는 인물과 그 이유를 조사한 결과입니다.

1) 한국 사람들이 가장 존경하는 인물에는 어떤 공통점이 있습니까?

2) 여러분 나라에서 같은 조사를 한다면 누가 1, 2, 3위를 할 것 같습니까?
그 이유는 무엇입니까?

대화

제임스 우선 축하드립니다. 한국인으로서는 최초로 국제기구의 수장이 되셨는데요. 소감을 말씀해 주십시오.

사무총장 국민 여러분이 보내 주신 한결같은 지지와 성원에 감사할 따름입니다. 개인적으로는 큰 영광이지만 한편 어깨가 무척 무겁습니다.

제임스 어린 시절의 꿈을 이루신 대표적인 인물로 젊은이들의 귀감이 되고 계십니다. 구체적으로 외교관의 꿈을 가지게 된 계기가 있으셨습니까?

사무총장 어렸을 때는 막연히 세계 여기저기를 누비며 나라를 위한 일을 하고 싶다는 생각을 했는데 고등학교 때 선생님께서 너는 외교관이 되면 참 좋겠다는 말씀을 해 주셨습니다. 제 꿈이 구체화되는 순간이었지요.

제임스 지금 이런 자리에 오르시기까지 위기나 시련도 많으셨을 텐데 어떻게 극복하셨는지 알고 싶습니다. 더불어 인생을 성공으로 이끈 좌우명이 있다면 말씀해 주십시오.

사무총장 위기나 시련으로 주저앉고 싶을 때마다 '실패가 두려워 아무 것도 못하느니 실패하더라도 한 번 해 보는 게 낫다' 는 생각으로 새로운 도전을 시도했습니다. 그러다 보니 위기와 시련이 어느새 기회로 바뀌어 있더군요. 그러니까 아마도 이것이 제 인생의 좌우명인 듯싶습니다.

제임스 마지막으로 최근 세계적인 화두가 되고 있는 인권 문제에 대해서 어떻게 생각하시는지 듣고 싶습니다.

사무총장 인간은 인간이기 때문에 가지는 권리가 분명히 있으며 이것은 이유를 막론하고 침해될 수 없다고 믿습니다. 따라서 이것을 지키는 것이야말로 어떤 어려움이 따를지라도 제가 노력해야 할 부분이라고 생각합니다.

제임스 좋은 말씀 감사합니다.

수장 首长, 领导者 **소감** 感想, 感受 **한결같다** 始终如一 **지지** 支持 **성원** 呐喊助威, 声援 **귀감** 榜样, 楷模
막연히 茫然地 **누비다** 横穿, 横贯 **구체화되다** 具体化 **시련** 考验 **주저앉다** 半途而废
좌우명 座右铭 **화두** 话题, 热点 **막론하다** 无论, 不管 **침해되다** 侵犯, 侵害

01 '사무총장'에 대한 설명으로 맞는 것을 모두 고르십시오.

❶ 위기나 시련은 겪은 일이 없다. ❷ 고등학교 선생님을 한 일이 있다.

❸ 최근에 국제기구의 수장이 되었다. ❹ 인권을 지키기 위하여 노력할 것이다.

02 '사무총장'의 좌우명은 무엇입니까? 그리고 그것의 의미는 무엇입니까?

03 여러분의 좌우명은 무엇입니까?

좌우명	의미
내일은 없다.	오늘, 바로 지금을 소중히 하고 최선을 다하자.

[보기] 제 인생의 좌우명은 '내일은 없다'예요. 제가 생각하기에 우리가 생각하는 내일은 또 하나의 오늘일 뿐이에요. 그래서 저는 항상 오늘, 바로 지금이 가장 소중하다고 생각해요. 오늘 최선을 다해야 하고 오늘 행복해야 하는 거죠.

01 다음 표현을 익히고 질문에 답하십시오.

(가)	(나)
성공 기회 도전 시련 위기 좌절 재기	승승장구 칠전팔기 고진감래 전화위복 자수성가

1) 다음은 한 무명의 배우가 유명한 영화감독이 되기까지의 이야기입니다. (가)에서 알맞은 표현을 찾아 쓰십시오.

[보기] **기회** : 유명 감독의 눈에 띄다.

❶ ______ : 출연한 영화가 크게 인기를 끌다.
❷ ______ : 영화 촬영 중 화재로 온몸에 화상을 입다.
❸ ______ : 자살을 시도하다.
❹ ______ : 영화제작을 공부하다
❺ ______ : 전 세계인을 감동시킨 영화를 만들다.

2) (가)에서 □□ 에 사용할 수 있는 표현을 모두 찾아 쓰십시오.

[보기] □□ 감을 느끼다 **위기, 좌절**

❶ □□ 을/를 거두다 ______
❷ □□ 을/를 겪다 ______
❸ □□ 을/를 극복하다 ______
❹ □□ 을/를 노리다 ______
❺ □□ 에 처하다 ______

3) 다음을 알맞게 연결하십시오.

승승장구 •	• 하는 일마다 성공하다
칠전팔기 •	• 물려받은 재산 없이 혼자 힘으로 재산을 모으다
고진감래 •	• 여러 번 실패해도 포기하지 않다
전화위복 •	• 위기가 오히려 기회가 되기도 하다
자수성가 •	• 어려움을 참고 견디면 좋은 결과가 오다

4) (나)에서 ( )에 알맞은 표현을 찾아 빈칸을 채우십시오.

올 크리스마스에는 감동의 책을 선물하세요. ―한국기업 총수 김영수 회고록

맨주먹으로 시작하여 한국 최고의 기업 총수가 된, ( )한 인물의 전형, 김영수 회장! 그에게도 시련은 있었다. 단 한 번의 실패 없이 ( )하던 그가 형제처럼 믿고 지내던 동업자의 배신으로 한 순간에 모든 걸 잃고 빈털터리가 되고 말았던 것이다. 그러나 그는 포기하지 않고 오늘날 젊은이들이 가장 일하고 싶어하는 기업을 일구어낸다. 이제 이 책을 손에 드는 순간, 당신은 고난의 가시밭길을 지나 성공의 기쁨을 맛보는 ( )의 참의미를 알게 될 것이다.

02 여러분이 알고 있는 성공한 인물을 위의 표현을 사용하여 소개해 보십시오.

[보기] 영국의 헤비메탈 밴드의 드러머 릭 앨런을 아십니까? 힘이 넘치면서도 정교한 리듬의 연주로 명성을 떨치다가 불의의 교통사고로 왼쪽 팔을 절단하는 시련을 겪은 인물입니다. 하지만 이 사람은 좌절하지 않고 오른팔만 사용하는 특수 주법을 익혀 재기에 성공했습니다.

성공 成功 **기회** 机会 **도전** 挑战 **위기** 危机 **좌절** 挫折 **재기** 东山再起 **승승장구** 乘胜追击
칠전팔기 百折不挠 **고진감래** 苦尽甘来 **전화위복** 逢凶化吉 **자수성가** 白手起家

문법

01 다음을 읽고 문법 및 표현을 익혀 봅시다.

저는 가난한 농부의 아들로 태어났습니다. 부모님들은 늘 이렇게 말씀하셨지요. 쓸데없이 책을 읽으면서 시간을 **낭비하느니** 밭에 나가 일을 하라고. 그럼 밥 한 끼가 생긴다고. 그러나 저는 공부를 하고 싶었습니다. 구하면 길이 열린다고 했던가요? 저는 장학금을 받아 유학을 떠날 기회를 잡았습니다. 그토록 원하던 넓은 세상과의 만남! 앞으로 어떤 어려움이 **닥칠지라도** 포기하지 않고 끝까지 꿈을 향해 나아가겠습니다.

-느니

1) 빈칸을 채우고 보기와 같이 문장을 만드십시오.

상황	선택
[보기] 일이 적성에 맞지 않는데 계속해야 할지 고민이다.	경제적으로는 어렵겠지만 적성에 맞는 일을 하겠다.
❶ 우리 부서에서 제일 무능력한 최 대리와 한 팀이 되었다.	
❷ 지금 출발하면 수업이 끝날 때쯤 학교에 도착할 것 같다.	
❸ 비를 맞고 있는데 옛날 남자 친구가 우산을 쓰고 걸어오고 있다.	
❹ 보고서를 완성하지 못했는데 상사에게 뭐라고 변명해야 할지 모르겠다.	

[보기] 적성에 맞지 않는 일을 하면서 경제적 안정을 얻느니 경제적으로는 어렵겠지만 적성에 맞는 일을 하겠다.

❶ ....

❷ ....

❸ ....

❹ ....

-을지라도/ㄹ지라도

2) 빈칸을 채우고 보기와 같이 문장을 만드십시오.

예상되는 부정적 결과	결심
[보기] 실패를 하다	나쁜 방법을 쓰지는 않겠다
❶	이 사람과 결혼하고 말겠다
❷	내일 아침까지 이 일을 끝내고 말겠다
❸	계획을 바꾸는 일은 없을 거다
❹	친구를 고자질할 수는 없다

[보기] 실패를 할지라도 나쁜 방법을 쓰지는 않겠다.

❶ ....

❷ ....

❸ ....

❹ ....

02 여러분은 도전하는 사람입니까? 쉽게 포기하는 사람입니까? 다음 표에 표시하고 이야기해 보십시오.

상황	도전하는 사람 (-을지라도)	포기하는 사람(-느니)
[보기] 짝사랑하는 사람이 있는데……. 고백할까?		
❶ 입사 시험에 자꾸 떨어지는데……. 계속 도전해야 할까?		
❷ 나는 수영을 잘 못 하는데……. 물에 빠진 아이를 구해야 할까?		
❸ 돈은 많지 않지만……. 해외 배낭여행을 떠나 볼까?		

[보기] 도전하는 사람 : 저는 그 사람을 다시 보지 못하게 될지라도 좋아한다는 고백을 하겠어요.
포기하는 사람 : 저는 괜히 고백했다가 그 사람을 못 보게 되느니 친구로라도 계속 그 사람 옆에 있고 싶은데요.

과제 1 읽고 말하기

다음은 인생을 성공적으로 이끌어 가고 있는 외과 의사 송명근 박사에 대한 이야기입니다. 읽고 질문에 답하십시오.

1992년 국내 최초 심장 이식 수술 성공, 1997년 국내 최초 인공 심장 이식 수술 성공, 2005년 심장, 신장 동시 이식 수술 성공! 바로 외과 의사 송명근 교수가 이루어낸 업적들이다. 미국 유학 시절, 양손을 쓰는 의사들의 수술 시간이 현저하게 적게 걸리는 것을 발견하고 6개월 간 왼손으로 밥을 먹고 젓가락질도 왼손으로 했다는 그! 당시 그가 왼손으로 꿰매는 연습을 한 담요는 액자에 끼워져 지금도 경기도의 한 종합병원 수술실 앞에 〈어느 외과 의사의 노력〉이라는 제목으로 걸려 있는데 그는 스스로 자신이 '미쳤었다' 고 말한다. 미쳤기 때문에 몰두할 수 있었고 몰두했기에 성공이 따라왔다는 것이다.

그러나 송명근 교수가 성공적인 삶을 이끌어 가는 인물이라는 데 이견이 없는 것은 단지 그가 외과 의사로서 성공했기 때문만은 아니다. 송 교수는 얼마 전 200억 원이 넘는 전 재산을 그와 아내의 사후에 사회에 되돌리겠다는 유언장을 작성해 공증까지 마쳤다는 사실을 공개했다. 평소 유일한 박사의 '기업이 사회에서 번 돈은 사회에 돌려줘야 한다' 는 인생철학에 공감하고 있던 터였는데 심장 수술을 앞둔 부자 노인의 앞에서 자식들이 재산 싸움을 벌이는 것을 보고 결심을 굳혔다는 것이다. 그리고 여러 해 전에 공증까지 마친 일을 새삼스럽게 공개 선언까지 하게 된 것은 유언장을 작성해 공증을 할 때에는 이렇게까지 재산이 불어날지 몰랐고 의료기기 사업의 성공으로 갑자기 재산이 엄청나게 늘자 욕심이 생겨 마음이 흔들릴까 봐 쐐기를 박기 위해서였다고 고백했다.

송 교수의 재산은 앞으로 얼마나 더 늘어날지 모른다. 그러나 얼마가 되든지 송 교수는 그가 환원한 돈으로 우선 국립심장병센터를 세우고 나머지는 심장병 연구 기금으로 쓰였으면 한다고 밝혔다. 그리고 소외받는 노인과 고아들을 위해서도 일부 쓰이기를 희망한다고 말했다.

01 〈어느 외과 의사의 노력〉은 무엇입니까?

02 송명근 박사는 자신의 성공 비결이 무엇이라고 말합니까?

03 송명근 박사가 공개 선언한 내용은 무엇입니까?

04 여러분은 송명근 박사의 결심과 공개 선언에 대해서 어떻게 생각합니까?

05 여러분 나라에도 사회의 지도층 또는 상류층으로서의 의무(노블리스 오블리제)를 실천하고 있는 인물이 있습니까? 소개해 보십시오.

인물	활동

과제 2 인터뷰하기(질문하기)

기능 표현 익히기

- 장애인 의무 고용제**에 대해서 어떻게 생각하십니까?**
- 장애인 의무 고용제**에 대해 찬성/ 반대하십니까?**
- 장애인 의무 고용제**에 대해 한 말씀 해 주십시오.**
- 장애인 의무 고용제**에 대한 의견을 듣고 싶습니다.**
- 장애인 의무 고용제**에 대한 견해를 밝혀 주십시오.**
- 장애인 의무 고용제**에 대한 입장을 분명히 해 주십시오.**

01 다음은 송명근 박사를 인터뷰한 내용입니다. 각 대답에 적당한 질문을 만들어 보십시오.

1) ....

....

"글쎄요. 어떤 일에서 성공하려면 무엇보다도 그 일에 미쳐야 한다고 생각합니다. 저는 늘 제 일에 미쳐 있었고 미쳤기 때문에 몰두할 수 있었고 성공은 그래서 따라왔다고 생각합니다."

2) ....

....

"아, 그거요? 그건 제가 미국 유학 시절에 양손을 쓰면 수술 시간이 2배나 빨라진다는 사실을 알고 수술할 때 왼손을 자유자재로 쓰기 위해 한 6개월 간 왼손만 쓰면서 지낸 적이 있는데 그때 왼손으로 꿰매는 연습을 했던 담요입니다."

3) ....

....

"평소 유한양행 창업자 고(故) 유일한 박사의 '기업이 사회에서 번 돈은 사회에 돌려줘야 한다' 는 인생철학에 공감하고 있던 터였는데 어느 날 심장 수술을 앞둔 부자 노인의 앞에서 자식들이 재산 싸움을 벌이는 것을 보고서 결심을 굳혔습니다. 그런데 그 후 제가 시작한 의료기기 사업의 성공으로 재산이 갑자기 엄청나게 불었고 그래서 욕심이 생겨 마음이 흔들릴까 봐 쐐기를 박은 것입니다."

4) ....

....

"우선 국립심장병센터를 세우고 나머지는 심장병 연구 기금으로 쓰였으면 합니다. 그리고 소외받는 노인과 고아들을 위해서도 일부 쓰이기를 희망합니다."

02 다음의 인물과 인터뷰하려고 합니다. 한 사람을 골라서 보기와 같이 인터뷰 질문을(5개 정도) 만들어 보십시오.

[보기] **유일한(73살)**

한국의 경제인들이 가장 존경하는 기업인. 미국 유학 시절 조국을 잊지 않겠다는 의지로 이름을 '유일형'에서 '유일한'으로 바꾼 인물. 사업이 한창 승승장구하던 1920년, 조국의 어려운 상황을 알고 돌연 귀국, 제약회사를 설립하여 영리가 목적이 아닌 민족에 봉사하기 위한 기업경영을 한 민족기업가. 72세에 전문경영인에게 기업의 경영권을 넘기고 은퇴, 교육 사업에 힘쓰는 한편 '유한재단'이라는 공익재단을 만들고 각종 공익사업에 기부를 아끼지 않으며 사후 전 재산을 유한재단에 기부하겠다는 뜻을 밝히기기도 한 살아 있는 성자.

❶ 미국 유학 시절 이름을 바꾸신 것으로 알고 있습니다. 특별한 의미가 있으십니까?

❷ 사업이 한창 성공적이던 때 갑작스런 귀국을 하신 이유는 무엇입니까?

❸ 선생님의 기업경영 철학에 대해서 말씀해 주십시오.

❹ 경영에서 은퇴하시면서 혈연관계가 전혀 없는 전문경영인에게 기업을 넘기셨는데요. 우리나라의 상속문화에 대한 견해를 듣고 싶습니다.

❺ 요즘 하고 계시는 공익사업과 이후의 계획에 대하여 이야기해 주십시오.

박찬우(33살)

야구선수, 한국인 최초로 메이저리그 진출, 데뷔전 17일 만에 마이너리그로 추락, 피나는 노력으로 5년 간 6500만 달러의 연봉 계약에 성공, 그러나 곧 다시 이어지는 부상과 부진, 그로 인한 비난 속에서도 좌절하지 않고 또다시 재기를 꿈꾸는 불굴의 한국인.

진유환(26살)

프로게이머, 공부는 뒷전이고 오직 컴퓨터 게임에 미쳐 부모님 속을 무던히도 썩이던 소년, 2006년 연봉 2억 5천만 원! 인기 탤런트, 가수 등을 제치고 팬 카페 회원수 1위! 월스트리트 저널과 르몽드지가 주목하는 e스포츠의 황제!

인요셉(47살)

전라도 사투리를 쓰는 파란 눈의 미국 국적을 가진 외국인 진료소 소장, 한국에서 태어나 한국에서 의술을 베풀며 북한 의료 지원 사업에도 앞장서는 한국 사람보다 더 한국 사람같은 외국인.

강우래(39살)

화려한 춤과 노래로 대중의 사랑을 받던 댄스 가수, 불의의 교통사고로 하반신이 마비돼 죽음을 바라던 그가, 5년 후 휠체어 댄스를 선보이며 돌아오다!

문국진(26살)

말단 사원에서 기업의 전문경영인이 된 입지전적인 인물. IMF 경제위기 속에서도 단 한 명의 해고 없이 오히려 고속성장을 이뤄 '아시아에서 가장 일하기 좋은 기업' 6위에 선정되기도 한 그의 기업 철학은 '혁신과 원칙', '공익성과 수익', '효율성과 인력유지' 등으로 일면 대립되는 두 가치의 균형 잡힌 조화이다.

02 성공에 대한 가치관

학습 목표 ● 과제 성공에 대한 가치관 알아보기, 인터뷰하기(대답하기)
● 문법 -는다거나, -는 데 ● 어휘 가치관

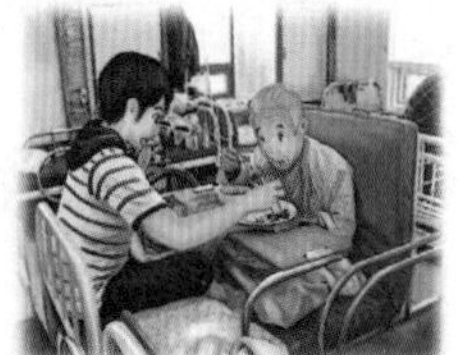

이 사람들이 인생에서 추구하는 것은 무엇일까요?
여러분은 인생에서의 성공이 무엇이라고 생각합니까? 그리고 성공하기 위해서 어떤 노력을 하고 있습니까?

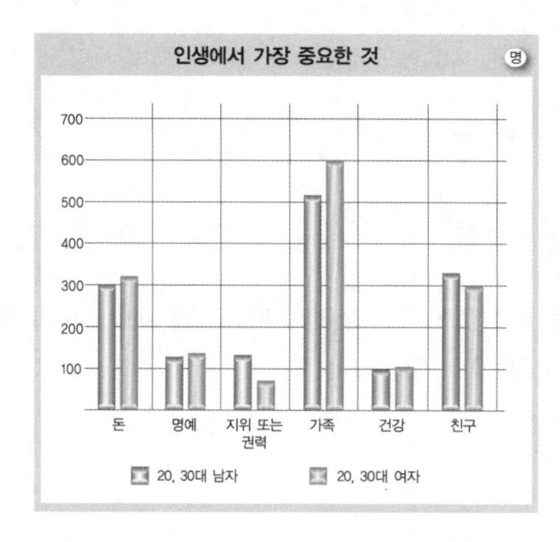

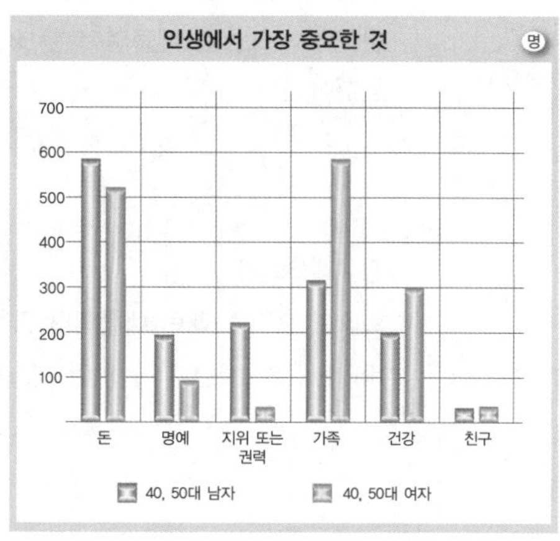

1) 남녀, 세대에 따라 한국인의 가치관에는 어떤 차이가 있습니까?

2) 여러분 나라에서는 남녀, 세대에 따라 어떤 가치관의 차이가 있습니까?

답변자 그러니까 조금 전에도 말씀드렸다시피 제 인생 최고의 가치는 가족과 행복하게 살면서 제 이상을 실현하는 데 있습니다.

제임스 지금까지 하신 말씀을 종합해 보면 선생님께서는 성공이라는 것을 상당히 주관적으로 해석하시는 듯합니다. 그럼 부와 명예, 지위나 권력 등을 최고의 가치로 여기는 많은 사람들에 대해서는 어떤 생각을 가지고 계십니까?

답변자 사람마다 추구하는 바가 다르므로 저는 그들이 틀렸다고 생각하지 않습니다. 제가 말씀드리고 싶은 것은 어떻게 살아가든 그 삶이 자기에게 만족스럽고 행복하다면 그것으로 그만이라는 것입니다.

제임스 그렇다면 선생님이 말씀하시는 가족의 행복과 이상의 실현이 과연 어떤 것인지 구체적으로 듣고 싶습니다.

답변자 저는 무엇보다도 가족과 많은 시간을 함께 하고 싶습니다. 함께 하는 시간만큼 많은 걸 공유하게 될 테고 그럼 서로에 대한 이해와 사랑이 깊어지지 않겠습니까? 그리고 제 이상은 나누는 삶입니다. 크고 거창하게 남을 도울 수는 없다 해도 가까운 이웃하고라도 제가 가진 것을 조금씩 나누면서 사는 것이 제가 생각하는 행복입니다.

제임스 마지막으로 하나만 더 말씀해 주십시오. 혹시 사회적으로 성공한 사람들이 선생님을 인생의 낙오자로 취급한다거나 먼 훗날 아이들이 선생님과는 다른 삶을 살고 싶어한다거나 하면 어떨까요?

답변자 세상에는 다양한 삶의 방식이 있습니다. 누구도 다른 사람에게 이렇게 살라고 강요할 수는 없는 거지요. 그리고 이제 우리 사회도 그 다양성들을 인정하고 있다고 보는데요.

제임스 잘 알겠습니다. 바쁘실 텐데도 불구하고 진지하게 답변해 주셔서 감사합니다.

01 '답변자'의 생각으로 맞는 것을 고르십시오.

❶ 부와 명예를 추구한다.

❷ 가정과 나의 행복을 우선시한다.

❸ 사회적 성공을 위해 개인의 행복을 희생할 수 있다.

❹ 사회적 성공을 최고의 가치로 여기는 것은 잘못이다.

종합하다 综合 **주관적으로** 主观上 **추구하다** 追求，求取 **공유하다** 共有，公共 **거창하다** 宏伟，巨大
낙오자 落伍者，掉队的人 **취급하다** 对待，看待 **강요하다** 强迫，强求 **진지하다** 真挚，认真 **답변하다** 答复，回答

02 '답변자'가 말하는 다양한 삶의 방식이란 무엇입니까?

03 여러분은 사회적 성공과 가정의 행복 중에서 어느 것이 우선이라고 생각합니까? 그 이유는 무엇입니까?

[보기] 저는 사회적 성공이 우선이라고 생각해요. 제가 사회적으로 성공하지 못하면 저와 제 가족이 행복해질 수 없을 것 같거든요. 가정의 행복은 사회적으로 성공한 후에도 얻을 수 있지 않을까요?

어휘 가치관

01 다음 표현을 익히고 질문에 답하십시오.

(가)	(나)
인생관	가치관을 심어주다
도덕관	가치관을 형성하다
인간관	가치관을 확립하다
이성관	가치관의 혼란을 겪다
결혼관	가치중립적 태도를 취하다
직업관	가치판단을 내리다
정치관	가치판단이 서다
경제관	

1) (가)에서 알맞은 표현을 찾아 빈칸을 채우십시오.

가치관이란 사람이 어떤 대상의 가치를 판단할 때 기준으로 삼는 잣대이다. 이때 그 대상이 무엇이냐에 따라서 가치관은 여러 가지의 이름을 갖는데 대상을 인생으로 했을 때를 (　　　)이라 하고, 도덕적 선악이나 바르고 그릇됨을 분별하는 경우는 (　　　), 대상이 인간이라면 (　　　), 이성과 결혼이 대상일 때는 (　　　,　　　), 그리고 직업과 정치, 경제에 대하여 가지는 생각이나 판단의 기준을 (　　　,　　　,　　　)이라고 한다.

2) 알맞은 표현을 고르십시오.

인간은 태어나면서부터 눈에 보이는 모든 대상을 판단하기 시작한다. 바로 자신만의 가치관을 (**형성하기, 확립하기**) 시작하는 것이다. 이때 그들의 가치관에 가장 큰 영향을 미치는 것은 다름 아닌 부모이다. 따라서 부모는 아이에게 올바른 가치관을 (**세우기, 심어주기, 확립하기**) 위해서 스스로의 가치관을 다시 한 번 (**세울, 형성할, 확립할**) 필요가 있다. 이제 아이는 자라서 청소년기를 맞고 절대적인 줄만 알았던 부모의 가치관과 부딪치면서 (**가치관의 혼란을 겪는다, 가치중립적 태도를 취한다**). 그러나 이것도 올바른 가치관을 세우는 하나의 과정이다. 그러므로 이 시기에 부모는 아이가 스스로 바른 가치관을 (**확립할, 심어줄**) 수 있도록 (**가치판단을 내리는, 가치중립적 태도를 취하는**) 것이 좋다.

02 위의 표현을 사용하여 여러분의 가치관 형성의 과정을 이야기해 보십시오.

[보기] 저의 가치관은 고등학교 때 확립된 것 같아요. 저도 남들처럼 중, 고등학교 때 어른들의 이중적인 가치관이 보이기 시작하면서 심한 가치관의 혼란을 겪었어요. 도무지 무엇이 옳은지 아무런 가치판단이 서지 않았어요. 그때 한 선배와 가깝게 지냈는데 그 선배는 제가 바른 가치관을 세울 수 있도록 많은 도움을 주셨어요.

인생관 人生观 **도덕관** 道德观 **인간관** 人类观 **이성관** 异性观 **결혼관** 婚姻观 **직업관** 职业观 **정치관** 政治观 **경제관** 经济观 **가치관을 심어주다** 培养价值观 **가치관을 형성하다** 形成价值观 **가치관을 확립하다** 树立价值观 **가치관의 혼란을 겪다** 价值观混乱 **가치중립적 태도를 취하다** 采取价值中立态度 **가치판단을 내리다** 做出价值判断 **가치판단이 서다** 做出价值判断

문법

01 다음을 읽고 문법 및 표현을 익혀 봅시다.

사람은 누구나 성공하고 싶어한다. 그런데 과연 성공은 무엇일까? 사람들은 부자가 **된다거나 유명해진다거나** 하면 성공했다고 하지만 내가 보기에는 그 사람들이 모두 행복해지는 것 같지는 않다. 도대체 부와 명예, 지위와 권력이 **행복해지는 데** 무슨 소용이 있다고 소중한 것들까지 잃어 가면서 그것들을 가지고 싶어하는 걸까?

-는다거나/ㄴ다거나/다거나

1) 빈칸을 채우고 보기와 같이 문장을 만드십시오.

상황	
[보기] 직장에서 인정을 받다, 가족과 화목한 시간을 보내다	인생에서 성공했다고 느끼다
❶	애인이 있었으면 싶다
❷	공부하기가 싫어지다
❸	자꾸 웃음이 나다
❹	고향이 그립다

[보기] 직장에서 인정을 받는다거나 가족과 화목한 시간을 보낸다거나 할 때 인생에서 성공했다고 느껴요.

❶ ______ 하는 경우 ______.

❷ ______ 할 때 ______.

❸ ______ 하면 ______.

❹ ______ 할 때 ______.

-는/은/ㄴ 데

2) 관계가 있는 것끼리 연결하고 문장을 만드십시오.

[보기] 커피, 찬물 세수, 다리 꼬집기 •	………	• 졸음을 쫓다
❶ 버섯, 된장, 요구르트 •		• 담배의 유혹을 뿌리치다
❷ 물 마시기, 충분한 수면, 긍정적 사고 •		• 잠이 오게 하다
❸ 껌, 사탕, 폐암 경고문 •		• 좋은 피부를 유지하다
❹ 따뜻한 우유, 목욕, 조용한 음악 •		• 암을 예방하다

[보기] **커피와 찬물 세수, 다리 꼬집기 등은 졸음을 쫓는 데** 효과가 있어요.

❶ ………………………………………… 효과가 있어요.

❷ ………………………………………… 필수적이에요.

❸ ………………………………………… 효과적이에요.

❹ ………………………………………… 도움이 돼요.

02 위의 두 표현을 사용하여 다음과 같은 상황에서 여러분이 사용하는 '나만의 비법'을 공개해 주십시오.

[보기] 긴장이 될 때 : 심호흡을 한다거나 두 팔을 위로 들고 몸을 쭉 편다거나 하면 긴장을 줄이는 데 도움이 돼요.

❶ 웃음을 참아야 할 때

❷ 친구의 화를 풀어 줘야 할 때

❸ 남는 시간을 때워야 할 때

과제 1 듣고 말하기 MP3 1 05

다음은 국가청소년위원회가 청소년의 가치관을 조사하기 위해 작성한 조사 계획서입니다.

조사 내용	• 전국 중 · 고등학생을 대상으로 청소년의 가치관을 조사한다. • 일대일 인터뷰 조사로 인생관, 결혼 · 가족관, 사회 · 국가관, 통일관 및 다문화 의식 등 4개의 부분으로 나누어 질문을 진행한다.
조사 목적	• 청소년의 주관적 가치 의식을 올바르게 이해하고 이것을 근거로 적절하고 현실성 있는 청소년 정책을 수립하는 것을 목적으로 한다.
향후 계획	• 매년 정기 조사를 실시하여 청소년의 가치관 변화에 대한 자료를 지속적으로 구축해 나간다. • 장기적으로는 외국 청소년 및 성인에 대한 조사까지 병행하여 국가 간 · 세대 간 비교도 가능할 수 있도록 발전시켜 나간다.
조사 개요	• 조사 기간 : 00년 11월 • 조사 대상 : 전국 중 · 고등학교 재학생 6,160명 • 조사 방법 : 일대일 인터뷰 조사 • 조사 수행 기관 : 한국청소년정책연구원

위의 조사에서 국가청소년위원회는 청소년의 인생관, 결혼 · 가족관, 사회 · 국가관, 통일관 및 다문화 의식 등의 가치관을 알아보기 위해 어떤 질문을 했을까요? 질문을 만들어 보십시오.

• 인생관 ❶

❷

• 결혼 · 가족관 ❶

❷

• 사회 · 국가관 ❶

❷

• 통일관 및 다문화 의식 ❶

❷

01 다음은 국가청소년위원회가 실시한 청소년의 가치관을 조사한 내용입니다.

1) 인생관과 결혼 · 가족관에 대한 조사 부분을 듣고 빈칸을 채우십시오.

	질문	대답
인생관	❶ 인생을 살아가는 데 가장 중요한 것이 무엇입니까?	❶ 가족 50.2%, 건강 20.4%, 돈 12.3%, 친구 8.7%, 종교 2.7%, 학력 1.5%
	❷	❷ 네 66.4%, 아니요 33.6%
	❸	❸ 능력 발휘 33.2%, 적성 32.8%, 경제적 수입, 장래성
결혼 · 가족관	❶	❶ 아니요 25%
	❷ 배우자 선택 시 무엇을 가장 중요하게 생각합니까?	❷ 성격 58.3%, 경제력, 외모, 직업
	❸	❸ 평균 2.09명
	❹	❹ 딸 33.5%, 아들 19.4%
	❺	❺ 긍정적 66.8%

2) 사회 · 국가관에 대한 조사 부분을 듣고 빈칸을 채우십시오.

	질문	대답
사회 · 국가관	❶	❶ 아니요 79.1%
	❷	❷ 아니요 54.9%
	❸	❸ 부모님 1,592명, 세종대왕, 이순신 장군, 빌 게이츠, 선생님, 헬렌켈러, 유관순
	❹ 역대 대통령 중 존경하는 인물이 있습니까? 있다면 누구입니까?	❹ 없다 65.8% 있다(김대중18.3%, 박정희 1.4%)
	❺	❺ 네 68.5%
	❻	❻ 네 39.4%
	❼ 나라의 발전이 곧 나의 발전이라고 생각합니까?	❼ 네 51.1%

3) 통일관 및 다문화 의식에 대한 조사 부분을 듣고 빈칸을 채우십시오.

	질문	대답
통일관 및 다문화 의식	❶	❶ 네 65.9%
	❷	❷ 네 58.1%
	❸ 북한을 협력 대상으로 생각합니까?	❸ 네 76.9%
	❹	❹ 아니요 71.6%
	❺	❺ 네 52.6%
	❻	❻ 네 56.3%
	❼ 우리 사회가 다문화 사회가 되는 것이 국가 발전에 도움이 된다고 생각합니까?	❼ 네 67.7%

02 여러분은 위의 질문에 어떻게 대답하겠습니까? 두 사람이 짝이 되어 질문하고 대답해 보십시오.

기능 표현 익히기

· 둘 중에서 하나만 선택하라는 **말씀이십니까?**

· **다시 한 번 질문해 주시겠습니까?**

· **제가 말씀드리고 싶은 것은** 이번 결정은 다시 논의되어야 한다는 것입니다.

· **제 말의 의미는/뜻은** 성공에 대한 가치관은 사람마다 다를 수 있으며 옳고 그름을 따질 수 있는 문제가 아니라는 것입니다.

· **제가 보기에는/제 생각으로는** 그런 극단적인 경우는 생기지 않을 것 같은데요.

· **저는 이렇게 생각합니다.**

· 두 가지 이상의 상황이 고려되었다는 **면에서 저는 박 선생님의 의견에 찬성합니다 / 동의합니다 / 반대합니다.**

· 저는 박 선생님**과 생각이 같습니다 / 다릅니다.**

01 인터뷰의 주제를 정하여 보기와 같이 조사 계획서를 만들고 구체적인 질문을 만들어 보십시오.

[보기] **주제 : 한국 대학생들의 직업에 대한 의식 구조**

조사 내용	한국 대학생들을 대상으로 직업에 대한 의식을 조사한다.
조사 목적 및 조사 결과 활용 계획	직업이 다양화, 세분화 되어 가고 있는 현재, 한국 대학생들의 직업에 대한 의식의 변화를 알아보고 보다 효율적으로 미래를 준비할 수 있도록 정보를 제공한다.
조사 개요	조사 기간 : OO년 O월 OO일 ~ O월 OO일 조사 대상 및 조사 장소 : 한국 대학생 5명, 명동 조사 방법 : 일대일 심층 인터뷰
기본 질문	❶ 실례지만 현재 어느 대학, 몇 학년에 재학 중이십니까? (남자인 경우, 군대에는 다녀오셨습니까?) ❷ 전공이 어떻게 되십니까?
질문	❶ 어린 시절 꿈이 무엇이었습니까? ❷ 현재 가지기를 원하는 직업은 무엇입니까? 이유는? ❸ 이상적이라고 생각하는 직업의 조건은 무엇입니까? ❹ 지금 취업을 위해서 어떤 준비를 하고 계십니까? ❺ 희망 직업은 전공과 관계가 있습니까? (없으면, 왜 전공과 관계없는 직업을 희망합니까?) ❻ 직업을 선택하는 기준은 무엇입니까? (세 가지) * 각 대답에 대해 심층 질문을 한다.

주제 : ....

조사 내용	
조사 목적 및 조사 결과 활용 계획	
조사 개요	조사 기간 : 조사 대상 및 조사 장소 : 조사 방법 :

기본 질문	❶ ❷ ❸
질문	❶ ❷ ❸ ❹ ❺ ❻ * 각 대답에 대해 심층 질문을 한다.

02 위의 조사 계획서를 이용하여 인터뷰를 실시한 후 보기와 같이 결과를 정리해 보십시오.

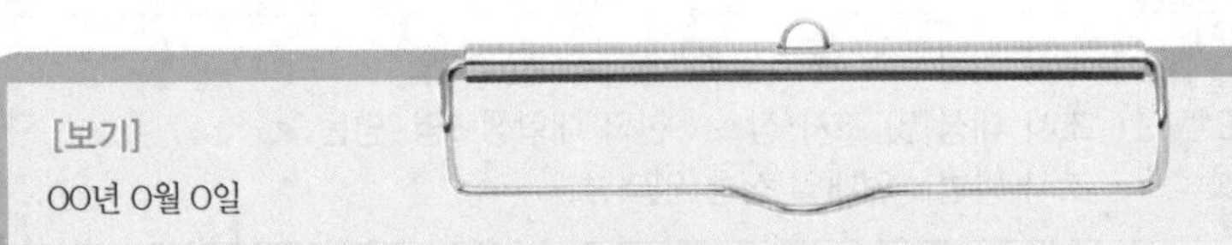

[보기]
OO년 O월 O일

한국 대학생들의 직업에 대한 의식 구조

발표자 : 6급 1반 왕 웨이

조사 내용과 목적, 조사 결과 활용 계획 : 직업이 다양화, 세분화 되어 가고 있는 현재, 한국 대학생들의 직업에 대한 의식의 변화를 알아보고 보다 효율적으로 미래를 준비할 수 있도록 정보를 제공한다.

조사 기간 : OO년 O월 O일 ~ O월 O일

조사 장소 : 명동

조사 대상 : ❶ 김민석(25세, 남자, 무역학과 4학년, 군필)
❷ 이수영(20세, 남자, 체육학과 1학년)
❸ 정민지(20세, 여자, 산업디자인학과 1학년)
❹ 이보람(22세, 여자, 러시아어과 2학년)
❺ 조설아(24세, 여자, 건축공학과 4학년)

조사 방법 : 일대일 심층 인터뷰

기본 질문 : 1. 실례지만 현재 어느 대학, 몇 학년에 재학 중이십니까?
(남자인 경우, 군대에는 다녀오셨습니까?)
2. 전공이 어떻게 되십니까?

질문과 대답 : 1. 어린 시절 꿈이 무엇이었습니까?
❶ 의사 ❷ 연예인 ❸ 외교관 ❹ 법률가 ❺ 교수

2. 현재 가지기를 원하는 직업은 무엇입니까? 이유는?
❶ 대기업 회사원──달리 되고 싶은 것도 없고 무난하니까
❷ 방송인──어렸을 때부터 꿈이었다.
❸ 기자──전문적이고 안정적인 직업인 것 같아서
❹ 요리사 ──요리하는 걸 좋아할 뿐만 아니라 전문적인 일이니까
❺ 사회복지사 ──무엇보다도 종교적인 내 신념과 맞기 때문에

3. 이상적이라고 생각하는 직업의 조건은 무엇입니까?
❶❷❹ 개인적 이상 실현 ❸ 사회적 인정 ❺ 사회 공헌

4. 지금 취업을 위해서 어떤 준비를 하고 계십니까?
❶❷❸❹❺ 외국어를 배우고 있다.
* ❶ 방학마다 인턴십에 적극 참여하고 있다.
❷ 방송국 아르바이트를 하고 있다.
❺ 자격증을 따기 위해 공부하고 있다.

5. 희망 직업은 전공과 관계가 있습니까? (없으면, 왜 전공과 관계없는 직업을 희망합니까?)
❶ 있다──대기업 상사에 취직하기를 원하고 있으므로 관련이 있다.
❷ 없다 ──솔직히 대학은 간판을 따기 위해 왔다.
❸ 있을 수도 있고 없을 수도 있다──일반 기자가 된다면 관련이 없겠지만 편집 기자가 된다면 어느 정도 전공의 도움을 받을 수 있을 것 같다.
❹❺ 없다 ──전공을 선택할 때 내 적성/이상이 뭔지 잘 모르고 선택했던 거 같다.

6. 직업을 선택하는 기준은 무엇입니까?
❶ 적성, 돈, 사회적 인지도 ❷ 돈, 적성, 사회적 인지도
❸ 사회적 인지도, 적성, 돈 ❹ 적성, 사회적 인지도, 돈
❺ 사회적 공헌도, 적성

소감 : 한국 대학생들의 희망 직업은 전공과 큰 관련이 없었다. 그리고 이것은 어린 시절의 꿈이 구체적이거나 실제적이지 않다는 사실과 관계가 있어 보인다. 따라서 어렸을 때부터 다양하고 보다 실질적인 직업에 대한 교육이 이루어져야 하겠다. 또한 한국 대학생들은 학년이 높을수록, 여자보다는 남자가 취업을 위한 구체적인 준비를 하고 있었다. 한편 한국의 대학생들은 이상적인 직업의 조건으로 개인적인 이상의 실현이나 사회적 인정, 공헌도를 이야기하였는데 동시에 현실적인 직업 선택에 있어서는 경제적인 부분도 많이 고려하고 있었다.

03 위의 내용을 이용하여 인터뷰 결과를 발표해 보십시오.

1) 조사 내용, 목적, 향후 계획, 개요 소개하기

2) 구체적인 질문과 응답 밝히기 (조사 결과에 대한 분석)

3) 조사 후 소감 말하기

[보기]

여러분도 아시다시피 직업은 점점 더 다양해지고 세분화되어 가고 있습니다. 그래서 저는 현재 한국 대학생들의 직업에 대한 의식과 그 변화를 조사하여 이를 통해 보다 효율적으로 미래를 준비할 수 있는 방법이 있는지, 있다면 그것이 무엇인지를 알아내고자 〈한국 대학생들의 직업에 대한 의식 구조〉에 대한 조사를 실시했습니다. 조사 기간은 OO년 O월 O일부터 O일까지였고 조사 장소는 명동, 조사 대상은 남녀 대학생 5명이었으며 조사 방법은 일대일 심층 인터뷰였습니다.

먼저 기본적으로 현재 다니고 있는 대학과 학년, 전공에 대해 물었습니다. 조사 대상 중 3명은 여자였는데 각각 어학 전공 2학년생과, 미술 전공 1학년생, 공학 전공 4학년생이었습니다. 나머지 2명은 남자로 한 사람은 군대를 다녀온 무역 전공의 4학년생이었으며 다른 한 사람은 체육을 전공하는 1학년 학생이었습니다.

저의 구체적인 질문은 모두 6개로, 먼저 ①어린 시절 꿈, ②앞으로 가지기를 원하는 직업과 그 이유 그리고 ③이상적이라고 생각하는 직업의 조건에 대해 질문했습니다. 제 질문에 각각의 조사 대상은 의사나 법률가, 교수 그리고 연예인 등 아주 흔하게 생각할 수 있는 직업이 꿈이었다고 대답했습니다. 한편 가지고 싶어하는 직업은 대기업 회사원, 방송인, 기자 등이었는데 그 이유는 전문직이기 때문이라는 대답이 많았습니다. 다음 3번 질문에는 모두 비슷한 대답을 했는데 한마디로 말하면 개인적으로 만족하고 사회적으로 공헌할 수 있는 직업이 이상적이라는 대답이었습니다.

그러나 대학생들의 어린 시절 꿈과 현실에는 많은 차이가 있었습니다. 저는 대학생들에게 ④지금 취업을 위해서 어떤 준비를 하고 있는지 ⑤희망 직업은 전공과 관계가 있는지, 없으면 왜 전공과 관계없는 직업을 희망하는지, 그리고 ⑥직업을 선택하는 기준이 무엇인지를 물어보았습니다. 첫 번째 질문에는 학년이 높을수록 남자일수록 보다 구체적인 준비를 하고 있었습니다. 이들이 하고 있는 준비로는 외국어를 배우고 있다는 대답이 제일 많았는데 특히 군대에 다녀온 남자 대학생은 방학을 이용하여 여러 업체에서 하는 인턴십에 적극적으로 참여하고 있다고 말했고 사회복지사가 되기를 원하는 4학년 여자 대학생은 사회복지사 자격증을 따기 위해 공부하고 있다고 대답했습니다. 그리고 전공과 희망 직업 사이에는 큰 관련이 없었습니다. 마지막 질문은 실질적인 직업 선택의 기준에 관한 것이었는데 모두들 개인의 적성과 사회적 인지도가 고려돼야 한다고 3번 질문의 이상적인 직업의 조건이 현실에서도 똑같이 적용되고 있음을 볼 수 있었습니다. 그러나 물론 예상대로 5명 중 4명이 경제적인 부분도 고려해야 한다고 답했습니다.

저는 이번 조사를 통해서 한국 대학생들의 희망 직업이 전공과 크게 관계가 없으며 나이와 함께 점차 구체적으로 변화해 가는 것을 알게 되었습니다. 따라서 좀 더 어렸을 때부터 구체적으로 직업에 대한 정보를 제공하는 현실적인 교육이 필요하다고 느꼈습니다. 또한 어느 나라나 직업 선택의 경우에는 개인적인 부분과 사회적인 부분이 모두 고려되고 있다는 것을 알게 되었습니다. 따라서 이 두 조건을 모두 만족시키는 직업을 찾는 것이 가장 이상적인 직업이라는 것을 다시 한번 확인했습니다.

이외에도 조사 대상들과 많은 이야기를 나눌 수 있어서 제 개인적으로도 아주 재미있고 즐거운 경험이었습니다. 이상입니다. 혹시 질문이 있으십니까?

03 정리해 봅시다

I. 어휘

01 다음 설명에 알맞은 단어를 고르고 그 단어를 이용하여 짧은 문장을 만드십시오.

한결같다	침해되다	종합하다	거창하다	추구하다	공유하다
취급하다	답변하다	진지하다	강요하다	누비다	

[보기] 처음부터 끝까지 변함없이 똑같다 : **한결같다**

사귄 지 5년이 넘었는데도 저 두 사람의 사랑은 언제나 한결같다.

1) 크기나 모양, 느낌 등이 매우 크고 넓다 : ....

....

2) 마음을 쓰는 태도나 행동 등이 가볍지 않고 진실하다 : ....

....

3) 목적을 이룰 때까지 뒤쫓아 얻다 : ....

....

4) 두 사람 이상이 하나의 대상을 공동으로 가지다 : ....

....

5) 이리저리 빠짐없이 다니다 : ....

....

02 다음의 문장의 밑줄 친 부분을 보기와 같이 배운 어휘를 이용하여 바꾸십시오.

[보기] 사람에게는 누구에게나 살면서 인생을 성공으로 이끌 세 번의 좋은 때가 온다지만 오직 준비한 자만이 그것을 잡을 수 있다.

→ 사람에게는 누구에게나 살면서 인생을 성공으로 이끌 세 번의 기회가 온다지만 오직 준비한 자만이 그 기회를 잡을 수 있다.

1) 아무리 큰 어렵고 힘든 일들이라고 해도 참고 견디다가 보면 다시 일어설 수 있을 거라고 믿어.

→

2) 네 인생에서 네가 이겨내지 못할 만큼 힘든 일은 없을 거라고 생각해. 그러니까 무슨 일이든지 두려워하지 말고 정면으로 부딪쳐 맞서 싸워 보는 거야.

→

3) 살아 보니까 세상에는 지금은 불행하다고 느낄 만한 일이 나중에는 행운으로 바뀌는 경우도 참 많은 것 같아.

→

4) 네 남자 친구는 좀 남자답지 않아 보여. 위험한 상황에 처하면 싸워 보지도 않고 금방 모든 걸 잃은 것처럼 마음과 기운이 약해져서 포기할 사람 같아.

→

5) 앞으로 수없이 실패하는 일이 있어도 그 때마다 포기하지 않고 다시 일어나서 끝까지 해 보겠다는 정신으로 노력할 것임을 다짐해 본다.

→

03 여러 가지 가치관에 관한 단어를 쓰고 문장을 만들어 보십시오.

[보기] 인 생 관 : 제 인생관은 가늘고 길게 사는 것이 아니라 짧아도 굵게 사는 것입니다.

1) □□관 : ....

2) □□관 : ....

II. 문법

사람들은 다음과 같은 문제를 해결하려면 어떻게 해야 한다고들 말합니까? 그리고 여러분은 그 방법들에 대해서 어떻게 생각하십니까? 보기와 같이 이야기해 보십시오.

손가락을 불에 데었다	
우리 할머니는 불에 덴 상처를 가라앉히는 데에는 된장을 바른다거나 오줌물에 상처 부위를 담근다거나 하면 좋다고 하셨지만…….	
저는 오줌물에 손가락을 담그느니 차라리 그냥 아파도 참겠어요.	저는 효과가 빠르다면야 비록 좀 더럽다 할지라도 오줌물에 손가락을 담그겠어요.

1) 말을 안 듣는 아이의 버릇을 고쳐야 한다.

2) 풀이 죽은 아이의 기를 살려야 한다.

3) 사람들의 이목을 끌어야 한다.

4) 귀찮게 따라다니는 상대를 쫓아 버리고 싶다.

5) 피부의 적, 자외선을 차단해야 한다.

III. 과제

01 다음은 사회적으로 성공한 인물들의 말입니다. 각각의 의미가 무엇인지 이야기해 봅시다.

유일한	유한양행 창업자	"기업의 소유주는 사회다. 단지 그 관리를 개인이 할 뿐이다."
앤드류 카네기	미국의 철강왕	"행복의 비결은 포기해야 할 것을 포기하는 것이다."
토마스 헌터	영국의 투자가	"엄청난 부에는 그만한 책임이 따른다."
정문술	전 미래산업 사장	"진정으로 자신을 버릴 때 자신을 얻을 수 있다."

02 여러분은 이 사회에 어떤 말을 남기고 싶습니까? 그 의미는 무엇입니까?

03 여러분이 사회적으로 유명한 인물이 되어서 인터뷰의 대상이 된다면 어떤 질문을 받고 싶습니까? 받고 싶은 질문을 만들고 스스로 대답해 보십시오.

질문	대답

문화

한국 화폐 속의 인물

한국의 화폐 중에서 인물이 디자인되어 있는 것은 100원, 1,000원, 5,000원, 10,000원이다.

100원짜리 동전에 있는 충무공 이순신은 조선시대의 명장으로서 거북선을 처음 만들어 사용했으며 외세의 공격으로부터 조선을 지켰다. 투철한 조국애와 뛰어난 전략으로 민족을 적으로부터 방어하고 격퇴함으로써 한국 역사상 가장 추앙 받는 장수의 한 사람이 되었다. 이순신은 글에도 능하여 '난중일기' 와 시조, 한시 등 여러 편의 작품을 남겼다.

1,000원 권에는 퇴계 이황이 그려져 있다. 이황은 조선시대를 대표하는 학자로서 중종, 명종, 선조의 존경을 받았으며 시문과 글씨에도 뛰어났다. 그는 도산 서원을 창설하여 후진 양성과 학문의 연구에 힘을 쏟았으며 인간의 존재와 본질을 행동보다는 이념적인 면에서 추구하였다.

5,000원 권에 그려져 있는 율곡 이이는 조선 중기의 학자이며 정치가로서 강원도 강릉 출생이다. 정치적 식견과 폭넓은 경험으로 왕의 두터운 신임을 얻어 40세 무렵에 정국을 주도하는 인물로 부상했으며 당파 간의 갈등을 해소하기 위해 적극적으로 노력하였다. 이이는 국력을 기르기 위한 '십만양병설' 을 주장하였으며 낙향해서는 제자 교육에 힘썼다.

10,000원 권에는 역대 왕들 중에서 업적이 많기로 손꼽히는 조선의 제4대 왕인 세종대왕이 그려져 있다. 세종대왕은 궁궐 안에 정음청을 설치해 한글을 창제했으며 해시계, 물시계, 혼천의 등 많은 과학 기구들을 발명하여 우리나라의 과학 기술을 발전시켰다. 또한 활자를 개발해 많은 책을 펴내 학문 발전에도 기여했다.

2009년에 발행되는 10만원 권 지폐에는 백범 김구가, 5만원 권에는 신사임당이 선정됐다. 김구는 독립애국지사로서 일제 강점기인 1919년 중국 상하이로 망명해 임시정부의 중요한 직책을 맡아 독립운동을 이끌었으며, 광복 후에는 남북통일 국가를 만들기 위해 힘을 쏟았다. 신사임당은 여성 문화 예술인으로서 대표적인 상징성을 보유하고 있으며 조선 중기의 한국적 특성을 잘 살린 회화, 서예, 문예 등 수준 높은 작품을 남겼다. 조선 중기 대학자인 율곡 이이를 비롯해 3남 4녀를 훌륭하게 키워냄으로써 현모양처의 표본이 되었다.

여론조사 등을 토대로 5만원 권과 10만원 권의 지폐 인물 후보자로 김구, 김정희, 신사임당, 안창호, 유관순, 장보고, 장영실, 정약용, 주시경, 한용운(가나다순) 등 10명을 선정한 뒤 후보자 압축 작업을 진행해 최종적으로 백범 김구와 신사임당을 선정했다.

1. 화폐의 인물을 선정하는 기준이 무엇인지 생각해 봅시다.

2. 5만원 권과 10만원 권의 지폐 인물 후보자로 뽑혔던 김정희, 안창호, 유관순, 장보고, 장영실, 정약용, 주시경, 한용운이 어떤 인물인지 알아봅시다.

3. 여러분 나라의 지폐나 동전에 새겨져 있는 인물에 대해 이야기해 봅시다.

문법 설명

01 -느니

앞 상황이나 행위보다는 뒤 상황이나 행위가 차라리 나음을 의미하는데 뒤의 상황, 행위도 썩 만족스럽지는 않은 경우이며, 따라서 뒤 문장에 '차라리' 나 '아예' 등과 자주 어울려 쓰인다.

- 남이 먹다 남긴 음식을 먹느니 차라리 굶겠다.
- 모르면서 아는 척하느니 부끄럽지만 아예 모른다고 솔직하게 말하겠다.
- 이렇게 나쁜 성적으로 진급을 하느니 차라리 유급을 하는 게 어떨까?
- 앓느니 죽지!

02 -을지라도/ㄹ지라도

앞 문장과 같은 어려움이나 바람직하지 못한 상황이 예상되지만 그것을 감수하고 뒤 문장의 상황을 선택하겠다는 의지를 말할 때 쓴다.

- 아무리 큰 어려움이 있을지라도 포기하지 않겠다.
- 비록 좋은 결과를 얻지는 못할지라도 끝까지 최선을 다할 생각이다.
- 부모님이 반대하실지라도 저는 이 사람과 꼭 결혼하고 말 거예요.
- 그가 나를 떠난다 할지라도 원망은 하지 않을 거다.

03 -는다거나/ㄴ다거나/다거나

여러 가지 사실을 예로 들어 나열할 때 쓴다.

- 나는 아버지 구두를 닦는다거나 어머니 일을 돕는다거나 해서 용돈을 벌고 있다.
- 하루 종일 집에서 뒹군다거나 좋아하는 영화를 본다거나 하면서 주말을 보낸다.
- 과장님은 아침을 못 먹었다거나 아침에 지하철에 사람이 많았다거나 하면 꼭 우리에게 짜증을 낸다.
- 수업에 늦을 것 같다거나 날씨가 흐리다거나 할 때 학교에 가기 싫어진다.

04 -는 데

'-는 것', '-는 때', '-는 경우', '-는 상황'을 의미하며 주로 '효과가 있다/없다, 효과적이다, 필요하다, 필수적이다, 중요하다, 도움이 되다' 등과 같이 쓰인다.

- 김치의 각종 재료와 양념은 암을 예방하고 비만을 억제하는 데 효과가 있다.
- 요즘 취직을 하는 데 필수적인 조건은 외국어 실력과 컴퓨터 실력이다.
- "파이팅"하고 크게 소리를 지르는 것은 용기를 내는 데 도움이 되는 것 같다.
- 서로 간의 믿음이야말로 좋은 관계를 오래도록 유지하는 데 중요하다고 본다.

제2과 더불어 사는 사회

01

제목 | 지역이기주의의 극복
과제 | 지역이기주의 현상에 대해서 알아보기
신문 기사 요약하여 발표하기
어휘 | 지역이기주의
문법 | -어 주십사 하고, -었던들

02

제목 | 기업 이윤의 사회 환원
과제 | 기업의 사회 봉사 활동에 대해서 의견 나누기
신문 기사 작성하기
어휘 | 기업의 공헌
문법 | -으면 몰라도, -겠거니 하고

03

정리해 봅시다

- 문화
한국의 기부 문화

01 지역이기주의의 극복

학습 목표 ● 과제 지역이기주의 현상에 대해서 알아보기, 신문 기사 요약하여 발표하기
● 문법 -어 주십사 하고, -었던들 ● 어휘 지역이기주의

위의 사진에서 사람들은 무엇을 하고 있습니까?
이와 같은 상황은 왜 발생하겠습니까?

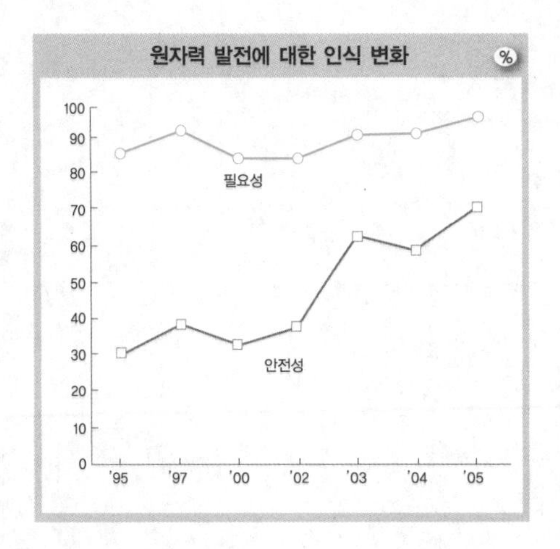

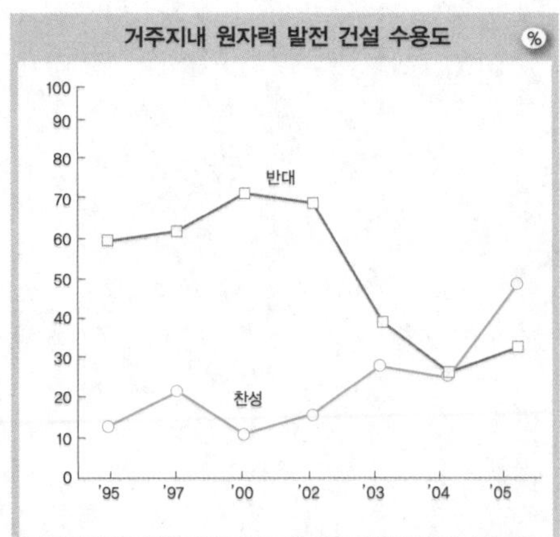

1) 이 표를 통해 무엇을 알 수 있습니까?

2) 이러한 변화가 일어나는 이유는 무엇이겠습니까?

대화

구청장 오늘 공청회는 구민 여러분께 화장장 건립에 대해 이해를 구하고 이 계획에 협조해 주십사 하는 취지에서 열리게 되었습니다.

정희 먼저 화장장을 세워야 할 필요성에 대해 알고 싶은데요.

구청장 여러분도 아시다시피 최근 10여 년 간 급속도로 화장이 늘고 있지만 화장 시설과 납골 시설은 상당히 부족합니다. 시설 건립과 확장이 시급한 상황입니다.

민철 보다 일찍부터 장례 문화의 변화를 예측하고 준비했던들 지금과 같은 급박한 상황에 이르지는 않았을 텐데요.

정희 그런데 왜 하필이면 우리 구에 화장장을 설치해야 하는 겁니까?

구청장 현재 우리 구민의 약 60%가 화장을 희망하고 있는 것으로 나타났습니다. 우리 구에 화장장을 유치할 경우, 이용료의 부담도 줄고 정부에서 지원을 받아 공공 시설도 확충할 수 있다는 이점이 있습니다.

민철 아무리 그렇다 하더라도 소각할 때 유해 물질이 발생할 것은 뻔한 일입니다. 그로 인한 환경 피해도 피할 수가 없고요.

구청장 그래서 위치를 주거 지역에서 가능한 한 먼 곳으로 선정할 계획입니다. 또 오염 물질과 악취가 발생하지 않도록 최첨단 시설을 갖추고 공원형으로 건립하여 혐오 시설이 아닌 생활 편의 시설로 인식되도록 하겠습니다. 여러분의 많은 협조를 부탁드립니다.

01 이 사람들은 무엇에 대해서 이야기하고 있습니까?

❶ 공청회 ❷ 환경 오염 ❸ 공원 확충 ❹ 화장장 건립

02 주민들이 우려하는 문제는 무엇입니까?

03 화장장 외의 다른 혐오 시설로는 무엇이 있습니까? 보기와 같이 이야기해 보십시오.

[보기] 또 다른 혐오 시설로는 핵폐기물 처리장을 들 수 있습니다. 핵폐기물 처리장은 방사능을 발생시켜서 공기나 물, 또는 사람의 신체 등을 오염시킬 수 있습니다. 방사능은 인체에 해를 많이 끼치고 치사율도 높다고 합니다.

공청회 听证会 **화장장** 火葬场 **건립** 建立 **취지** 宗旨，意图 **납골 시설** 骨灰保存设施
하필이면 何必，偏偏 **유치하다** 引进，申办 **확충하다** 扩充，扩大 **소각하다** 焚烧，烧毁
유해 물질 有害物质 **선정하다** 选定，列为 **악취** 恶臭 **혐오 시설** 憎恶设施

어휘 지역이기주의

01 다음 표현을 익히고 질문에 답하십시오.

(가)	(나)
님비 현상 혐오 시설 시위 분쟁 갈등	기피하다 유치하다 벌이다 발생하다 유발하다 조정하다

1) (가)에서 알맞은 표현을 찾아 빈칸을 채우십시오.

화장장, 핵폐기물 처리장, 쓰레기 매립장 등 ( )을/를 자신들이 살고 있는 지역에 유치하는 것을 반대하는 주민과 정부와의 ( )이/가 지역이기주의의 구체적 사례들이다. 이러한 '내 뒷마당에서는 안 된다'는 지역이기주의를 ( )이라고/라고 부르기도 한다.

2) (나)에서 알맞은 표현을 찾아 빈칸을 채우고 님비 현상의 사례로 볼 수 있는 것에 표시하십시오.

기사 내용	님비 현상
❶ 경기도 안산시와 주민들 사이에 쓰레기 소각장 건설 문제로 분쟁이 ( )었다/았다/였다.	✔
❷ 부산시와 대구시는 대기업 자동차 공장을 자기 지역에 ( )으려고/려고 치열한 경쟁을 하고 있다.	
❸ 서울시는 지난 2001년 월드컵경기장 선정 문제를 놓고 인천시와 유치 경쟁을 ( )었다/았다/였다.	
❹ 묘지공원과 화장장 등은 오폐수와 쓰레기로 인해 물이 오염될 뿐 아니라 차량 증가로 소음까지 발생한다고 주민들이 ( )는 시설의 하나이다.	
❺ 시민단체가 시와 주민 사이의 의견 차이를 ( )어/아/여 분쟁을 해결하였다.	

02 위의 단어들을 사용하여 여러분이 알고 있는 지역이기주의의 예를 들고 해결 방안에 대해서 이야기해 보십시오.

[보기] 어느 지역에서 시립 화장장이 좁아 넓히려는 계획이 있었대요. 그런데 주민들이 반대하는 바람에 분쟁이 발생했고 이것을 해결하기 위해 공무원들은 자체적으로 공식적인 모임을 여러 번 가지는 한편 주민들을 위한 설명회와 공청회도 17차례나 실시해서 결국 추모공원 사업을 할 수 있게 되었대요. 대화와 타협이 갈등을 해결한 것이죠.

문법

01 다음을 읽고 문법 및 표현을 익혀 봅시다.

친애하는 구청장님!

이웃 서초구가 확장 계획을 추진하고 있는 화장장이 우리 주민들의 의사와 관계없이 우리 구와 인접한 곳으로 결정되었습니다. 우리 구 주민들은 이로 인해 재산권, 환경권 등에 막대한 피해가 발생할 것을 우려하여 서초구의 결정에 반대합니다. 장소를 선정하는 과정에서 우리 주민들의 의견을 묻고 미리 협의를 **했던들** 지금과 같은 분쟁 상황이 발생하지는 않았으리라 생각됩니다. 우리 지역 주민들은 일방적이고 비민주적인 방법으로 사업을 추진하고 있는 서초구의 방식을 받아들일 수가 없습니다. 구청장님께서 주민들의 이러한 의견을 파악하셔서 확장 계획을 재검토하도록 **힘써 주십사 하고** 이 의견서를 제출합니다.

구민 대표 정민철 올림

님비 현상 地区利己主义现象 **시위** 示威 **분쟁** 纷争，纠纷 **갈등** 矛盾，纠纷 **기피하다** 逃避，回避
벌이다 展开，开展 **발생하다** 发生 **유발하다** 引起，诱发 **조정하다** 调整

–어/아/여 주십사 하고

1) 다음을 연결하고 보기와 같이 이야기해 보십시오.

"장애인 학교의 설립을 도와주십시오" •	• 무료 식사권을 드리는 겁니다
"우리 식당에 자주 와 주십시오" •	• 시사회 초대권을 드리는 거예요
"저희 결혼식의 주례를 봐주십시오" •	• 견본품을 증정하는 겁니다
"제가 출연한 영화를 보러 와 주십시오" •	• 설명회를 개최하게 되었어요
"저희 회사 화장품을 애용해 주십시오" •	• 부탁드리러 왔습니다

[보기] 장애인 학교의 설립을 도와주십사 하고 설명회를 개최하게 되었어요.

–었던들/았던들/였던들

2) 빈칸을 채우고 보기와 같이 문장을 쓰십시오.

과거의 사실	현재의 결과
[보기] 화장장 유치를 반대했다	3배 정도 비싼 사용료를 다른 지역에 지불한다
❶ 돈을 물 쓰듯 썼다	지금처럼 사고를 당했을 때 병원비가 부족하다
❷ 눈이 오는 날 높은 구두를 신었다	
❸ 평소에 건강에 신경 쓰지 않았다	건강이 나빠졌다
❹ 도박에서 손을 떼라는 친구의 충고를 듣지 않았다	

[보기] 화장장 유치를 반대하지 않았던들 3배나 비싼 사용료를 다른 지역에 지불하지 않아도 됐을 텐데…….

❶ ....
❷ ....
❸ ....
❹ ....

02 지금 후회하고 있는 일의 반대 상황을 가정하여 보기와 같이 이야기해 보십시오.

후회되는 일	상상할 수 있는 상황
10년 간 다니던 직장을 그만두었다	지금쯤 부장이 되어서 높은 연봉을 받을 것이다

[보기] 대학을 졸업하자마자 대기업에 취직을 했습니다. 하지만 10년 간 다니다가 내 사업을 해 보겠다고 사표를 냈지요. 50대가 된 지금 내 입사 동기들은 대부분 부장이 되어 억대 연봉을 받고 있지만 나는 경기가 나빠 사업이 마음먹은 대로 되지 않아 후회를 합니다. '그 때 그만두지 않았던들 나도 높은 연봉을 받으면서 편히 살고 있을 텐데.' 하고 말입니다.

01 다음을 듣고 질문에 답하십시오.

1) 이 뉴스는 무엇에 대한 것입니까?

❶ 지역이기주의의 뜻 ❷ 지역이기주의를 극복한 사례
❸ 쓰레기 소각장 건립의 필요성 ❹ 쓰레기 소각장 건립의 어려움

2) 쓰레기 소각장을 유치하려는 경쟁이 벌어진 이유는 무엇입니까?

❶ 주민들이 소각장의 건립 필요성을 실감했기 때문에
❷ 지방자치단체가 재정적으로 여유가 있었기 때문에
❸ 시 당국이 후보 지역에 유리한 조건을 제시했기 때문에
❹ 환경보호에 좋은 영향을 끼칠 것이라고 판단했기 때문에

3) 소각장 유치 지역으로 선정될 경우의 혜택으로 언급되지 않은 것은 어느 것입니까?

❶ 일자리 증가 ❷ 온수 무료 공급
❸ 지역 개발 지원금 보조 ❹ 유치 지역으로 공공기관 이전

02 만일 여러분이 사는 곳에 이러한 시설이 들어온다면 여러분은 어떻게 하겠습니까? 여러분의 의견을 이야기해 보십시오.

시설명	찬성	반대	이유
초등학교			
쓰레기 소각장			
핵폐기물 처리장			
복합 문화관			
노인 요양 시설			

기능 표현 익히기

· **이것은** 2007년 12월 30일자 국민**신문** 사회**면에 나온 기사입니다.**

· 이 기사**에 의하면**/이 기사**에 따르면** 한국이 실질적 사형 폐지 국가가 되었**다고 합니다.**

· 지난 30일**에** 서울 여의도 국회의사당 앞마당**에서** 종교, 인권, 시민단체 관계자들**이** 참석하여 '사형 폐지 국가 기념식' **이 열렸습니다.**

· 이 기사**에 나타난 것과 같이**/이 기사**에서 보다시피** 최근 10년 동안 우리나라에서 한 번도 사형이 집행되지 않았습니다.

· 이 기사**를 읽고** 현실적으로 실행되고 있지도 않은 이 제도는 당연히 폐지되어야 **한다고 생각했습니다.**

01 다음 기사를 읽고 요약하여 발표해 보십시오.

서울시, 차로 줄여 자전거 길 만든다

——양천 · 송파 · 노원구 중 2곳 '자전거 시범 마을' 조성…… 6월부터 공사

자전거를 이용해 아파트, 학교, 쇼핑센터, 지하철 등 생활권 내에서 편리하게 이동할 수 있는 자전거 시범 타운이 올해 안에 만들어진다.

서울시는 시민들이 일상생활에서 자전거를 더 많이 이용하도록 하기 위해 올해 안에 양천구, 송파구, 노원구 중 2곳에 반경 3㎞ 규모의 자전거 시범 타운을 조성할 예정이라고 22일 밝혔다.

시범 타운은 자전거 교통 수요가 많은 곳이나 자전거 교통량을 증가시킬 수 있는 곳, 자전거 도로 등의 관련 시설의 설치가 가능한 지역 중에서 선정된다.

시범 타운으로 지정되면 시는 자전거 도로를 추가로 정비해 주고, 자전거 보관대와 주차장을 설치하는 한편 자전거 무료 대여소 등도 만들 계획이다.

자전거 도로가 보도에 설치돼 시민들이 보행에 불편을 겪고 있는 점을 고려해 시는 시범 타운 내에서는 원칙적으로 차도에 자전거 도로를 설치할 방침이다. 서울시는 경찰과 협의를 통해 차로 수는 유지하면서 차로 폭을 줄인 뒤 기존 차로에 자전거 도로를 만들고 자전거 이용자들의 안전을 위해 차도와 자전거 도로 사이에 경계석을 설치하거나 차로의 폭을 줄일 수 없는 곳의 경우 차로의 수를 줄여 자전거 도로를 설치하기로 했다.

시는 다음 달까지 시범 타운을 선정하고 6월부터 10월까지 공사를 실시할 예정이다.

[국민신문 사회면 2008/03/22]

1) 요약하기

요약 항목		요약 내용
기본 정보	날짜	
	신문 이름	
	면	
주제		친환경
중심 내용		
세부 내용	언제	6월~10월
	어디서	
	누가	서울시
	무엇을	
	왜	
	어떻게	조성하겠다

2) 자기 의견 정리하기

저는 이 기사를 읽고 ______________________ 이라고/라고/다고/는다고/ㄴ다고 생각했습니다.

3) 질문 사항 만들기

여러분은 ________________ 에 대해서 어떻게 생각합니까?

02 시사적인 기사를 골라 위의 방법으로 발표해 보십시오.

02 기업 이윤의 사회 환원

학습 목표 ● 과제 기업의 사회 봉사 활동에 대해서 의견 나누기, 신문 기사 작성하기
● 문법 -으면 몰라도, -겠거니 하고 ● 어휘 기업의 공헌

위의 사진은 무엇을 하는 장면입니까?
기업들은 왜 이런 일을 할까요?

▲▲ 통신의 '어린이 찾아 주기'

일성과 함께 하는 아름다운 하루

사랑의 별

나눔의 별

*아름다운 가게와 함께하는
일성주식회사 사회봉사단 10주년 기념 바자회

일시 : 2007년 12월 20일 오전 10시 30분~오후 4시
장소 : 일성일보 본사 주차장
판매 물품 :
일성 계열사 임직원 기증품/ 일성 광고 소품/일성 스포츠 선수 기증품 / 일성 패션 의류 / 일성 전자제품
(*'아름다운 가게'에서는 헌 물건을 기증받아 판매하고 그 수익금으로 어려운 이웃과 단체를 돕고 있습니다.)

1) 위 그림은 기업들의 사회 봉사 활동 광고입니다. 어떤 봉사 활동입니까?

2) 위 두 기업의 경우 기업의 성격과 봉사 활동의 내용 사이에 어떤 관계가 있다고 생각합니까?

대화

민철 정희 씨, 어제 특집 방송 '기업 이윤 어디로 가나' 보셨어요? 국내 기업들도 이제는 이윤을 사회에 환원하려고 여러 모로 노력하고 있더라고요.

정희 아, 네. 요즘 기업들마다 특색 있는 행사를 다양하게 벌인다고 들었어요. 저소득층 서민을 위해 어린이 공부방을 만들어서 직원을 교사로 파견하는 곳도 있고 무료 급식 시설을 마련하여 직원들이 직접 봉사 활동을 하는 기업도 있다더군요.

민철 한 화장지회사는 나무 심기를 비롯한 환경 보존 사업을 펼치고 있고 어떤 전자제품회사는 지역 발전을 위해 문화 예술 행사를 지원하기도 하던데요.

정희 그런데 그런 건 사회를 위해서도 바람직하지만 회사 이미지에도 상당히 긍정적인 영향을 미치지요? 물건이 품질에서 뚜렷하게 차이가 나면 몰라도 별 차이가 없다면 역시 좋은 이미지의 회사 물건에 끌리게 마련이잖아요.

민철 그러고 보니 기업은 기업대로 이윤을 올려서 좋고 소비자는 소비자대로 그 회사 제품을 구입함으로써 간접적으로 사회에 공헌하게 되니까 모두에게 좋은 일이네요.

정희 이제는 기업과 소비자가 같이 사회 발전을 이루어 가야 하는 시대예요. 내가 아니라도 누군가 하겠거니 하고 그냥 보고만 있어선 안 되죠.

민철 그런 의미에서 기업들도 눈앞의 이익에만 급급하지 않고 사회적 책임의 차원에서 봉사 활동에 적극 참여하고 있는 것이 아니겠습니까?

01 두 사람은 무엇에 대해서 이야기하고 있습니까?

❶ 기업 이윤의 사회 환원　　❷ 기업의 권리와 책임
❸ 기업의 상품 판매 전략　　❹ 기업과 개인의 역할

02 사회 봉사 활동을 많이 하는 기업의 제품을 구입하면 좋은 점은 무엇입니까?

특집 特辑，专辑　**이윤** 利润　**환원하다** 还原　**저소득층** 低收入阶层　**파견하다** 派遣　**급식 시설** 供餐设备
펼치다 展开　**바람직하다** 希望　**공헌하다** 贡献　**급급하다** 迫在眉睫，急切　**차원** 立场，角度

03 여러분이 알고 있는 기업들의 사회 봉사 활동에 대해서 보기와 같이 이야기해 보십시오.

회사 이름	업종	국가	사회 공헌 활동	특기 사항
GE	전기제품 회사	미국	세계적인 자원 봉사조직 운영	자원봉사조직은 승진에 필수적인 코스로 여겨짐.
MS	소프트웨어 회사	미국	기업, 단체, 대학 등에 기부금 제공	저개발국의 어린이들을 위한 전염병 백신 개발, 배포 활동도 병행함.

[보기] 세계적으로 유명한 전기제품회사 GE는 세계적인 자원봉사조직을 갖고 있어요. 그런데 이 봉사조직은 승진에 필수적인 코스여서 회원으로 활동하지 않으면 고위직으로 올라갈 수 없을 정도래요.

어휘 기업의 공헌

01 다음 표현을 익히고 질문에 답하십시오.

(가)	(나)
사회적 책임	지원하다
사회 환원	기여하다
일자리 창출	이바지하다
사회봉사단	기증하다
구호 활동	기부하다
바자회	기탁하다

1) (가)에서 알맞은 표현을 찾아 빈칸을 채우십시오.

일성그룹은 무료 급식센터를 설립하고 취업에 어려움을 겪는 사람들을 직원으로 채용하여 700여 개의 ( )을/를 계획하고 있다. 또한 회사 차원에서 ( )을/를 조직하여 다양한 활동을 벌이고 있는데 직원들이 기증한 자사 제품을 판매하여 그 수익금을 어려운 이웃을 위해 쓰고자 ( )을/를 열거나 국외에서는 지진 발생 지역에 직접 가서 ( )에 참여하기도 한다.
최근 이처럼 기업들이 이윤의 ( )에 적극적으로 힘쓰는 것은, 이제는 이윤만 올리려고 해서는 기업이 성공할 수 없으며 사회에 적극적으로 공헌함으로써 ( )을/를 다해야 한다는 인식에서 비롯된 것이다.

2) 밑줄 친 부분과 같은 의미의 표현을 (나)에서 찾아 쓰십시오.

❶ 그 회사 사장은 해마다 10억 이상을 장학재단에 내고 있다.
( )

❷ 일성그룹은 이미 시민단체가 운영하고 있는 공부방 시설에 대해서도 경영면에서나 재정적인 면에서 도와줄 계획이다.
( )

❸ 어떤 대형 할인 매장은 지역의 특성에 맞춰 봉사 활동을 함으로써 지역 발전에 공헌하고 있다.
( )

02 여러분은 어떤 나눔 활동을 해 보았습니까? 또는 어떤 활동을 해 보고 싶습니까? 위의 표현을 사용하여 보기와 같이 이야기해 보십시오.

[보기] 제가 다니던 초등학교는 1년에 두 번 큰 바자회를 했어요. 쓰지 않게 된 장난감이나 다 읽은 책, 작아서 입을 수 없는 옷 같은 것을 학교에 가지고 가서 아주 싼 값으로 파는 거예요. 제가 소중하게 쓰던 물건이 다른 사람에게 팔리면 참 뿌듯했어요. 남에게 다시 소중하게 쓰이면 그 사람에게 기쁨도 주고 그 물건의 생명도 더 길어지는 거잖아요.

사회적 책임 社会责任 **사회 환원** 还原于社会 **일자리 창출** 创造就业机会 **사회봉사단** 社会志愿团体
구호 활동 救援工作 **바자회** 义卖会，慈善募捐会 **지원하다** 援助，支援 **기여하다** 贡献
이바지하다 贡献，奉献 **기증하다** 捐赠，赠送 **기부하다** 捐献，捐赠 **기탁하다** 委托

문법

01 다음을 읽고 문법 및 표현을 익혀 봅시다.

예전엔 '봉사'라든지 '나눔'이라든지 하는 말을 들어도 나하고는 거리가 먼 이야기라고만 여겼었다. 봉사나 나눔은 남을 위해 자신을 희생할 각오가 되어 있거나 경제적으로 다른 사람보다 여유가 많아서 남에게 베풀 수 있는 **사람이면 몰라도** 나같이 특별한 재주도 능력도 없는 사람은 불가능한 일이라고 생각했던 것이다. 아니, 어쩌면 굳이 내가 하지 않아도 누군가 나서서 **하겠거니 하고** 남에게 미루고 싶었는지도 모르겠다. 그런데 친구를 따라 우연히 갔던 장애인 시설에서 나는 경험했다. 내 작은 도움이 얼마나 큰 의미가 될 수 있는지……. 혼자서는 자유롭게 움직이기 어려운 이들의 손발이 되어 주면서 나눔은 먼 데 있는 것이 아니라 바로 내 옆에 있다는 것을 실감했다.

-으면/면 몰라도

1) 다음을 연결하고 보기와 같이 이야기해 보십시오.

회사 차원에서 참가하다 •	• 직장인이 혼자서 시간을 내어 봉사 활동하기란 쉬운 일이 아니다
어르신들이 오지 말라고 하시다 •	• 그렇게 힘들게 일을 시키는 회사에는 가고 싶지 않습니다
월급을 지금의 10배쯤 주다 •	• 1시간씩이나 기다려서 식사를 할 생각은 없어
무료로 먹게 해 주다 •	• 가능한 한 자주 양로원에 가서 봉사 활동을 하고 싶어요
서울에 아주 좋은 일자리가 생기다 •	• 고향에서 부모님 모시고 살고 싶어요

[보기] 회사 차원에서 참가하면 몰라도 직장인이 혼자서 시간을 내어 봉사 활동을 하기란 쉬운 일이 아니다.

-겠거니 하고

2) 다음을 연결하고 보기와 같이 이야기해 보십시오.

[보기] 가 : 이번 바자회 행사가 생각보다 홍보가 덜 돼 있는 것 같아. 예상보다 신청자가 많지 않던데.

나 : 네? 그렇습니까? 사람들이 신문을 보고 다 알겠거니 하고 걱정을 별로 안 했는 데요.

가 : 요즘 사람들이 신문을 별로 안 보잖나? 이제라도 다른 방법을 써야겠어.

❶ 가 : 네가 새로 샀다는 이 가방, 안이 찢어졌는데 알고 있었어?

나 : 뭐라고? ....

가 : 아무리 유명 회사 수입품이라도 물건의 품질을 잘 확인하고 사야지.

❷ 가 : 미선아! 김치찌개가 왜 이렇게 싱거워?

나 : ....

가 : 김치가 짜긴 하지만 아무리 그래도 이렇게 물을 많이 넣으면 무슨 맛으로 먹겠니?

❸ 가 : 김 부장! 계획서 다시 해 오게. 행사 기간이랑 비용 계산이랑 다 엉터리야.

나 : ....

가 : 이 과장이 아무리 꼼꼼해도 부장인 자네가 다시 잘 검토해야 할 것 아닌가?

❹ 가 : 음식의 양을 어떻게 이렇게 딱 맞게 준비했어?

나 : ....

가 : 아무리 손님을 많이 치러도 그렇지 모자라지도 않고 남지도 않게 이렇게 정확하게 하기는 어려운 법인데 말이야. 아주 알뜰한 주부인가 봐.

02 다음 표를 채우고 위의 두 표현을 사용하여 보기와 같이 이야기해 보십시오.

고민의 계기	고민의 내용	상황 가정	현실 상황 판단	결론
월급이 많은 걸로 유명한 대기업의 구인 광고를 보았다	회사를 옮길까?	새 직장으로 옮겨도 지금처럼 마음이 맞는 동료들과 자유롭게 일할 수 있을까?	10년째 다녀서 익숙한 지금 직장이 제일 편할 것이다	더 이상 고민하지 않기로 했다
❶ 다른 학원에 다니는 친구가 같이 다니자고 자꾸 조른다	친구가 다니는 학원으로 옮길까?		우리 선생님만큼 잘 가르치는 선생님은 없다	
❷ 친구가 다른 남자(여자)를 소개해 줄 테니 한번 만나 보라고 했다		소개받을 여자(남자)가 완전한 이상형일까?	나를 공주(왕자)처럼 모셔 주는 지금 남자 친구(여자 친구)가 최고다	
❸ 요즘 너나 할 것 없이 다이어트한다고들 야단이다	나도 남들처럼 살을 빼기 위해 굶어야 할까?	굶어서 살을 빼도 지금의 건강이 유지될까?		굶는 다이어트는 안 하기로 했다

[보기] 월급이 많은 걸로 유명한 대기업에서 경력 사원을 뽑는다는 광고를 보고 얼마동안 고민을 했었다. 그렇지만 지금 직장처럼 마음이 맞는 동료들과 자유로운 환경에서 일할 수 있으면 몰라도 10년째 즐겁게 다닌 지금 직장이 내 적성에 제일 맞는 곳이겠거니 하고 더 이상 고민하지 않기로 했다.

다음을 읽고 질문에 답하십시오.

우리랑, 아름다운 하루, 연탄 한 장, 돼지 저금통, 김밥데이, 월급 1%…… 이들의 공통점은 무엇일까?

그것은 바로 일성 직원들의 연말 나눔 행사들과 관련된 용어들이다. '우리랑' 은 본사 여직원 동아리로 해마다 연말에 자선 바자회를 개최하고 있다. 올해는 바자회 10년째를 맞아, 보다 적극적으로 나눔을 확산하고 공유하자는 취지로 '아름다운 가게' 와 협력해 20일 자선 바자회를 열었다. 그래서 이른바 '아름다운 하루' 가 됐다.

'연탄 한 장' 은 일성 본사의 봉사 동아리로 설립 2년 만에 300여 명의 본사 직원 중 70여 명 이상이 참여하는 규모로 발전했다. 이 동아리의 맹 열 회장은 "동아리 이름은 안도현 시인의 시에서 모티브를 얻어 지었는데 연탄은 일단 제 몸에 불이 옮겨 붙었다 하면 하염없이 뜨거워지는 것이 특징" 이라면서 "처음에 여섯 명의 회원이 많은 사람들의 봉사하는 마음과 열정이 뜨거워지기를 소망하면서 만들었다" 고 말했다.

이들은 새해에 돼지 저금통을 나눠 가졌다가 연말에 모아서 불우 이웃 돕기에 사용한다. 전미선 회원은 "저금통을 모으는 날을 '돼지 잡는 날' 이라고 부르는데 정해진 날에 저금통을 깨서 불우 이웃 돕기에 사용하게 된다" 며 "연말을 맞아 23일에는 '김밥데이' 도 기획하고 있다" 고 말했다. 이날 동아리 회원들은 김밥을 만들어 직원들에게 판매하고 그 수익금을 소년 소녀 가장 돕기에 보탠다는 계획이다.

이러한 직원들의 나눔 활동은 동료애에서도 남다르다. 군포공장의 경우, 아이가 백혈병을 앓고 있는 동료를 돕기 위해 '월급 1% 나누기' 운동이 벌써 두 달째 진행되고 있다.

일성의 홍보 팀장은 "저희 회사가 기업의 사회적 책임과 함께 사회 공헌을 강조하는 문화가 있다 보니 직원들이 나눔 문화에 적극적인 것 같다" 며 "지식과 기부는 나눌수록 가치가 커지기 때문에 요즘 같은 때에 우리 회사 직원들의 작은 나눔 물결이 우리 사회에 많이 확산됐으면 좋겠다" 고 덧붙였다.

01 위 글은 무엇에 대한 것입니까?

❶ 어느 기업의 사업 성공 전략

❷ 어느 기업의 다양한 복지 제도

❸ 어느 기업의 다양한 봉사 활동

❹ 어느 기업 직원들의 취미 활동

02 동아리 이름인 '연탄 한 장'은 어떻게 해서 지어지게 되었습니까?

03 위 기업 직원들의 활동과 관계가 있는 다음 용어들은 무엇을 의미합니까?

용어	의미하는 것
돼지 잡는 날	
김밥데이	
월급 1% 나누기	

04 위 기업 직원들이 위와 같은 활동에 적극적으로 참여하는 이유는 무엇입니까?

05 위 글에서 소개된 것 외에 기업이 하는 사회 봉사 활동에는 어떤 것이 있을까요?

06 여러분이 기업의 대표라면 어떤 사회 봉사 활동을 하겠습니까? 그 이유는 무엇입니까?

기능 표현 익히기

· 기상청**에 따르면**/기상청**에 의하면** 강원 영동 일부 지방에는 주말과 휴일에도 최고 20cm의 눈이 더 내릴 것**이라고 한다.**

· 교육과학기술부는 수능 성적이 학교별로 공개되면 전국 학교의 서열화로 인한 과열 경쟁 등의 부작용이 발생한다**고 밝혔다.**

· 지난해 시작된 '서울 차 없는 날', 올해는 출근 시간대 모든 버스는 물론 수도권 지하철까지 무료로 이용할 수 있게 돼 시민 참여폭이 더욱 커질 **전망이다/것으로 보인다/것으로 예상된다.**

· 영국 하트퍼드셔대의 연구 **결과**, 새해 결심 중 '담배를 끊겠다'는 결심이 가장 성공하기 어려우며 조사 대상의 75% 가량이 1년 후 담배를 다시 피우는 **것으로 밝혀졌다/나타났다 /드러났다.**

01 다음의 정보를 이용해서 기사를 완성하고 대제목을 붙여 보십시오.

기사의 날짜와 게재 신문 이름과 면

——2008년 2월 10일자 국민신문 사회면

세부 내용

언제 : 지난 3일

어디서 : 공동모금회 전북지회

누가 : 전주 연세 초등학교 6학년 6반 이정숙 선생님과 5명의 학생들

무엇을 : 33명의 학생 전체가 10개월 동안 자발적으로 폐지와 용돈 등을 모은 금액 10만 원

왜 : 어려운 이웃을 돕고 싶어서

어떻게 : 사회복지 공동모금회에 전달했다.

[대제목] ....

[소제목] 초등생 고사리 손으로 폐지 모아……

[2008년 2월 10일 국민신문 박미선 기자]

[전문] 전북 전주 ______________ 이/가 ______________ 을/를 ______________ 어/아/여 달라고 ______________ 해 훈훈한 감동을 주고 있다.

[본문] 지난 ______________ 전주 연세 초등학교 6학년 6반 이정숙 선생님과 5명의 학생들이 ______________ 을/를 ______________ 에 전달했다.

[부연] 나눔 활동에 참여한 1학기 학급 대표 이영현 군은 "처음에는 폐지를 모아 오라는 말에 무척 귀찮았지만 티끌 모아 태산처럼 금액이 조금씩 늘어갈 때 너무 기분이 좋았다. 사랑의 열매를 통해 어려운 사람들을 위해 사용한다는 말씀을 들으니 행복해진다" 며 "중학교에 진학해서도 이웃 사랑에 앞장서는 학생이 되겠다" 고 말했다.

02 기사의 본문을 읽은 후에 전문을 작성하고 제목을 붙여 보십시오.

[제목] ______________

[2008년 1월 7일 연세신문 박미선 기자]

____

____

______________ 을/ㄹ 전망이다.

1974년 서울 지하철 1호선 개통 이후 33년여 동안 '종이 승차권' 이 사용되어 왔다. 그러나 지난해 상반기 승차권 종류별 이용률을 살펴보면, 종이 승차권을 이용한 승객은 6.9%에 불과했다. 반면 정기권을 포함한 선 · 후불 교통카드의 이용률은 2006년 79.5%에서 지난해 80.3%로 늘어나는 등 매년 꾸준히 증가하고 있다. 이처럼 교통카드 사용률이 증가함에 따라 서울시는 승차권 폐지를 검토하게 된 것이다.

한편 정부 측도 '교통카드 일원화' 를 추진 중이다. 건설교통부는 코레일 · 서울메트로 등이 발급 중인 종이 승차권을 폐지하고 전국 단위 선불 교통카드를 도입하는 방안을 추진하고 있다. 종이 승차권은 완전히 사라지고, 통합 교통카드를 소지하지 않은 승객은 이와 동일한 기능의 일회용 카드를 이용하게 한다는 것이다.

03 기사의 전문을 읽고 본문을 써 보십시오.

광복절 특사 절도범 다시 '철창행'

[2008년 1월 6일 연세신문 박미선 기자]

대전 중앙경찰서는 지난달 31일 새벽 대전 중앙구 모 유흥주점에서 자신을 고교 선배라면서 접근해 피해자들의 승용차와 신용카드, 귀금속 등을 훔친 혐의(상습 절도)로 최 모(32) 씨에 대해 7일 구속 영장을 신청했다.

경찰에 따르면 ....

....

....

강도 상해죄로 6년형을 복역하다 지난해 8.15 광복절 특사로 출감한 최 씨는 ....

....

....

.... 것으로 경찰 조사 결과 드러났다.

04 기사문 작성 방법에 따라 직접 기사를 써 보십시오.

03 정리해 봅시다

I. 어휘

01 빈칸에 알맞은 표현을 쓰십시오.

건립	취지	악취	시위	이윤	공헌	환원	분쟁	파견
공청회	화장장	납골 시설	혐오 시설	급식 시설	유해 물질	저소득층		

지역이기주의 → 일례

( ) 기피 현상

↓ 예

(,)

↓ 문제점

(,)이/가 발생한다

↓ 주민의 반대

( )을/를 벌인다

↓ 지방자치단체의 노력

1. ( ) 을/를 개최한다
2. ( ) 장소를 신중히 선정한다

↓ 시민단체의 노력

( ) 을/를 조정한다

↓ 주민들의 자세

관용과 타협의 정신으로 대화에 참여한다

기업의 사회적 책임 → 기업 ( ) 의 사회( )

실천 방법

↓ 사례

1. ( ) 서민 자녀에게 공부방 지원, 교사 ( )
2. 결식 아동을 위한 무료 ( ) 설립
3. 나무 심기
4. 문화 행사 지원

↓ 결과

1. 기업 이미지 향상
2. 기업의 사회 ( )

02 다음을 연결하고 보기와 같이 문장을 만드십시오.

[보기] 기업 이윤 •	• 기부하다
1) 시위 •	• 환원하다
2) 분쟁 •	• 급급하다
3) 전 재산 •	• 기여하다
4) 사회 발전 •	• 조정하다
5) 사사로운 이익 •	• 벌이다

[보기] 기업들은 사회적 책임을 다하기 위해 이윤을 사회에 환원합니다.

II. 문법

알맞은 문법을 골라 보기와 같이 이야기를 완성하십시오.

-었던들/았던들/였던들　　-어/아/여 주십사 하고　　-으면/면 몰라도　　-겠거니 하고

[보기] 어제는 유난히 커피를 많이 마셨다. 출근길에 커피 전문점을 지나면서 유혹적인 커피 향에 이끌려 한 잔. 신제품 아이디어를 내야 하는 회의 전에는 긴장감 때문에 또 한 잔. 퇴근 후 오랜만에 만난 동창과도 커피를 마셨다. 밤에 나는 잠을 이룰 수가 없었다. 석 잔 정도는 괜찮겠거니 하고 마셨는데⋯⋯ 아무 생각 없이 그렇게 많이 커피를 마시지 않았던들 이렇게 잠이 안 와서 고생하지는 않을 텐데⋯⋯ 하고 정말로 후회했다.

1) 우리 집 문단속은 늘상 맨 마지막으로 집에 돌아오는 내 담당! 그러나 어제는 언니가 맨 마지막이었고 난 일찌감치 잠들었다. 그런데 아침 일찍 출근하려고 보니 대문이 열려 있었다. 그리고 지하실에 있던 내 자전거가 감쪽같이 사라졌다. 도둑이 든 것이다. ……………………

……………………………………………………………………

2) 아침에 집을 나올 때 어머니께서 우산을 가져가라고 하셨지만 날씨가 괜찮을 것 같아서 듣지 않았다. 그런데 명동에서 쇼핑하던 중 비가 억수같이 쏟아지기 시작했다. ______

______

3) 드디어 학교를 졸업하고 그간의 꿈을 실현시킬 날이 왔다. 전공을 살리고 자신의 능력을 발휘할 수 있을 기업을 선정해 취직 준비를 시작했다. 내가 지원할 기업은 추천서를 가장 중점적으로 본다는 정보를 들었다. ______

______

______

4) 주택 값이 하늘 높은 줄 모르고 치솟는 요즘, 맞벌이를 한다 해도 월급만 모아서 자기 집을 마련하기란 하늘의 별따기이다. ______

______

______

Ⅲ. 과제

01 다음 신문 기사들의 제목을 관련있는 것끼리 연결하고 내용을 이야기해 보십시오.

ㄱ은행, '소년 소녀 가장 돕기' 봉사 활동 •	• 알뜰주부 돈 안 들이고 책 구입하기
브레이크 고장난 환율…… 뛰는 물가에 기름 붓나 •	• 새로운 사회 운동 자리잡는 '환경지킴이 주부'들
서평 쓰고 아이 책 공짜로 받을까 •	• 달러 '너무 빨리 오른다'…… 원화의 나홀로 약세 전망
집에서 지구 지키는 활동 불편하냐구요? 뿌듯해요 •	• 건조한 날씨와 강풍……곳곳서 화재
담뱃불도 조심! 메마른 봄바람 타고 곳곳 산불 •	• 활발한 나눔 경영 '함께 가요, 희망으로'

02 다음 기사에 제목을 붙이고 기사 내용에 대한 여러분의 의견을 이야기해 봅시다.

1)

....

사회 사업가 김모씨는 평생을 독신으로 살다가 100억 원의 예금을 은행에 맡겨 놓은 채 2005년 11월 5일 직계 가족이 없이 숨졌는데, 은행 대여 금고에서 자필로 쓴 유서가 발견됐다.

유서에는 '본인 유고시 본인 명의의 전 재산을 모 장학재단에 한국 사회사업 발전 기금으로 기부한다' 는 전문과 연월일(2000년 3월 8일) · 주소 · 성명이 자필로 쓰여 있었지만 날인은 빠져 있었다. 숨진 김씨의 형제와 조카 등 유족은 2005년 12월 은행을 상대로 예금 반환 청구 소송을 냈고, 해당 장학재단은 유언장을 근거로 유산이 재단의 재산이라며 소송의 독립 당사자로 참가했다.

1 · 2심 재판부는 "날인이 누락됐다면 효력이 없다" 고 판단했고, 대법원도 2008년 9월 8일 원심을 확정하자 해당 장학재단은 한 달 뒤 헌법 소원을 냈다.

2)

....

미국 어느 주에서 17~22세의 외국 청년 3명이 두 명의 남자에게 접근해 "대마초를 갖고 있느냐" 고 물은 뒤 총을 들고 "가진 것을 다 내놓으라" 며 협박을 했다.

노상 강도 혐의로 체포된 이들은 이미 4개월 간 감옥 생활을 했지만 영어를 못해 법정에서 통역을 써야 했다. 그러자 판사는 "피고들은 미 정부가 일생 동안 통역을 제공할 줄 아느냐" 고 반문하고 영어 읽기 · 쓰기 공부를 한다는 조건으로 가석방을 허용했다. 그 대신 1년 뒤 고교 수준의 영어 시험을 통과하지 못하면 2년 징역형에 처하도록 했다고 AP통신이 보도했다.

문화

한국의 기부 문화

현대 사회에서 기업의 사회 공헌은 경영 전략에서 빼놓을 수 없는 중요한 요인으로 자리 잡았다. 정부는 기업과 개인이 기부금을 낼 경우 기부한 금액만큼 소득공제를 해 주고 있다. 그러나 요즈음 한국 기업은 세제상 혜택을 볼 수 있는 기부금 형식이 아닌 사회 공헌 활동에 관심을 갖고 있다. 이것은 이윤의 일부를 사회에 내놓은 기업 이윤의 사회 환원과의 조화 속에서 자사의 장점을 발휘할 수 있도록 사회 공헌 활동 영역을 특화시켜 나가고 있다.

울산에 기반을 둔 SK는 울산시 남구 신정동 일대 1,020억 원의 건설비를 투자해 10년에 걸쳐 조성한 110만 평에 달하는 '울산대공원'을 울산시에 기부 헌납했다.

삼성은 사회복지, 문화 예술, 학술 및 교육, 자원 봉사 등을 통해 사회에 공헌하고 있다. LG는 '함께 잘 사는 사회'를 구호로 내걸고 수혜자들에게 실질적이고도 직접적으로 도움이 되는 공익 사업을 하고 있다. 문화, 복지, 교육, 환경, 언론 등 5개 분야별로 나눠 전문화된 공익재단을 통해 수혜자들에게 필요한 사업을 통해 공헌하고 있다. 현대, 기아 자동차는 '사회공헌활동협의회'를 구성해 환경, 사회복지 및 자원 봉사, 문화 예술, 국제 교류, 체육 진흥 등 분야별로 사회 공헌 사업을 진행하고 있다.

CJ는 메세나(기업의 문화 예술 지원)활동에 주력하고 있다. 최근 유라시안 필하모닉 오케스트라에 2년 간 10억 원을 후원하기로 했다.

또한 신용카드사들은 고객들이 잘 사용하지 않는 적립 포인트로 이웃을 도우면서 연말정산 때 소득, 세액공제도 받을 수 있는 부가 서비스를 선보이고 있다. 현대카드는 고객들이 기부하는 1천만 포인트와 자체 지원금 1천만 원을 합해 '사회복지 모금회'에 기부하여 희귀, 난치병 어린이들을 돕는 'M포인트 기부 캠페인'을 벌이고 있다.

이와 같이 기업의 사회 공헌 활동은 계속될 것이다. 그 이유는 기술력의 차이뿐만 아니라 기업이 어떤 이미지를 갖느냐가 해당 기업을 다른 기업과 차별화하는 결정적인 역할을 하기 때문이다. 이러한 기업의 전략적인 기부 문화는 소비자에게 좋은 이미지를 갖게 하고 나아가 기업의 경쟁력을 높이는 중요한 역할을 하게 될 것이다.

1. 한국 기업들의 기부 문화가 활성화되는 이유를 알아봅시다.

2. 여러분 나라의 기부 문화에 대해 이야기해 봅시다.

3. 여러분이 생각하는 이상적인 기부 문화는 무엇입니까? 그리고 앞으로 필요한 기부의 형태는 어떤 것이라고 생각합니까?

문법 설명

01 -었던들/았던들/였던들

지난 사실을 현재와 다르게 가정할 때 쓰는 표현이다. 아쉽거나 후회스러운 일에 쓴다.

- 진작에 준비했던들 이렇게까지 고생하지 않았을 걸.
- 그 때 좀 더 서둘렀던들 비행기를 놓치지 않았을 텐데.
- 술과 담배를 일찍 끊었던들 암으로까지 진행되지는 않았을 텐데.
- 여행을 떠나기 전에 차를 잘 점검했던들 이런 사고는 나지 않았을 거야.

02 -어/아/여 주십사 하고

상대방에게 매우 조심스럽고 공손하게 부탁할 때 쓰는 표현이다.

- 이것은 저희 가게를 자주 찾아 주십사 하고 드리는 선물입니다.
- 제 결혼식에 꼭 와 주십사 하고 청첩장을 드리는 겁니다.
- 어제 새로 개업했는데 꼭 한번 들러 주십사 하고 찾아왔습니다.
- 새로 시작하는 사업에 투자해 주십사 하고 부탁 말씀 드리러 왔습니다.

03 -으면/면 몰라도

어떤 사실에 대해 강한 확신을 나타낼 때 쓰는 표현으로 앞 문장에는 예외적이고 특별한 경우를 가정하는 내용이 온다.

- 너무 매우면 몰라도 보통 한국 음식은 다 잘 먹어요.
- 시험에서 실수를 하면 몰라도 영수는 꼭 합격할 거예요.
- 50%이상 할인 행사를 하면 몰라도 저는 절대 백화점에서 물건 안 사요.
- 구입하신 제품이 손님의 부주의로 파손되었으면 몰라도 1주일 이내에 가져오시면 교환이나 환불이 가능합니다.

04 -겠거니 하고

으레 그럴 거라고 단정하거나 미루어 짐작하여 어떤 행동을 수행했음을 의미하는 표현이다.

- 밖이 춥겠거니 하고 주말에 하루 종일 집에 있었는데 오늘 나와 보니 봄날처럼 따뜻하네요.
- 치즈를 넣은 김치찌개는 느끼하겠거니 하고 입도 안 대 봤어요.
- 지금쯤은 집에 돌아왔겠거니 하고 지나는 길에 들러 봤어요.
- 약속 시간이 조금 지나서 다들 도착했겠거니 하고 모임 장소에 들어가 보니 아무도 없었어요.

제3과 남성과 여성

01
제목 | 남성과 여성의 변화
과제 | 한국의 전통 여성상과 현대 여성상 비교하기
토론 시작하기
어휘 | 여성
문법 | -은 채, -으리라는

02
제목 | 바람직한 성역할
과제 | 바람직한 성역할에 대해서 알아보기
상대방의 주장에 대해서 동의 또는 반박하기
어휘 | 성역할
문법 | 아무리 -기로서니, -은 끝에

03
정리해 봅시다

문화
한국의 남성과 여성의 덕목

01 남성과 여성의 변화

학습 목표 ● 과제 한국의 전통 여성상과 현대 여성상 비교하기, 토론 시작하기
● 문법 –은 채, –으리라는 ● 어휘 여성

과거와 현재의 여성의 생활은 어떻게 다릅니까?
현재 여성의 사회적 지위에 대해 이야기해 봅시다.

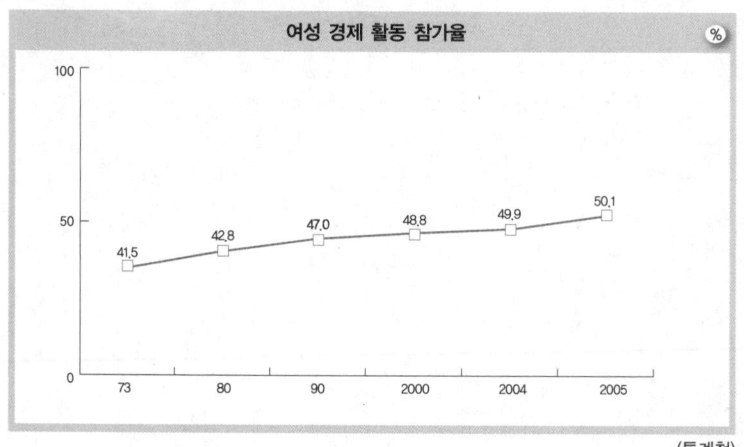

(통계청)

1) 여성 경제 활동 인구가 늘어나고 있는 이유는 무엇이겠습니까?

2) 여성 경제 활동 참가율의 증가가 사회에 미친 영향에 대해서 이야기해 봅시다.

대화

며느리 어머니, 오늘 인사 이동 발표가 났는데 저 이번에 승진했어요. 이번에도 안 될까 봐 얼마나 마음을 졸였는지 몰라요.

시어머니 그거 정말 축하할 일이로구나. 우리 때만 해도 결혼과 동시에 직장을 그만두어야 하는 분위기였단다. 그런데 요즘은 능력만 있으면 얼마든지 하고 싶은 일을 하면서 사는 것 같아 부럽구나.

며느리 그렇긴 하지만 아직도 취업주부들에게는 가사와 직장일을 병행하는 게 쉽지 않은 일이에요. 저만 해도 아직 어린 아이들을 어머니께 맡긴 채 회사에 나가야 해서 늘 어머니께 죄송스러워요.

시어머니 그렇게 생각할 필요 없다. 난 오히려 집안일 하랴 회사에 나가랴 늘 동분서주하면서도 직장에서 인정받는 네가 자랑스럽구나.

며느리 하지만 요즘에도 현모양처로 사는 것이 가장 바람직하다고 생각하는 여자들이 많아요. 여자의 행복이 자신의 사회적 성공보다는 남편이나 아이들의 성공에 달려 있다고 믿는 거죠.

시어머니 어떻게 살든 자신이 만족하고 행복하게 살 수 있는 길을 찾으면 되는 것 아니겠니?

며느리 일단 취업하기로 했을 때는 적당히 다니다가 그만둘 것이 아니라 평생직장으로 일하리라는 각오를 해야 하고요.

시어머니 그러려면 아이가 있는 직장 여성들이 마음 놓고 일할 수 있는 환경이 만들어져야지.

01 시어머니의 생각과 같은 것을 고르십시오.

❶ 뭘 하든 만족하면서 살 수 있으면 된다.

❷ 현모양처가 가장 바람직하다.

❸ 결혼하면 직장을 그만두어야 한다.

❹ 취업주부는 집안일과 직장일을 다 잘 해야 한다.

02 취업주부들이 겪는 어려움은 무엇입니까?

인사 이동 人事调动 **마음을 졸이다** 焦急 **병행하다** 并行
동분서주하다 东奔西走 **현모양처** 贤妻良母 **각오를 하다** 做好思想准备

03 다음 주제에서 하나를 골라 보기와 같이 이야기해 봅시다.

1) 아이가 있는 직장 여성들이 마음 놓고 일할 수 있는 환경

2) 현모양처의 조건

[보기] 저는 직장 안에 좋은 시설을 갖춘 탁아소가 반드시 있어야 한다고 봐요. 엄마랑 같이 출근과 퇴근을 하면 아기는 정서적으로 안정감을 느끼게 돼서 좋고 엄마도 마음 놓고 일할 수 있을 테니까요.

어휘 여성

01 다음 표현을 익히고 질문에 답하십시오.

(가)	(나)
전업주부 취업주부 맞벌이 부부 가사 노동 가사 분담	현모양처 여장부 여걸 요조숙녀 슈퍼우먼

1) (가)에서 알맞은 표현을 찾아 빈칸을 채우십시오.

❶ 가정생활을 하는 데 필요한 노동인 (   )을/를 하는 시간은 나라마다 차이를 보인다. 한국의 경우 집안일만 하는 (   )은/는 하루 평균 10시간 이상이고 직장을 다니며 집안일도 하는 (   )은/는 5~6시간 정도이다. 일반적으로 이와 같은 노동은 편한 것 또는 노는 것이라고 생각하지만 의외로 노동 시간이 길고 종류가 많고 복잡하며 힘든 노동이 많다.

❷ 한국노동연구원의 조사에 따르면 부부가 모두 일을 하는 (   ) 중 부인이 가사를 돌보는 시간은 주당 21.4시간으로 남편의 4.6시간에 비해 다섯 배 정도 많은 것으로 나타났다. 그러므로 이들의 노동 시간을 줄이려면 적절한 (   )이/가 필요하다.

2) (나)에서 알맞은 표현을 찾아 빈칸을 채우십시오.

❶ (   )이란/란 현명한 어머니이면서 착한 아내를 말하는 것으로 한국에서는 신사임당이 대표적이다.

❷ (   )은/는 말과 행동이 얌전하고 품위 있는 여자를 말하며 이와 달리 (   )이란/란 기운이 세고 용감하며 리더십과 결단력 및 추진력이 강한 여자를 말한다.

❸ (   )은/는 아내, 어머니, 직장인으로 자신이 해야 할 모든 역할을 완벽하게 해내는 여자를 말하는데 현실적으로는 거의 불가능하다.

02 위의 표현을 사용하여 다음 질문에 답하십시오.

1) 여러분 나라에서는 여성을 표현하는 말로 어떤 것이 있습니까? 그리고 그 의미는 무엇입니까?

2) (여학생의 경우) 여러분은 결혼 후에도 계속 일을 할 생각입니까?

(남학생의 경우) 여러분은 결혼 후에 아내가 직업을 갖는 것에 대해 어떻게 생각합니까?

[보기] 저는 결혼을 하면 직장을 그만두고 살림만 할 거예요. 현모양처로 사는 것이 제 꿈인데 직장일을 하다가 보면 가정에 소홀해지기가 쉽지 않겠어요?

전업주부 全职家庭主妇 **취업주부** 职场主妇 **맞벌이 부부** 双职工夫妇 **가사 노동** 家务活
가사 분담 分担家务活 **여장부** 女中丈夫 **여걸** 女中豪杰 **요조숙녀** 窈窕淑女 **슈퍼우먼** 女强人

문법

01 다음을 읽고 문법 및 표현을 익혀 봅시다.

결혼 전에 나는 결혼해도 계속 직장을 다닐 거니까 설거지와 청소는 남편이 하고 요리와 빨래는 내가 맡기로 했었다. 하지만 남편은 신혼 초부터 바쁘고 피곤하다는 핑계로 툭하면 설거지감들을 내버려**둔 채** 들어가 자 버렸고, 몇 날 며칠 청소기를 돌리지 않아 집안에 먼지가 가득한 날도 많았다. 그래서 어젯밤에는 이 문제를 반드시 **해결하리라는** 결심을 하고 남편에게 "내가 슈퍼우먼이야? 이럴 거면 왜 결혼했어?"하고 큰소리로 따졌다. 과연 남편은 앞으로 얼마나 달라질까?

-은/ㄴ 채

1) 다음 표를 완성하고 보기와 같이 이야기해 보십시오.

[보기] 일을 끝내지 못했다	퇴근했다
❶ 잠 자는 것도 잊었다	
❷ 옷을 그대로 입었다	
❸ 주머니에 손을 넣었다	
❹ 두 팀이 승부를 가리지 못했다	

[보기] 일을 끝내지 못한 채 퇴근했다.

-으리라는/리라는

2) 다음을 연결하고 보기와 같이 이야기해 봅시다.

영미는 이번 대학 시험에 꼭 합격하다 •	• 기대감이 높아지고 있다
그 사람은 로봇 연구의 일인자가 되다 •	• 예상을 하고 있다
영수야, 올해는 술을 끊다 •	• 네 결심이 변하지 않았겠지?
금년에는 경기가 회복되다 •	• 각오로 열심히 공부하고 있다
세계 인구가 2050년쯤 백억 명을 넘다 •	• 신념을 갖고 연구에 매진하고 있다

[보기] 영미는 이번 대학 시험에 꼭 합격하리라는 각오로 열심히 공부하고 있다.

02 다음의 표를 채우고 위의 두 표현을 사용하여 잘못을 하거나 실수를 한 후의 결과와 그 후의 결심 또는 각오를 보기와 같이 이야기해 봅시다.

잘못이나 실수	결과	결심 또는 각오
[보기] 화장을 지우지 않고 잤다	다음 날 얼굴에 뾰루지가 많이 났다	아무리 피곤해도 화장을 꼭 지우고 자겠다
❶ 문을 열어 놓고 잤다		
❷ 렌즈를 끼고 잤다		
❸ 가스 불을 켜 놓고 외출했다		
❹ 칼에 벤 상처를 치료하지 않았다		

[보기] 화장을 지우지 않은 채 잤더니 다음 날 얼굴에 뾰루지가 많이 났어요. 그래서 앞으로는 아무리 피곤해도 화장을 꼭 지우고 자리라는 결심을 했어요.

과제 1 읽고 말하기

다음을 읽고 질문에 답하십시오.

여성 교육은 시대와 사회의 여성관이나 여성의 사회적 지위 등에 따라 변화되어 왔다. 한국의 경우 삼국시대의 왕족이나 귀족 사회에서는 여성도 상당히 높은 교양을 지녔었다고는 하나 그와 같은 교양을 접할 수 있었던 것은 극히 제한된 일부이고 대부분의 여성은 글자를 깨우칠 기회조차 없었다.

고려시대에는 비교적 자유로운 문화가 형성되었기 때문에 여성의 활동에 대한 제약이 덜했으며 지위도 높았다. 이 시기의 여성 교육은 불교적인 계율과 신앙을 덕으로 강조하였다.

주자학을 국가의 지도 이념으로 삼은 조선은 양반 중심의 위계적 신분 질서를 공고히 하기 위해서 여성의 활동을 엄격하게 통제하였다. 더욱이 가부장제의 확립은 남성 중심 혼인 풍습의 정착과 함께 여성의 경제권도 약화시켰고 여성의 지위도 낮추는 큰 이유가 되었다. 이 시기의 여성 교육은 유교적 부덕을 겸비한 여성의 교화를 강조하였고 신분 질서에 순응하는 순종적 여성을 육성해 나갔다.

근대 여성 교육은 1886년 선교사 스크랜튼 부인이 젊은 여성 한 명을 상대로 문을 연 이화학당에서 비롯되었다. 뒤이어 여러 여학교가 속속 설립되어 여성 교육의 여명기를 맞이하게 되었다. 이화학당이 문을 열기 한 해 전인 1885년에는 한국 최초의 현대식 학교 법규가 공포되어 한국에서 여자에게도 남자와 똑같은 취학의 기회가 주어졌다.

1940년대 중반 이후 서구의 문화가 더욱 광범위하게 유입되면서 남녀평등 의식이 확산되었고 그로 인해 활발한 여성 운동이 펼쳐졌다. 이와 함께 남녀 공통의 의무 교육이 실시되고 남녀 공학 제도가 도입되는 등 여성 교육의 기회가 확대되었다.

1998년에는 교육부에 여성교육정책담당관실이 설치되어 여성 교육 관련 정책의 수립을 조정하며 여학생의 진로 교육 및 진로 지도를 하고 있고 2000년에는 남녀평등교육진흥법이 제정되었다. 이와 같은 노력들로 2006년 여학생의 대학 진학률은 81.1%로 35년 전과 비교하여 15배 증가하는 등 여성의 교육 기회가 경이로울 정도로 증가했고 그에 따라 여성의 사회 · 경제적 지위는 점차 높아지고 있는 양상을 보이고 있다.

01 이 글의 중심 내용은 무엇입니까?

❶ 한국 여성 교육의 역사 ❷ 남녀평등 교육

❸ 전통적 여성 교육 ❹ 여성의 사회 · 경제적 지위의 향상

02 여성 교육의 기회가 증가한 때는 언제부터이며 그 배경은 무엇입니까?

03 여러분 나라의 여성 교육에 대해 이야기해 보십시오.

과제 2 토론 시작하기

기능 표현 익히기

〈사회자가 토론을 시작할 때〉

- 우리는 오늘 조기 유학에 대해서 토론을 하**고자 합니다.**
- 지금부터 조기 유학**에 대한 토론을 시작하겠습니다.**
- 오늘은 '조기 유학 꼭 필요한가'**라는 제목으로 토론을 해 보겠습니다.**
- 찬성/반대 팀부터 말씀해 주시지요.

〈토론자(찬성팀/반대팀)가 이야기를 시작할 때〉

- 저는 조기 유학**에 대해서 반대 의견을 말씀드리고자 합니다.**
- 저는 조기 유학**에 대해서 찬성하는 이유를 말씀드리도록 하겠습니다.**

01 다음 도표를 보고 무엇에 관한 것인지 이야기해 보십시오.

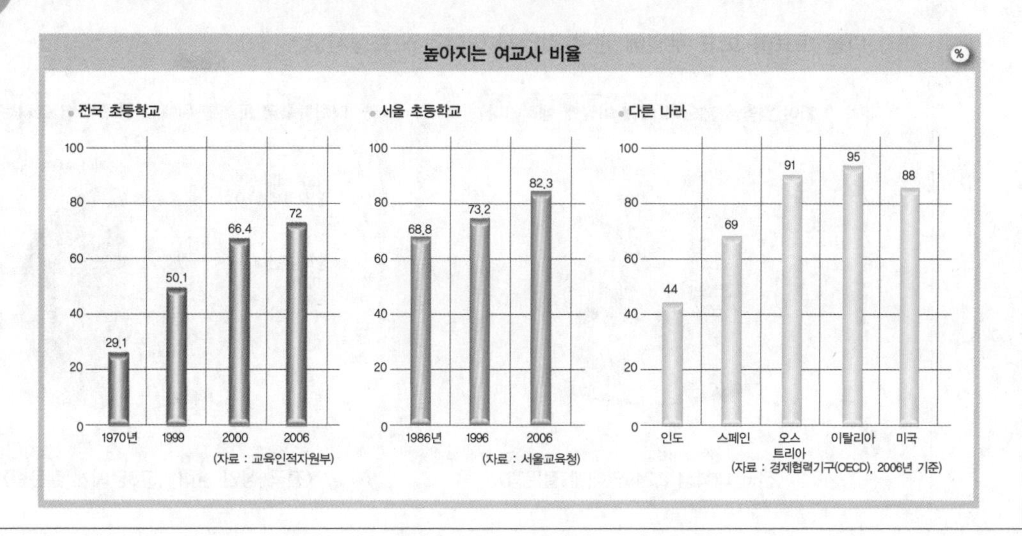

02 다음은 '남자 교사 할당제'라는 주제로 토론을 시작하는 사회자의 말입니다.

인사/사회자 소개	여러분, 안녕하십니까? 오늘 토론의 진행을 맡은 한세미입니다.
주제 소개	얼마 전 서울시 교육청이 초 · 중 · 고등학교 교원 양성의 불균형 해소 차원에서 남자 교사 신규 임용 할당제를 추진하겠다고 발표했습니다. 남자 교사 신규 임용 할당제란 초 · 중 · 고등학교 교사를 임용할 때 남자 선생님의 비율을 최대 30%까지 뽑을 수 있도록 하는 제도입니다. 이 방안을 추진하려는 이유는 특히 초등학교의 경우 남자 교사가 너무 적어서 아동 교육에 문제가 많다고 판단했기 때문입니다. 그러나 남자 교사 할당제는 여성에 대한 역차별이라는 비판 의견도 많습니다. 그래서 우리는 오늘 남자 교사 신규 임용 할당제라는 주제로 토론을 하고자 합니다.
참석자 소개	이 주제에 대해 토론하실 분들을 소개해 드리겠습니다. 먼저 한국 여성발전연구소의 김연주 박사님께서 나와 주셨습니다. 그 옆에 한국 대학교 교육학과 박철수 교수님께서 나와 주셨습니다. 맞은편에 연세초등학교 교장 선생님으로 계시는 최수호 선생님께서 나와 주셨습니다. 그 옆에 서울학교발전위원회의 이종수 위원장님께서 나와 주셨습니다.
토론을 시작하는 말	그럼 우선 양 팀 대표들의 찬반 의견을 들어 보도록 하겠습니다. 먼저 찬성팀부터 말씀해 주시지요.

1) 이 토론의 목적은 무엇입니까?

2) 시 교육청은 왜 남녀 교사 할당제를 도입하려고 합니까?

03 다음 도표를 보고 무엇에 관한 것인지 이야기해 보십시오.

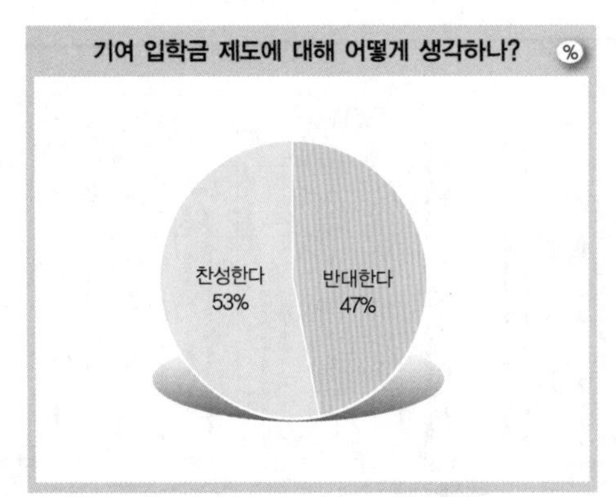

〈전국 대학생 2,249명에게 질문함〉

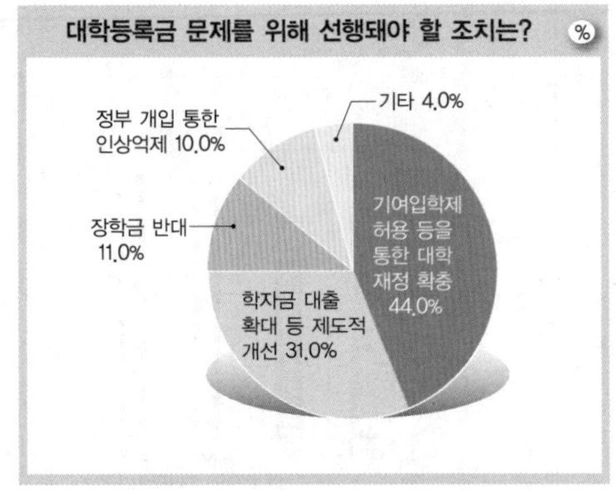

〈전국 성인 남녀 1,578명에게 질문함〉

04 여러분도 토론의 사회자가 되어 다음의 주제로 찬반 토론을 시작해 보십시오.

주제 : 기여입학제

기여입학제란?

기여입학제는 특정 학교에 물질을 무상으로 기부하여 현저한 재정적 공로가 있는 경우나 대학의 설립 또는 발전에 비물질적으로 기여하는 등 공로가 있는 사람의 직계 자손에 대해 대학이 정하는 기준과 방법에 따라 입학이 가능하도록 특례를 인정하는 제도를 말한다.

인사/사회자 소개	
주제 소개	
참석자 소개	
토론을 시작하는 말	

02 바람직한 성역할

학습 목표 ● 과제 바람직한 성역할에 대해서 알아보기, 상대방의 주장에 대해서 동의 또는 반박하기
● 문법 아무리 -기로서니, -은 끝에 ● 어휘 성역할

여러분 나라에서는 그림과 같은 장면을 얼마나 볼 수 있습니까?
가정에서의 남편의 역할은 무엇이라고 생각합니까?

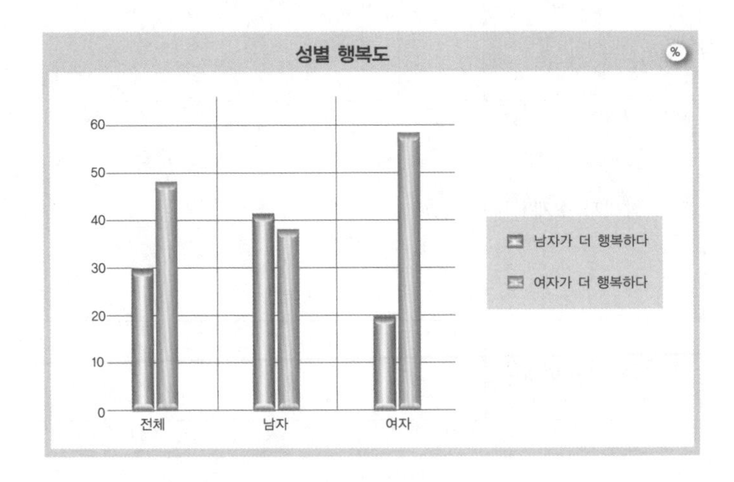

1) 전국의 성인 남녀 534명에게 '성별 행복도'에 관해 설문 조사한 결과입니다. 이 조사의 결과가 시사하는 바는 무엇입니까?

2) 여러분은 남자가 더 행복하다고 생각하십니까? 아니면 여자가 더 행복하다고 생각하십니까?

대화

정민철 부장님, 저 이번에 1년 간의 휴직 신청을 좀 하려고 하는데요.

최 부장 아니, 휴직이라니? 그게 무슨 말인가? 내 이번에 자네에게 큰일을 맡기려고 했는데…….

정민철 다름이 아니라 부장님도 아시다시피 지난달에 제 집사람이 출산을 했잖습니까? 그런데 직장에 다니는 아내가 안심하고 아기를 맡길 만한 데가 없어서요. 그래서 아내와 이 문제에 대해 심사숙고한 끝에 제가 휴직을 하기로 결정을 했습니다.

최 부장 그래도 그렇지, 아이는 엄마가 돌봐야 하는 것 아닌가?

정민철 저는 아이를 반드시 엄마가 키워야 한다고는 생각하지 않습니다. 남녀를 불문하고 엄마든 아빠든 여건이 되는 사람이 아이를 돌보면 되는 것 아닌가요? 그런데 자기 사업을 하는 제 아내가 지금 일을 쉴 수 있는 형편이 못 되거든요.

최 부장 아무리 시대가 달라졌기로서니 남자가 직장을 쉬면서까지 아이를 봐야 한단 말인가? 내가 구세대라서 그런지 모르겠네만 도저히 납득이 안 가는 일일세.

정민철 부장님께서 제게 큰 기대를 갖고 많이 아껴 주시는 거 잘 알고 있습니다. 하지만 남자가 꼭 바깥일을 해야 하고 여자는 집안일을 해야 한다는 것은 고정관념이 아닐까요? 저는 직장에서의 성공만큼 가정의 행복도 중요한 것이라 생각합니다.

최 부장 자네가 정 그렇다면야 나로서도 어쩔 수 없지만 다시 한 번 잘 생각해 보게나.

01 정민철이 육아 휴직을 하려는 이유는 무엇입니까?

❶ 아내가 출산을 해서
❷ 아이를 맡길 적당한 곳이 없어서
❸ 아기에게 아빠가 필요해서
❹ 아이 돌보는 것을 좋아해서

02 최 부장과 정민철의 생각이 어떻게 다른지 정리해 보십시오.

	최 부장	정민철
육아의 책임을 가진 사람		
남자와 여자의 역할		

심사숙고하다 深思熟虑，反复斟酌 **불문하다** 不论，无论
여건 条件 **납득이 가다** 理解 **고정관념** 旧观念 **정** 实在，一定

03

여러분은 누구의 생각을 지지합니까? 보기와 같이 이야기해 보십시오.

[보기] 제가 보기에 정민철의 생각은 너무 튀는 것 같은데요. 최 부장의 말대로 남자가 자기 일을 쉬면서까지 아이를 돌본다는 건 쉽지 않은 일이지요. 육아 도우미를 부른다든지 하는 다른 방법을 더 찾아 볼 수 있지 않을까요?

어휘 성역할

01

다음 표현을 익히고 질문에 답하십시오.

(가)	(나)
고정관념	남녀평등/양성평등
남녀차별/성차별	성차이
남자답다	성역할
여자답다	양성성
가부장적이다	양성적이다

1) (가)에서 알맞은 표현을 찾아 빈칸을 채우십시오.

❶ 여성은 감성적이고 의존적이며 소극적인 인물로 생각되고, 남성은 이성적이고 경쟁적이며 독립적이고 적극적인 인물로 생각되는 경우가 많은데 이를 성역할에 따른 (　　　　　　) 이라고/라고 할 수 있다.

❷ (　　　　　　)는 말은 여성이 지녀야 할 만하다고 여겨지는 성질이나 모습을 갖추고 있을 때 쓰는 말이다. 일반적으로 상냥하다, 얌전하다, 애교가 많다 등의 단어가 이러한 성격을 표현한다. 반면에 남자에 대해서 박력 있다, 씩씩하다, 거칠다, 공격적이다 등은 (　　　　　　)는/은/ㄴ 것을 표현할 때 자주 쓰는 말이다.

❸ 가부장은 가족 중에서 가족 전부에 대하여 가장 큰 권력을 가진 남자 어른을 의미하는데 남편이나 아버지가 지나치게 절대적인 권력을 갖고 권위적으로 행동할 때 (   ) 이라고/라고 말한다.

2) (나)에서 알맞은 표현을 찾아 빈칸을 채우십시오.

❶ 성차별은 성에 기초한 모든 차별이나 배제 또는 제한을 뜻한다. 다시 말해서 남자와 여자의 성별에 따라 법률적 권리나 사회적 대우가 다른 것을 말하며 반대말은 (   ) 이다.

❷ 근래에 와서 전통적으로 남성과 여성 사이에 존재해 왔던 이성 간의 벽이 허물어지고 있는데 젊은 한국인 남녀 절반 이상이 각자의 성에 대한 고유의 (   )에서 벗어나 (   )을/를 추구하고 있는 것으로 나타났다.

02 여러분이 알고 있는 성역할에 따른 고정관념이 드러나는 말이나 이에 대한 자신의 경험을 이야기 해 보십시오.

[보기] 우리나라에는 색에 대한 고정관념이 있는데 아기가 태어나면 남자 아기는 보통 하늘색이나 파란색 옷을 입히고 여자 아기는 분홍색 옷을 입혀요. 저도 어렸을 때 분홍색 계통의 옷을 많이 입었고 주로 인형을 가지고 놀았어요. 하지만 아무도 저에게 로봇이나 장난감 자동차는 사 주지 않았고, 엄마는 제게 파란색 옷은 입히지 않으셨어요.

남녀차별/성차별 性别歧视 **남자답다** 有男子汉气概 **여자답다** 有女性气质 **가부장적이다** 大男子主义的
남녀평등/양성평등 男女平等 **성차이** 性别差异 **성역할** 男女职责 **양성성** 两性性 **양성적이다** 两性的

문법

01 다음을 읽고 문법 및 표현을 익혀 봅시다.

요즘 성역할에 대한 고정관념이 많이 사라지고 있다고는 하지만 그것은 젊은 여성들만이 갖는 생각인 것 같다. 최근 들어 우리 할머니한테서 제일 많이 듣는 소리가 안 되는 취직하려고 애쓰지 말고 좋은 신랑감 만나서 시집이나 가라는 소리다. 내가 **아무리** 취직을 못해 백수로 **지내기로서니** 어떻게 그런 말을 하실 수 있을까? 그래서 이 말을 할까 말까 한참을 **망설인 끝에** "저도 나름대로 하고 싶은 일이 있고 계획도 있으니까 그런 말씀은 제발 그만하세요" 라고 할머니께 대들 듯이 말하고 말았다.

아무리 -기로서니

1) 보기와 같이 다음의 상황을 비난하는 문장을 만드십시오.

[보기] 바빠서 부모님께 한 달 동안 전화를 못 드렸다.

❶ 화가 많이 나서 동생을 때렸다.
❷ 피곤해서 하루 종일 잠을 잤다.
❸ 돈이 없어서 다른 사람의 돈을 훔쳤다.
❹ 스트레스가 많이 쌓여서 정신을 잃을 정도로 술을 많이 마셨다.

[보기] 아무리 바쁘기로서니 부모님께 전화 한 통도 못 드릴 수가 있어요?

-은/ㄴ 끝에

2) 빈칸을 채우고 보기와 같이 이야기해 보십시오.

상황	과정	결과
[보기] 비행기가 연착되었다	세 시간이나 기다렸다	겨우 비행기를 탈 수 있었다
어려운 문제가 생겼다	밤새도록 고민했다	
경쟁률이 높은 회사에 지원했다	죽기 살기로 노력했다	
그 범인의 행방이 묘연했다	끝까지 추적했다	
사랑 고백하기가 부끄러웠다	오랫동안 망설였다	

[보기] 비행기가 연착되어서 세 시간이나 기다린 끝에 겨우 비행기를 탈 수 있었다.

02 위의 두 표현을 사용해서 여러분의 경험을 보기와 같이 이야기해 봅시다.

[보기] 저는 고등학교 때 반드시 일류 대학에 가겠다는 목표로 하루에 서너 시간만 자면서 정말 열심히 공부했어요. 그 때 대부분의 제 친구들은 잠도 실컷 자고 놀기도 많이 하면서 "아무리 대학 가는 게 중요하기로서니 잠도 못 자 가면서 공부를 하니?" 라고 저에게 말하곤 했지요. 하지만 저는 그런 말들을 무시하고 정말 힘들게 노력한 끝에 원하던 대학에 합격하게 되었답니다.

과제 1 듣고 말하기 

01 다음 도표를 보고 무엇에 관한 것인지 이야기해 보십시오.

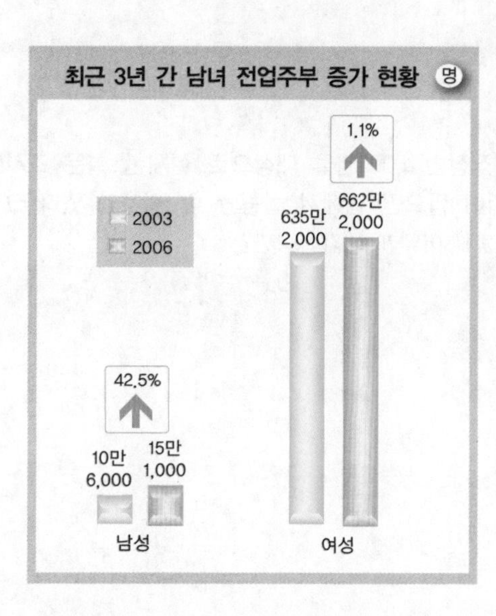

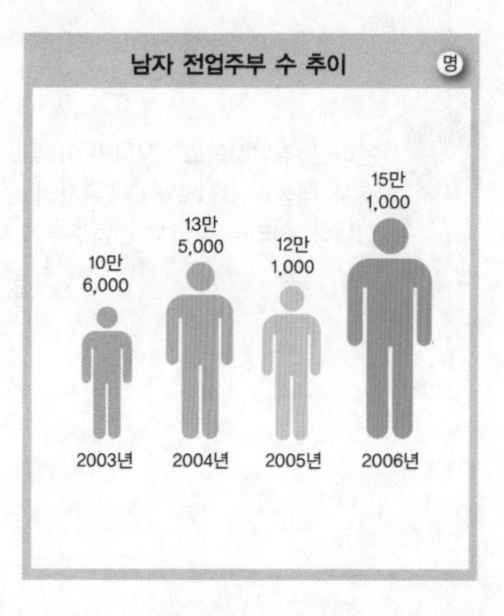

02

다음을 듣고 질문에 답하십시오.

1) 들은 이야기와 맞는 것을 고르십시오.

❶ 전문직 종사자 수의 증가는 남성과 여성이 비슷하다.

❷ 가부장적 부부 관계가 붕괴하고 있다.

❸ 여자 전업주부의 수는 감소하고 있다.

❹ 통계청은 초등학생까지의 아이를 돌보는 것을 '육아'로 분류한다.

2) 남자 전업주부가 늘고 있는 이유가 아닌 것은 무엇입니까?

❶ 여성 연상 커플의 증가

❷ 고소득 전문직 여성의 증가

❸ 질 좋은 일자리 감소

❹ 미취학 아동의 증가

03

온라인 취업사이트 '사람인'이 남성 직장인 1,092명을 대상으로 실시한 설문 조사에 따르면 조사 대상의 33.1%가 "배우자의 수입이 많으면 집에서 살림만 할 의사가 있다"고 답했다고 합니다. 여러분은 남자 전업주부에 대해서 어떻게 생각합니까?

기능 표현 익히기

〈동의하기〉

- 저는 대북지원이 남북 관계를 유지하고 관리하는 중요한 협상 수단이라는 **점에서 ○○ 씨의 의견에 동의합니다.**
- 기여입학제가 교육의 기회를 확대시켜 줄 수 있**다는 점에서는 일리가 있습니다.**

〈반박하기〉

- 자녀의 조기 유학을 위해 부모가 자신의 일을 접고 희생하는 **것이 반드시** 아이에게 득이 되는 **것만은 아닙니다.**
- 자유무역협정(FTA) 타결이 세계적 추세라서 피할 수 없**다고 단언할 수는 없는 일이지요.**
- 죽는 것보다 평생 감옥에서 사는 게 더 낫**다고는 생각하지 않습니다.**
- 사형 제도가 흉악 범죄 예방에 효과가 있다는 **말은 납득이 가지 않습니다.**
- 남자 교사 할당제의 실시가 교사의 질을 떨어뜨릴 수 있다는 **점에서 문제가 있다고 생각합니다.**
- **다른 관점에서 보자면** 사형 제도는 국가가 저지르는 살인이라고 할 수 있습니다.

01 다음을 읽고 질문에 답하십시오.

초등학교 '여교사 편중 현상'이 심화되면서 남자 교사가 없거나 한두 명에 불과한 학교가 늘고 있다. 초등학교 재학 6년 동안 남자 담임 교사를 만나지 못하는 학생도 수두룩하다. 서울의 경우 초등 여교사의 비율은 82%를 넘었다. 이와 같은 추세로 나간다면 곧 90%를 넘을 전망이다. 서울시 교육청이 이와 같은 현상을 완화시키기 위한 방안 마련에 나섰다. 초·중·고교 교사 임용 때 최대 30%까지 남성으로 뽑는 제도를 도입하겠다는 것이다. 그러나 이에 대해 찬성과 반대의 의견이 팽팽한데 이것은 대략 네 가지 논점으로 정리될 수 있다.

이를 찬성하는 쪽에서는 그 이유를 첫째로 학생들의 성역할 정체성 확립에 도움을 줄 수 있다고 한다. 하지만 이에 대해 반대하는 입장에서는 성역할은 학교에서만 배우는 게 아니며 가정에서 부모로부터 배우는 성역할 교육도 중요하다고 반박하고 있다. 이들은 또한 여성 비율이 높은 것이 문제라면 초등학교의 교장 선생님 중 91%가 남자라는 것도 문제가 되어야 한다고 지적하고 있다.

둘째로 생활 지도와 체육 수업 등에 남자 교사가 더 적합하고 수련회나 운동회 등의 각종 활동에서도 남교사의 역할이 크다는 주장이다. 이 문제에 대해 반대하는 쪽에서는 생활 지도와 체육과 각종 활동을 전문적으로 담당하게 하는 전문 교사제를 도입해야 한다고 말하고 있다.

셋째로 여교사의 급격한 증가로 임신과 출산, 육아 휴직 등이 많아지면서 이 부분을 담당할 계약직 교사를 확보하는 것이 어려울 뿐만 아니라 상대적으로 책임감과 경험이 부족한 이들로 인한 수업의 질이 떨어질 수 있다는 점을 찬성하는 쪽에서 지적하고 있다. 이에 대해 반대쪽에서는 이것은 국가적인 차원에서 예산을 늘려 해결해야 할 문제라고 주장하고 있다.

마지막으로 할당제를 반대하는 쪽에서는 지금의 교사 성비 불균형은 교사를 시험 성적으로 뽑아서 발생한 것이기 때문에 여성보다 성적이 낮은 남성으로 30%를 채운다면 교사의 질이 떨어질 게 분명하다고 주장하고 있다. 하지만 할당제를 찬성하는 입장에서는 교사를 뽑는 과정에서 남자를 우대하자는 것은 성차별적 발상이 아니라 아이들에게 균형 잡힌 교육 환경을 제공하기 위한 것으로 이해되어야 한다고 반박하고 있다.

한편 여성계 등에서는 "여교사의 비율이 높아 교육에 문제가 있다는 것은 입증된 적이 없다"며 교사들의 처우가 좋아지면 자연히 우수한 남성들이 몰리게 될 것인데 근본적인 문제 해결 없이 할당제만으로는 이 문제를 풀어 갈 수 없다고 말하고 있다.

1) 다음 표를 채우십시오.

찬성의 논리	반대의 논리
학생들의 성역할 정체성 확립에 도움이 됨.	
남교사가 생활 지도와 체육 수업에 유리하고 수련회, 운동회 등의 각종 활동에 남교사의 역할이 큼.	
여교사의 출산 휴가 및 육아 휴가 시 수업을 담당할 교사 확보가 어려움.	
남자를 우대하자는 게 아니라 아이들에게 균형 잡힌 교육 환경을 제공하기 위한 것임.	

2) 다음 표는 기여입학제에 대한 찬반 토론표입니다. 상대방의 주장에 반박하는 내용으로 빈 칸을 채우십시오

찬성의 논리	반대의 논리
기여입학제는 사립대학들이 재정난을 해소하기 위해 도입을 주장한 것임. 현재 국내 사립대학들은 예산의 대부분을 학생들의 등록금에 의존하고 있으며 그 나머지는 대학 법인에서의 수익과 국가 지원 기금, 민간 기부금으로 충당하고 있음. 그러나 국가 지원 기금과 민간 기부금의 비율은 매우 미미한 정도임.	이 제도가 재정난을 타계하기 위한 정도(正道)가 아니기 때문에 받아들일 수 없음. 즉, 대학이 등록금을 인상할 수 없다면 법인에서의 수익을 늘리거나 국가 지원을 늘리는 방향으로 재정난을 타계하는 것이 보다 근본적인 방안임.
기여입학제를 통해 장학금 등으로 교육 기회를 확대해서 형편이 어려운 학생이 등록금을 내지 못해 학교를 그만두는 일은 없애야 함. 또한 한국의 기술 수준은 선진국의 60~70%수준이므로 기여입학제를 허용하고 그 일정 부분을 과학 기술 진흥을 위한 기금으로 적립하는 방안을 국가적 차원에서 검토해야 함.	
	교육의 기회 균등과 평등 이념이 훼손됨. 돈만 있으면 다 된다는 황금만능주의사상을 갖게 하고 사회 계층 간 위화감을 조성할 수 있음. 그리고 기여입학제로 입학한 학생들은 일반 학생들에 비해 학업에 대한 충실도가 떨어질 수밖에 없고 그로 인해 학생들 전체의 학업 분위기마저 저해될 수 있음.
돈 많은 사람은 공부 잘 못해도 좋은 대학에 마음대로 가고 돈 없는 아이들만 상대적으로 박탈감을 준다는 것은 인정할 수 밖에 없음. 또한 이 제도가 교육의 기회 균등을 보장하고 있는 헌법에 위배되지만 자본주의사회에서 이 정도는 용인될 수 있고 기여입학을 한 학생들이 공부 안 하면 쉽게 졸업할 수 없도록 학사 관리를 강화하면 그런 문제점은 어느 정도 보완할 수 있음.	

03 정리해 봅시다

I. 어휘

01 다음의 표현에서 떠오르는 단어를 찾아 쓰고 그 단어를 사용해서 문장을 만드십시오.

마음을 졸이다	각오를 하다	병행하다	납득이 가다
인사 이동	현모양처	정	여건

[보기] 조마조마하다, 초조하다, 시험 : **마음을 졸이다**

수술실 앞에는 마음을 졸이며 수술이 무사히 끝나기를 기다리는 가족들이 있었다.

1) 회사에서 자리를 옮기다, 승진, 좌천 : ....

....

2) 이해가 가다, 받아들이다, 수긍하다 : ....

....

3) 가사, 직장, 맞벌이 : ....

....

4) 굳게 마음먹다, 단단히, 결심 : ....

....

5) 주어진 조건, 허락하다, 되다 : ....

....

02 다음의 설명에 알맞은 단어를 쓰십시오.

현모양처	슈퍼우먼	성차별	요조숙녀	가사 분담

[보기] 제 사촌 언니는 아주 얌전하고 품위가 있어서 며느리 삼고 싶어하는 아주머니들이 많대요. (**요조숙녀**)

1) 우리 이모는 이모부한테는 좋은 아내이고 자식들에게는 훌륭한 어머니이십니다. (   )

2) 제시카 씨는 능력이 뛰어나 아내와 어머니 역할을 잘 해 나가면서 회사일까지 완벽하게 해낸다. (   )

3) 우리 언니와 형부는 맞벌이 부부인데 퇴근 후에 식사 준비와 설거지는 언니가, 청소와 아기 돌보는 일은 형부가 맡아서 한다. (   )

4) 내가 다니는 회사에서는 새로 들어온 여사원에게는 으레 커피 심부름과 복사를 하게 시키는데 남자 신입 사원에게는 그런 잡다한 일을 시키지는 않는다. (   )

03 다음의 단어는 남성과 여성 중 어느 쪽을 설명할 때 많이 사용되는 표현인지 나누어 보고 그 이유를 설명해 보십시오.

섬세하다, 부드럽다, 주장이 강하다, 감정이 풍부하다, 의리가 있다, 다정다감하다, 결단력이 있다, 이성적이다, 차분하다, 알뜰하다, 독립적이다, 의존적이다, 순하다, 꼼꼼하다, 털털하다, 박력 있다, 얌전하다, 싹싹하다, 씩씩하다, 깔끔하다, 의지력이 강하다, 공격적이다, 애교가 있다

남성	여성

II. 문법

다음 상황에 대한 여러분의 의견을 보기와 같이 이야기해 보십시오.

-은/ㄴ 채로　　-으리라는/리라는　　아무리 -기로서니　　-은/ㄴ 끝에

상황

내 친구 미선이는 지금 고민에 빠져 있다. 부모님은 조건 좋고 능력 있는 남자를 소개해 줄 테니 집안도 그저 그렇고 장래성도 별로 없어 보이는 지금의 남자 친구와 빨리 헤어지라고 재촉하셨다고 한다. 미선이가 그럴 수 없다고 크게 반발하니까 그럼 우선 그 남자와 한 번만 만나 보라셨다는 것이다.

[보기]

의견

부모님이 딸을 위하는 마음은 잘 알지만 아무리 조건이 중요하기로서니 결혼이 시장에 가서 물건 사는 것도 아닌데 어떻게 그렇게 말하실 수가 있을까요? 미선이 부모님은 한 번만 소개해 주는 사람을 만나 보라셨다지만 난 지금의 남자 친구와 헤어지지 않은 채로 다른 남자를 만나는 일은 하면 안 된다고 생각한다.

01

상황 1

경미 씨와 준호 씨는 결혼한 지 6개월쯤 된 신혼 부부인데 요즘 부부 싸움을 자주 한다. 5년이나 연애를 하고 결혼을 했어도 서로의 성격을 잘 몰랐기 때문이다. 연애를 하는 것과 직접 같이 살아 보는 것은 별개의 문제인가 보다. 그런데 점점 싸움의 강도가 심해지면서 며칠 전에는 말다툼을 하던 중 준호 씨가 화를 참지 못하고 경미 씨의 뺨을 때리고 말았고 그 일로 경미 씨는 집을 나와 버렸다.

의견

02

상황 2

우리 언니는 자녀 교육에 남다른 열정과 신념을 가지고 있어서 자기 아들에게 최고의 교육을 시키려고 노력한다. 그 덕분에 형진이는 음악, 미술, 체육은 물론 수학과 과학에서도 제 또래보다 뛰어난 실력을 발휘하고 있다. 하지만 한 가지 언니가 만족하지 못하는 분야가 있는데 그것은 바로 영어다. 그것 때문에 고민을 많이 하던 언니가 결단을 내려 아직 모국어도 완전히 익히지 않은 초등학교 1학년짜리 내 조카를 미국에 유학 보내려고 한다.

의견

Ⅲ. 과제

다음은 여러분의 성 정체성을 알아보는 항목들입니다. 적극적으로 동의하는 항목에만 표시하고 그 결과에 대해서 이야기해 봅시다.

1) 내 안의 남성성은?

- ☐ 나는 경제적으로 자립해야 한다고 생각한다.
- ☐ 나는 목표를 향해 적극적으로 도전하는 편이다.
- ☐ 나는 다소 공격적인 행동을 많이 하는 편이다.
- ☐ 나는 체면과 치레를 중시한다.
- ☐ 나는 누구에게 의존하기보다 독립적인 것을 좋아한다.
- ☐ 나는 내가 사회의 중추적인 역할을 해야 한다고 생각한다.
- ☐ 나는 포부와 야망이 크다.
- ☐ 나는 다소 권위적이다.
- ☐ 나는 힘이 좀 더 세졌으면 좋겠다.
- ☐ 나는 어떤 모임에서든 리더십을 발휘한다.

2) 내 안의 여성성은?

- ☐ 나는 드라마나 연극, 영화 같은 것을 보면 즐겁다.
- ☐ 나는 동정심이 많다.
- ☐ 나는 다른 사람의 감정에 민감하게 반응한다.
- ☐ 나는 낭만적인 이야기를 좋아한다.
- ☐ 나는 이따금 애교를 부리는 편이다.
- ☐ 나는 귀엽고 예쁜 물건을 좋아한다.
- ☐ 나는 다른 사람에 비해 질투심이 많은 편이다.
- ☐ 나는 언어 능력이 뛰어난 편이다.
- ☐ 나는 시각적인 것보다 촉감을 좋아한다.
- ☐ 나는 내 감정을 다른 사람에게 표현하길 좋아한다.

[제일기획]

〈성 정체성 분석〉

남성성 항목	여성성 항목	유형	분석
여섯 가지 이상	여섯 가지 이상	양성형	'예쁜 남자' 혹은 '강한 여자' 이거나 곧 될 가능성이 높음.
여섯 가지 이상	여섯 가지 미만	남성형	전형적인 마초맨이거나 여장부임.
여섯 가지 미만	여섯 가지 이상	여성형	천상 여자이거나 무늬만 남자임.
여섯 가지 미만	여섯 가지 미만	미형성	당신은 누구십니까? 어느 별에서 오셨나요?

문화

한국의 남성과 여성의 덕목

근대 이전에는 모든 사람들이 사회적인 관습대로 살 수밖에 없었다. 계층이나 연령에 따라 각기 맡은 역할이 정해져 있었으며 남성과 여성의 역할도 고정되어 있었다. 밖에서 일을 하고 사회 활동을 하는 것은 남성이, 아이를 돌보는 일이나 집안일을 하는 것은 여성의 역할로 여겼다. 여성의 사회 활동이 제한되었고 남성이 집안일을 하거나 부엌에 출입하는 것을 금기시하였다. 이러한 제약은 남성과 여성의 성의 차이로 인해 생겨난 것인데 점차 사회적 차별이 되기도 하였다. 근대 이전까지 여성의 사회적 진출과 정치적 활동은 제한을 받았으며 교육과 문화 등의 분야에 진출하는 것도 제약을 받았다.

한국의 남성이 갖춰야 하는 덕목으로는 먼저 '사내대장부'와 같은 남성다움이 있다. 남자에게는 무의식중에 대범함, 강직함, 신중함, 과묵함 등이 남성의 덕목이라는 의식이 뿌리내려져 있다.

한국의 여성은 사회적인 성공보다는 자식과 남편을 위해 희생하는 현모양처가 최고의 덕목으로 여겨졌다. 솜씨, 마음씨, 말씨 등을 기본으로 정숙하고, 다소곳하며, 순종하는 것을 여성의 미덕으로 교육해 왔다.

그러나 현대 사회에서는 이러한 남성과 여성의 고정적인 역할 제약이 점차 깨어지고 있다. 남성과 여성의 성의 차이는 인정하되 사회적 제약과 차별은 지양해야 한다는 것이다. 여성과 남성으로 구분하던 고정관념이 희미해지면서 여성의 전유물로 여겨져 왔던 직업인 미용사, 요리사, 유치원 교사, 간호사로 이미 많은 남성이 일하고 있다. 또한 여성들의 사회 활동이 활발해지면서 기업의 경영자, 버스 운전사, 중장비 기사 등 그 활동 영역을 넓히고 있다.

1. 한국 남성과 여성의 덕목에 대해 생각해 봅시다.

2. 여러분 나라에서는 남성과 여성의 지위에 어떤 변화가 있었습니까?

3. 여러분이 생각하는 바람직한 남성상과 여성상에 대해서 이야기해 봅시다.

문법 설명

01 -은/ㄴ 채

어떤 행위가 이루어진 상태 그대로 후행문의 내용이 발생했음을 나타낸다.

- 그 남자는 숨진 채 발견됐다.
- 도둑이 신발을 신은 채 방까지 들어왔다.
- 아이가 너무 피곤해서인지 앉은 채 잠이 들었다.
- 과일을 씻지 않은 채 그냥 먹었다.

02 -으리라는/리라는

결심이나 계획, 추측이나 전망 등의 내용을 나타낼 때 사용한다.

- 영희는 이제 다시 그 사람과 헤어지지 않으리라는 다짐을 다시 한 번 해 본다.
- 어떤 일이 있어도 이번 사업에서 꼭 성공하리라는 각오로 열심히 일하고 있어요.
- 모든 국민은 새 대통령이 경제를 발전시켜 주리라는 기대를 하고 있다.
- 시간을 두고 배우면 언젠가 잘 되리라는 믿음을 가지고 있어요.

03 아무리 -기로서니

앞에 오는 문장의 사실은 인정하지만 그것이 뒤에 오는 문장의 충분한 이유나 조건이 될 수 없음을 나타낼 때 쓴다.

- 아무리 키가 크기로서니 2미터가 넘겠니?
- 아무리 철수가 잘못했기로서니 어쩌면 네가 그럴 수가 있니?
- 아무리 철이 없기로서니 어떻게 그런 말을 할까?
- 아무리 시간이 없기로서니 다른 사람의 숙제를 베껴서야 되겠어요?

04 -은/ㄴ 끝에

'오랜 시간 동안 어떤 일을 힘들게 한 후에'라는 의미로 뒷문장에는 그 후에 얻게 되는 결과가 나온다.

- 애써 노력한 끝에 큰 성공을 거두게 되었다.
- 일주일 동안 밤새워 열심히 공부한 끝에 반에서 일등을 했다.
- 여기저기 알아본 끝에 그 친구가 이민을 갔다는 것을 알게 되었다.
- 여러 번의 시행 착오를 겪은 끝에 신제품 개발에 성공했다.

제4과 바른 선택

01
제목 | 선거와 투표
과제 | 선거와 투표에 대해서 알아보기
설득하기
어휘 | 선거
문법 | -는다뿐이지, -을 법하다

02
제목 | 분단의 극복
과제 | 남북통일에 대해서 의견 나누기
토론하기(사회자의 역할)
어휘 | 통일 정책
문법 | -는 가운데, -을 테지만

03
정리해 봅시다

문화
한국의 정치 제도

01 선거와 투표

학습 목표 ● 과제 선거와 투표에 대해서 알아보기, 설득하기
● 문법 -는다뿐이지, -을 법하다 ● 어휘 선거

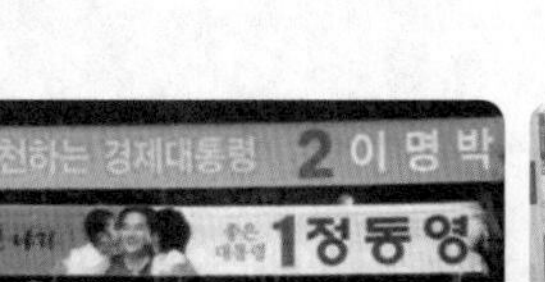

위 사진은 무엇을 하는 장면입니까?
여러분은 이런 장면을 본 일이 있습니까?

	1번 박영수(65세)	2번 김미선(55세)	3번 이수영(40세)
지지율	45%	39%	15%
주요 경력	경제학 교수 서울 시장, 국무총리	방송인 통일부 장관	인권 변호사 환경 운동가
이념 성향	안정 보수 성향	중도 개혁 성향	급진 개혁 성향
주요 공약	여성 복지법 강화 100만 일자리 창출	외교 통일 정책 강화 교육 정상화 정책	부동산 안정화 비정규 노동법 개정

대통령 후보들의 광고물입니다.

1) 여러분은 어느 후보를 지지하겠습니까? 그 이유는 무엇입니까?

2) 여러분 나라의 대표적인 정치인은 누구입니까? 소개해 봅시다.

대화

정희　TV에서 대통령 후보들이 선거 유세를 한다는데 민철 씨도 볼 거지요?

민철　물론이지요. 그런데 정희 씨는 누구를 선택할지 결정하셨어요?

정희　아직 결정하지 못했어요. 하지만 3번 후보의 공약이 구체적이고 현실적이라고 생각해요. 비정규직 노동자 문제라든지 공공주택 보급 방안 등 국민들의 민생 문제에 대한 해결 방안을 많이 내놓았어요.

민철　그렇지만 3번 후보는 공약만 좋다뿐이지 뒷받침할 인력이 충분하지 않아요. 대통령은 후보자 본인도 중요하지만 소속 정당도 중요하다고 생각해요. 그런 점에서는 기호 1번의 후보가 대통령이 되는 것도 괜찮을 듯싶어요.

정희　그 당은 보수적인 성향이 강해서 좀 염려가 돼요. 2번 후보가 정당도 안정적이고 국민을 위한 정책도 내놓아서 많은 사람들이 지지할 법한데 왜 지지율이 낮은지 모르겠어요. 여자라서 그럴까요? 혹시 민철 씨도 2번 후보가 여자라서 믿음이 안 가는 것은 아니에요?

민철　정희 씨는 절 어떻게 보고 그러세요. 설마 제가 남자라고 해서 무조건 여자가 대통령이 될 수 없다고 생각하겠어요?

정희　민철 씨를 그런 사람으로 생각하는 것은 아니에요. 하지만 선거 때마다 지연이나 학벌, 성별 등에 얽매여 본질적인 판단을 못하는 사람들이 너무 많아요.

민철　하지만 요즘은 그런 분위기도 점점 바뀌고 있는 것 같아요. 이번 선거에서는 후보자들의 선거 공약이 실현 가능한지를 검토해 보는 운동도 활발하게 전개되었으니 국민들도 잘 살펴보고 선택할 수 있을 거예요.

01　각 후보에 대한 설명을 읽고 알맞은 기호 번호를 쓰십시오.

❶ 국민들의 생활과 직접 관련된 고민을 많이 하였다.　(기호 3 번)
❷ 소속 정당에 도움을 줄 인력이 충분하지 않다.　(기호 ____ 번)
❸ 소속 정당이 보수적이어서 개혁 정책을 펼치기가 어렵다.　(기호 ____ 번)
❹ 소속 정당이 안정적이고 국민을 위한 정책을 많이 내놓았다.　(기호 ____ 번)

02　정희와 민철은 각각 누구를 지지합니까? 그 이유는 무엇입니까?

선거 유세 选举游说　**비정규직** 临时工　**공공주택** 公房　**보급** 普及，推广　**민생 문제** 民生问题
인력 人力　**소속** 所属，所在　**보수적이다** 保守的，传统的　**성향** 趋势，倾向　**학벌** 学历
얽매이다 被束缚　**본질적이다** 本质的，根本的　**전개되다** 进行，开展

03 대통령 후보자를 선택할 때 무엇을 보고 판단해야 할까요? 여러분의 생각을 이야기해 보십시오. (공약, 경력, 소속 정당, 이념 성향, 나이, 지역)

[보기] 저는 후보자의 공약을 잘 살펴봐야 한다고 생각해요. 공약이 현실성이 있어야 해요.

어휘 선거

01 다음 표현을 익히고 질문에 답하십시오.

(가)	(나)
기호 _번	간접 선거
낙선	기권하다
당선	선출하다
선거 공약	지지자
선거 운동	지지하다
선거 유세	직접 선거
정당	투표하다
출마	후원자

1) (가)에서 알맞은 표현을 찾아 빈칸을 채우십시오.

지난 국회의원 선거에 제 삼촌이 (　　　　)했습니다. 삼촌의 (　　　　)은/는 야당인 민주당이었고, (　　　　)은/는 3번이었습니다. 삼촌은 심사숙고를 하여 (　　　　)을/를 만들고 (　　　　)에서 멋진 연설도 했습니다. 주민들을 만나서 지지를 호소하고 후원자를 찾는 등 선거 운동을 했습니다. 여론 조사를 보고 (　　　　) 가능성이 아주 높아서 가족들은 모두 기대를 했습니다. 하지만 투표 결과는 아깝게도 2위였고 (　　　　)으로/로 인해 실망이 컸지만 삼촌은 포기하지 않고 다시 도전하겠다고 합니다.

2) (나)에서 알맞은 표현을 찾아 빈칸을 채우십시오.

민주주의 국가들은 나라의 대표자를 (   )기 위하여 선거를 하고 있습니다. 국민들은 여러 후보자들 중에서 자기가 (   )는/은/ㄴ 후보자들에게 (   )어/아/여 자신의 정치적 견해를 나타냅니다. 하지만 어떤 사람들은 선거나 정치 등에 관심이 없습니다. 선거 때마다 투표소에 가지 않고 (   )는/은/ㄴ 사람들도 있습니다.

02 최근에 여러분 나라에서 출마한 정치가 중 한 사람을 선택하여 보기와 같이 말해 봅시다.

	[보기]	여러분의 나라
이름	이명박	
소속 정당	한나라당	
선거 번호	기호 2번	
선거 공약	경제 발전, 대운하 건설	
선거 유세 방법	TV 연설	
선거 결과	대통령 당선	

[보기] 2007년 12월 19일, 한국에서는 대통령 선거가 있었습니다. 이명박 씨는 한나라당의 대통령 후보로 출마했습니다. 그의 기호는 2번이었습니다. 그는 대한민국의 경제 발전과 대운하 건설을 공약으로 제시해서 큰 호응을 얻었습니다. 그는 텔레비전 광고를 통해 서민적인 모습을 보여 주는 선거 유세를 했습니다. 그는 2위와 아주 큰 표차를 보이며 제17대 대한민국 대통령으로 당선되었습니다.

기호_번 几号 **낙선** 落选 **당선** 当选 **선거 공약** 竞选承诺 **선거 운동** 竞选活动 **정당** 政党
출마 参选 **간접 선거** 间接选举 **기권하다** 弃权, 放弃 **선출하다** 选出 **지지자** 支持者
지지하다 支持 **직접 선거** 直接选举 **투표하다** 投票 **후원자** 资助者

문법

01 다음을 읽고 문법 및 표현을 익혀 봅시다.

문 도지사는 지명도만 **낮다뿐이지** 그 능력은 어느 정치가 못지 않다. 40여 년 동안 연세 기업을 경영해 오면서 세계적인 기업으로 성장시켰고, 국민들에게 제일 존경받는 기업가로 선정된 적도 여러 번 있다. 그러므로 총선거에 출마하면 대통령으로 **당선될 법도 한데** 왜 출마할 의사를 표명하지 않는지 모르겠다.

-는다뿐이지/-ㄴ다뿐이지/다뿐이지

1) 보기와 같이 대화를 완성하십시오.

[보기] 가 : 그 후보가 선거법을 위반했다는 증거가 있어요?
나 : 아직 증거가 없다뿐이지 모든 사람이 다 아는 사실이에요.

① 가 : 넌 네 동생을 왜 그렇게 미워하니?
나 : 동생을 좋아하지 않는다뿐이지 ....

② 가 : 저 사람은 공부를 오래 했으니 아는 것도 많겠지?
나 : 저 사람은 공부만 오래 했다뿐이지 ....

③ 가 : 그 사람은 말을 잘 해서 그런지 정말 믿음이 가는 사람이야.
나 : ....는다뿐이지/ㄴ다뿐이지/다뿐이지 별로 믿을 수 있는 사람은 아니에요.

④ 가 : 저 후보는 대학생들이 지지하지 않는 걸 보니 다른 사람들도 지지하지 않겠군요.
나 : 아니에요. ....

-을/ㄹ 법하다

2) 다음 표를 채우고 보기와 같이 이야기해 보십시오.

추측	사실
[보기] 지지율이 5% 미만이면 기권할 것이다	꿋꿋하게 선거 운동을 하고 있다
❶ 해외파 선수들까지 동참했으니까 이길 것이다	10:0으로 졌다
❷ 대기업 회장으로 만족할 것이다	국회의원 선거에 출마했다
❸ 여직원의 음주 정도는 이해할 수 있을 것이다	부장이 공개적으로 비난했다
❹ 지금쯤은 대책이 마련됐을 것이다	정부가 발표를 미루고 있다

[보기] 지지율이 5% 미만이면 기권할 법한데 꿋꿋하게 선거 운동을 하고 있네요.

02 위의 두 표현을 사용해서 여러분이 알고 있는 정치가를 평가해 보십시오.

[보기] OOO 대통령은 경제 상황이 호전되어서 지지율이 오를 법도 한데 오히려 낮아졌어요. 아마 경제 안정을 이루었다뿐이지 민주주의를 정착시키지 못했다는 평가 때문인 것 같아요.

01 다음은 국회의원의 선거 연설문입니다. 읽고 질문에 답하십시오.

〈국회의원 선거 연설문 1〉

안녕하십니까! 민주당 기호 2번, 강석천 인사 드립니다.

시민 여러분! 살기가 쉽지 않으시죠? 국가 전체적으로는 경제가 좋아졌다고 하지만 아직도 우리 지역은 많은 분들이 경제적 어려움을 겪고 있습니다. 며칠 전 시청 앞마당에서는 우리 시의 어민들이 시위를 했습니다. 바로 어민들의 실정에 맞지 않는 법 때문입니다. 제가 국회의원이 되면 제일 먼저 이 법을 고칠 것입니다.

또한, 중소기업들이 은행으로부터 돈을 쉽게 빌릴 수 있도록 하는 중소기업 진흥법을 만들도록 하겠습니다. 중소기업들의 사업이 활발해지면 인천의 경제가 살아날 수 있을 것이고 일자리를 얻지 못한 실업자들이 취업할 수 있는 기회가 많아질 것입니다. 이 강석천은 서민 경제를 어떻게 풀어야 할지 잘 알고 있습니다.

존경하는 시민 여러분!

어떤 사람은 저를 배신자라고 합니다. 지난번에 제가 공화당 국회의원이었는데 이번에는 민주당 후보로 출마한 것을 비난하는 것이지요. 하지만 제가 왜 민주당으로 당을 바꾸었는지 아는 사람은 절대 비난할 수 없습니다. 제가 자신의 명예를 추구하기 위해서 당을 바꾸었습니까? 아닙니다. 국회의원 한 번 더 하자고 당을 바꾸었습니까? 그것도 아닙니다. 바로 우리 지역의 발전을 위해서 당을 바꾸지 않을 수가 없었습니다. 지난번 국회의원 활동 중에 저는 우리 지역에 몇 가지 큰 사업을 유치하려고 맨발로 뛰었습니다. 하지만 공화당에서는 우리 지역 사업에 손을 들어주지 않았습니다.

그런데 제가 낙심해 있을 때 민주당 총재께서 제 손을 들어주었습니다. 그 결과 우리 지역에서 아시안 게임을 유치할 수 있었습니다.

시민 여러분! 민주당 총재께서는 우리 지역의 발전에 관심이 많으십니다. 그리고 앞으로 이 강석천이가 하는 일은 무조건 도와주기로 약속을 하셨습니다. 저는 결국 제 개인의 이익이나 명예보다는 우리 지역의 발전을 위해서 당적을 바꾼 것입니다.

존경하는 시민 여러분!

이 강석천이에게 우리 지역의 경제적 발전을 맡겨 주십시오. 한 번도 시민 여러분을 실망시킨 적이 없는 이 강석천, 이 강석천이가 다시 우리 지역을 위해 큰 일을 해 낼 것입니다. 믿어 주십시오. 감사합니다.

1) 후보에 대한 정보를 정리해 보십시오.

기호	소속	이름	공약
......번	......당		❶ ❷

2) 이 후보는 무엇 때문에 당적을 바꾸었다고 주장합니까? (　　)

❶ 지역의 발전을 위해서

❷ 자신의 명예를 회복하기 위해서

❸ 다시 한 번 국회의원으로 봉사하기 위해서

❹ 바꾼 당의 총재와 긴밀한 관계에 있기 때문에

〈국회의원 선거 연설문 2〉

여기 모이신 시민 여러분, 안녕하십니까? 공화당 기호 1번 정재인 인사 올립니다.

여러분! 우리 대통령께서 경제를 살리기 위해 얼마나 노력하셨습니까? 그런데 우리 대통령께서 세계 각국을 찾아다니며 협상을 하고 계실 때 민주당에서는 대통령을 비난하고 헐뜯기만 하고 있습니다. 여러분 이것이 슬프게도 제 1야당이라는 민주당의 현실입니다. 이 당을 지지하시겠습니까? 여러분!

지난번 자동차 공장 파업 때도 민주당은 노동자 여러분을 선동하여 문제만 일으켰지 해결을 위해 무엇을 했습니까? 책임을 졌습니까? 결코 아닙니다. 아무 것도, 아무런 책임도 지지 않았습니다.

존경하는 시민 여러분! 지금 남북 문제는 긴장과 대립으로 풀 수 없습니다. 그래서 지난 주 대통령께서는 베를린에서 북한에 대해 화해의 선언을 했습니다. 민주당은 대통령이 인기를 위해서 북한을 이용한다고 말하고 있습니다. 정말 민주당 사람들은 비판만 할 줄 알았지 우리에게 무엇이 필요한지 모르는 사람들입니다. 여러분! 우리가 왜 북한과 화해를 해야 하는지 모르십니까? 우리 지역에는 많은 분들이 북한에 가족을 두고 오셨습니다. 고향 땅과 가까운 곳에 살아 보겠다고 우리 지역으로 오신 분들이 많습니다. 우리는 이 분들이 하루라도 빨리 가족을 만날 수 있도록 도와 드려야 합니다. 우리는 같은 동포이기 때문입니다.

또한 북한과 화해해야만 우리 지역 어민들의 생존권이 보장됩니다. 남한과 북한의 군대가 서해에서 대치를 계속한다면 우리 어민들은 고기를 잡을 수가 없습니다. 더구나 북한의 어민들이 조직적으로 남한 땅까지 들어와서 마구잡이로 어업을 하고 있는데 이것을 막지 못하면 우리 어민들은 앞마당의 물고기까지 빼앗기는 꼴이 됩니다. 우리 대통령께서는 북한과의 화해라는 방법을 통해서 서해 어장을 보호하려고 하는 것입니다.

존경하는 시민 여러분!

이런 대통령의 뜻을 잘 알고 구체적으로 실천할 수 있는 사람이 바로 누구입니까? 바로 저 정재인입니다. 비판을 일삼기보다는 같이 일하는 분의 뜻을 알고 섬기는 사람이 바로 저 정재인입니다. 시민 여러분! 저는 여러분을 섬기는 정치를 하겠습니다. 감사합니다.

3) 후보에 대한 정보를 정리해 보십시오.

기호	소속	이름	공약
......번	......당		

4) 이 후보가 상대 당을 공격하는 중심 내용은 무엇입니까? (　　　)

❶ 민주당은 맹목적 비난과 편 가르기를 하고 있다.

❷ 민주당의 공약은 구체적으로 실현 가능성이 없다.

❸ 민주당의 공약은 대중들의 민생 문제를 간과하고 있다.

❹ 민주당의 후보자는 도덕적으로 깨끗하지 못하다.

5) 이 후보에 따르면 남북이 화해한다면 얻을 수 있는 긍정적 효과는 무엇입니까? (　　　)

❶ 북한에 자동차 공장을 세울 수 있다.

❷ 북한의 인건비가 저렴한 인력을 이용할 수 있다.

❸ 국민들의 대통령에 대한 지지도가 높아진다.

❹ 어민들의 생존에 영향을 미치는 서해 어장을 보호할 수 있다.

6) 이 후보가 내세우는 자신의 장점은 무엇입니까?

02 여러분은 두 후보 중 어느 후보를 더 지지합니까? 다음 표에 정리해 보십시오.

지지하는 후보	
지지하는 이유	
다른 후보를 지지하지 않는 이유	

위 표를 이용하여 다른 후보를 지지하는 사람을 설득해 보십시오.

기능 표현 익히기

- 더 좋은 방법이 없으니만큼 제 의견을 따르는 **것이 어떻겠습니까?**
- 그것을 하기가 어렵다면 이렇게 해 보는 **것이 어떨까요?**
- 그 문제는 이런 관점에서 다시 한 번 생각**해 보도록 합시다.**
- 지금 이 상황에서는 제 3안을 선택하는 **것도 고려해 볼 만합니다.**
- 그 사람 의견대로 해 보는 **것도 괜찮을 듯싶어요.**

다음을 읽고 질문에 답하십시오.

나는 이번 대통령 선거에서 투표를 하지 않을 것이다.

왜냐하면 정치인들은 진실하지 않기 때문이다. 선거철이 되면 서민을 위한답시고 시장에도 찾아가고, 고아원이나 양로원에 가서 자원 봉사를 하는 척하지만 일단 당선되고 나면 언제 그랬냐는 듯 서민들을 잊어버린다. 그들이 어려운 사람을 찾아가서 웃는 웃음은 표를 얻기 위한 가짜 웃음이라고 생각한다.

또한 우리나라 정치인들은 소신이 없다. 나는 정치인이 되려면 자신은 좀 손해 보더라도 국민을 위해 소신을 가지고 일을 해야 한다고 생각하는데 그런 정치인은 아무도 없다. 국회의원이 되어서 서민들을 위한 정책을 만들기는 커녕 오히려 자신들에게 이익이 되는 일만 한다. 정치인들이 패싸움을 하는 것도 대부분 자신의 의견보다는 자기 당의 정책에 따라 하는 것이다.

나는 정치인을 믿지 않는다. 그래서 난 그 사람들을 도와주는 선거 따위는 안 할 것이다. 선거하는 날은 출근하지 않아도 되니까 혼자 여행이나 떠나겠다.

01 위 글을 읽고 다음 표를 정리해 보십시오.

핵심 주장	
주장의 이유	❶ 정치인들은 진실하지 않다. ❷

02 이 사람의 주장에 대한 여러분의 생각을 써 보십시오.

동의하는 부분	
동의하지 않는 부분	
동의하지 않는 이유	

03 위 표를 이용해서 이 글의 필자를 설득하는 이야기를 해 보십시오.

04 다음 글을 읽고 하나를 골라 정리한 후 설득하는 이야기를 해 보십시오.

가) 저는 흡연하는 사람들에게도 흡연권이 있다고 생각해요. 내가 좋아하지 않는 음식을 다른 사람이 좋아한다고 그것을 나무랄 수는 없는 일이지요. 흡연도 마찬가지예요. 다만 밀폐된 공간에서는 내 흡연으로 다른 사람까지 피해를 줘서는 안 되지요. 그래서 사무실 같은 곳에서는 안 피우는 것이 당연하지만 건물 안 공공장소에서 담배를 피우지 못하게 하려면 건물 안에 흡연실을 만들어 주어야 한다고 생각해요.

나) 저는 지금의 버스 전용 차선제를 확대해야 한다고 생각해요. 버스 전용 차선의 실시로 대중교통 이용객의 출근 시간이 20%쯤 단축되었다는 연구 결과가 있었어요. 물론 자가용 운전자들의 경우는 출근 시간이 더 늘어나고 불편한 점이 있지만 그것은 다수를 위해서 소수가 희생해야지요.

중심 생각	구체적 내용
글의 중심 생각	
글의 내용 중 동의하는 부분	
동의하지 않는 부분	
나의 주장	
주장의 이유	
기타	

02 분단의 극복

학습 목표 ● 과제 남북통일에 대해서 의견 나누기, 토론하기(사회자의 역할)
● 문법 -는 가운데, -을 테지만 ● 어휘 통일 정책

위 사진이 시사하는 내용은 무엇입니까?
남북통일에 대해서 어떻게 생각합니까?

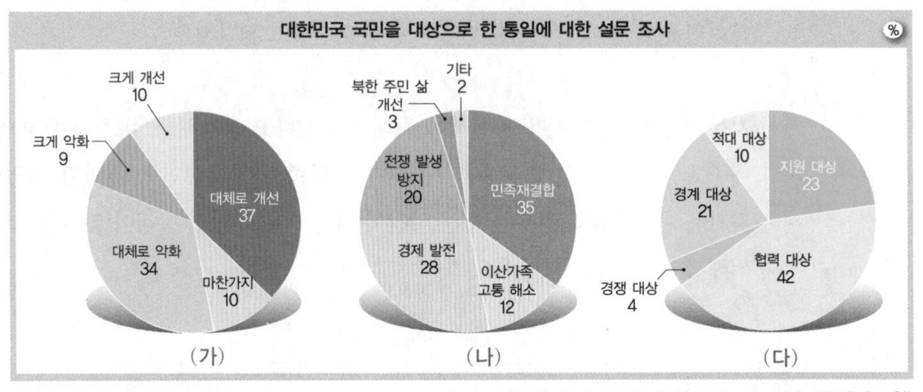

〈통일 문제 국민 여론 조사, 2005년, 통일연구원〉

1) 다음 질문에 맞는 그래프를 (가)~(다)에서 찾으십시오.

❶ 북한이 어떤 대상이라고 생각하십니까?

❷ 통일이 필요한 가장 큰 이유가 무엇이라고 생각하십니까?

❸ 통일 후 경제 성장이 통일 전에 비해서 어떻게 될 것이라고 생각하십니까?

2) 각 질문에 대해서 여러분은 어떻게 생각하십니까?

대화

사회자　지금까지의 논의를 요약해 보면 우리나라 국민들이 통일을 원하는 이유는 첫째, 우리 민족의 숙명이기 때문에, 둘째, 대한민국의 안정은 물론 세계 평화에 기여할 수 있기 때문에 등으로 정리할 수 있습니다. 그러면 이제부터는 현 정부의 통일 정책에 대해 토론을 하는 것이 어떨까 합니다. 먼저 신 국장님부터 말씀해 주시지요.

신 국장　지금 우리 정부는 북한의 정치적 개방을 유도하기 위하여 북한 정부를 적극적으로 지원하고 북한 정부와 협력하는 포용 정책을 펴고 있습니다. 이런 정책은 시간이 좀 걸리지만 남북 간의 이질화를 점진적으로 극복하고 통일의 부작용을 최소화하는 데 효과가 있습니다.

박 의원　우리 정부는 선의의 목적으로 북한을 지원했을 테지만 지금 우리 정부의 정책은 북한에 이용만 당하고 있다는 의견이 적지 않습니다. 저는 우리 정부가 북한에 무조건 퍼주기보다는 줄 것은 주되 받을 것은 철저히 받아내는 원리 원칙을 가졌으면 합니다. **〈중략〉**

사회자　역시 예상했던 대로 정부의 정책에 대한 견해에서도 두 분의 의견이 확연히 갈라지는군요. 마지막으로 통일에 대한 두 분의 의견을 한 마디씩만 듣고 이 토론을 마치도록 하겠습니다.

신 국장　지금 우리 정부의 통일 정책은 오랜 조사와 연구 후에 나온 것입니다. 그러므로 국민 여러분이 정부를 믿고 정부의 정책을 지원해 주시면 우리 후손들에게는 통일된 대한민국을 물려줄 수 있지 않을까 생각합니다.

박 의원　우리 국민 대부분이 통일을 원하는 것은 분명한 사실입니다. 정부는 정부 주도의 통일 정책만을 고집할 것이 아니라 민간 차원의 교류를 확대해야 한다고 생각합니다.

사회자　네, 두 분 의견 감사합니다. 통일을 해야 하는 이유와 통일의 효과, 통일 정책에 대해 이야기하는 가운데 어느새 100분의 시간이 다 지났습니다. 통일에 대해 의견을 나누어 본 결과 통일로 가는 길이 어렵고 험난한 과정이라는 걸 알게 되었습니다. 이 토론이 국민 여러분 모두에게 도움이 되었길 바라면서 이만 마치도록 하겠습니다. 지금까지 사회자 홍소영이었습니다.

숙명 宿命，命中注定　**개방** 开放　**유도하다** 引导　**포용** 包容，容纳　**이질화** 异质化，差异化
점진적 逐步，逐渐　**선의** 善意，好意　**퍼주다** 不断供给　**철저히** 彻底地　**원리 원칙** 原则
확연히 明白地，清楚地　**험난하다** 艰难，艰险

01 정부의 통일 정책을 한 단어로 말한다면 무엇입니까?

02 박 의원에 대한 설명으로 맞는 것은 무엇입니까?

❶ 정부의 정책을 무조건 비판하고 있다.

❷ 정부의 정책을 적극 지지하며 도울 방법을 찾고 있다.

❸ 정부의 잘못을 탓하기보다 북한에 잘못이 있다고 말하고 있다.

❹ 정부의 정책을 부분적으로 인정하지만 더 강한 다른 의견이 있다.

03 남북통일에 대해 어떻게 생각하십니까? 보기와 같이 여러분의 생각을 이야기해 보십시오.

[보기] 저는 남북통일이 10년 안에 가능하다고 봅니다. 통일을 위해 남한과 북한은 우선 서로 민간 교류가 먼저 이루어져야 합니다. 통일 방법으로는 남한과 북한의 연방 정부를 수립해야 문제가 없을 것입니다. 통일 후에는 경제 문제를 해결하는 것이 가장 큰 숙제인데 이를 위해 남한은 북한 주민의 경제 활동을 지원해야 할 것입니다.

01 다음 표현을 익히고 질문에 답하십시오.

(가)	(나)
(정부) 주도 (민간) 주도 개방 번영 부작용 분단 안정 원리 원칙 이질화 통일 비용	정착되다 극복하다 협력하다 교류하다 포용하다

1) 다음 설명에 맞는 표현을 (가)에서 찾아 쓰십시오.

❶ 갑자기 변하지 않고 일정하게 유지되어 편안한 느낌이 있음. (　　　　　)
❷ 같았던 두 가지가 서로 달라짐. (　　　　　)
❸ 문을 열어 들어오고 나가는 것이 자유로움. (　　　　　)
❹ 어떤 일을 중심이 되어 이끌어 감. (　　　　　)
❺ 어떤 일을 할 때 부수적으로 나쁜 결과가 나타남. (　　　　　)
❻ 일이 잘 되고 발전하여 좋은 결과가 있음. (　　　　　)
❼ 하나였던 것이 둘로 나누어짐. (　　　　　)

2) (나)에서 알맞은 표현을 찾아 빈칸을 채우십시오.

❶ 통일이 되기 위해서는 남한과 북한이 한 마음으로 서로 (　　　　　)어서/아서/여서 정책을 만들어 가야 합니다. 두 정부가 다른 생각을 가지고 있다면 통일이 되기 어려울 것입니다.

❷ 통일 전에는 남한과 북한이 정치적으로나 경제적으로 활발하게 (　　　　　)으면서/면서 분단 후 서로 달라진 것들을 (　　　　　)으려는/려는 노력이 있어야 합니다. 어느 한 편이 다른 편에게 이용을 당한다는 생각이 있다면 통일을 이루기 어렵습니다.

❸ 통일이 된다면 한반도에 평화가 (　　　　　)을/ㄹ 것이고 동북아시아의 평화에도 기여하게 될 것입니다.

02 위의 표현을 사용하여 통일되지 않았을 때와 통일되었을 때의 한국이 어떻게 달라질지 정리하고 여러분의 생각을 이야기해 보십시오.

	통일되지 않았을 때	통일되었을 때
남북의 사람들		
남북의 경제		
동북아시아의 평화		
세계에서 한국의 위상		
주변 국가들의 생각		

[보기] 남북 사람들은 통일되지 않으면 20년 후에는 이질화가 심화되어 서로 다른 생각을 하게 될 것입니다. 하지만 통일이 된다면 한 민족으로서 동질성을 회복하여 같은 민족으로 살아갈 수 있을 겁니다.

(정부) 주도 政府主导　**(민간) 주도** 民间主导　**번영** 繁荣　**부작용** 副作用，负面影响
분단 分裂，分隔　**안정** 安定，稳定　**통일 비용** 统一所耗费用　**정착되다** 被接受，扎根
극복하다 克服　**협력하다** 协助，合作　**포용하다** 包容，容纳

문법

01 다음을 읽고 문법 및 표현을 익혀 봅시다.

대한민국과 북한의 교류가 점점 활발해져 **가는 가운데** 사람들 사이에는 이제 통일 논의가 서서히 대두되고 있습니다. 하지만 저는 아직 통일은 시기상조라고 생각합니다. 통일이 되면 동북아시아에서 우리의 영향력이 **커질 테지만** 통일에 소요되는 막대한 비용을 감당하기에는 아직은 두 정부의 경제적 여력이 부족하다고 보기 때문입니다.

-는/은/ㄴ 가운데

1) 빈칸을 채우고 보기와 같이 이야기해 보십시오.

상황	진행된 일
[보기] 생중계를 통해 온 국민이 지켜보고 있다	검찰의 조사 결과가 발표되었다
❶ 폭우가 쏟아지고 있다	119대원의 구조 작업이 계속되었다
❷ 여당과 야당이 정책적으로 대립하고 있다	국민 경제는 점점 더 어려워지고 있다
❸ 환경단체들의 반대 시위가 거세지고 있다	
❹ 수도권 인구가 급증하고 있다	

[보기] 생중계를 통해 온 국민이 지켜보는 가운데 검찰의 조사 결과가 발표되었다.

-을/ㄹ 테지만

2) 빈칸을 채우고 보기와 같이 문장을 만드십시오.

의도	행위	의도와 다른 결과
[보기] 멋있게 보이고 싶었다	강도에게 대들었다	사람들은 무모하다고 생각했다
❶ 시험을 잘 보고 싶었다	밤을 새워서 공부를 했다	
❷ 잘 할 수 있을 거라고 생각했다	별로 연습을 하지 않았다	
❸ 형이 도와줄 것이라고 생각했다	형을 찾아갔다	
❹ 경제를 활성화하려고 했다	금리를 인하했다	

[보기] 멋있게 보이고 싶어서 강도에게 대들었을 테지만 사람들은 무모하다고 생각했다.

❶ ....

❷ ....

❸ ....

❹ ....

02 위의 두 표현을 사용해서 보기와 같이 이야기해 보십시오.

의도	행위	의도와 다른 결과
[보기] 여학생들이 보고 있다	한 남학생이 넘어졌다	남학생 생각 : 창피한 일을 당했다 여학생 생각 : 불쌍하다

[보기] 여학생들이 지켜보고 있는 가운데 한 남학생이 넘어졌다. 그 남학생은 창피한 일을 당했다고 생각했을 테지만 여학생들은 그 남학생이 불쌍하다고 생각했다.

과제 1 듣고 말하기 MP3 1 20

01 다음 토론의 전반부를 듣고 질문에 답하십시오.

1) 남북 철도 개통의 의미를 이 장관은 어떻게 보고 있습니까?

2) 박 의원의 중심 내용은 무엇입니까?

3) 철도는 몇 개의 노선이 개통되었습니까? 그 노선의 이름은 각각 무엇입니까?

4) 다음은 토론에 이어지는 사회자의 진행 발언입니다. .... 에 알맞은 말을 써 넣으십시오.

[보기] 역사적 상징성에 대해서는 같은 의견인 것 같습니다만 문제는 .... 인 것 같습니다. 이 문제를 적극적으로 논의해 보면 어떨까 합니다.

02 다음 토론의 후반부를 듣고 질문에 대답하십시오.

1) 남북 철도 개통의 경제적 측면을 보는 통일부 장관과 야당 국회의원의 관점을 표현한 것을 모두 고르십시오. (　　,　　)

❶ 긍정적 / 부정적
❷ 장기적 / 단기적
❸ 개방적 / 폐쇄적
❹ 적극적 / 소극적

2) 야당 국회의원이 남북 간의 진정한 대화가 힘들다고 보는 이유는 북한의 어떤 태도 때문입니까?

3) 다음은 통일부 장관의 반론을 정리한 것입니다. 알맞은 말을 넣으십시오.

남북 대화에는 (　　　　　)이/가 필요하다. 단기적으로 계산하는 태도는 옳지 않다. 북한에 대해 지원하는 것도 (　　　　　)은/는 아니다. 차관으로 제공되는 것이다.

4) 다음은 토론의 내용을 메모한 것입니다. 누구의 주장인지 쓰십시오.

메모한 내용	토론자
평화와 안정에 기여	통일부 장관
북한의 웃돈 요구	
고비용 저효율	
주식 시장 안정화	

03 여러분은 누구의 생각을 지지합니까? 다음 표를 정리하고 이야기해 보십시오.

지지하는 사람	
지지하는 내용	
지지하는 이유	

과제 2 토론하기(사회자의 역할)

기능 표현 익히기

- 통일의 부작용에 대해서는 잠시 후에 토론하**기로 하면 어떻겠습니까?**
- 이에 대해 어떻게 생각하는지 청중의 의견을 들어 보는 **것이 어떨까 합니다.**
- **지금까지의 이야기를 요약해 보면** 첫째는 이질화 극복, 둘째는 통일 비용으로 문제를 정리할 수 있겠습니다.
- 두 분의 이야기를 들어 **본 결과** 아직도 풀어야 할 과제가 많다는 것을 알게 되었습니다.
- 두 팀의 의견을 듣는 **가운데** 어느새 우리에게 주어진 시간이 다 지났습니다.

01 사회자가 〈과제 1〉 에서 들은 토론을 마무리하려고 합니다. 빈칸을 채우십시오.

마무리를 도입하는 말	지금까지 ………………………………에 대해 논의를 진행하는 가운데 100분의 시간이 지났습니다.
토론 내용의 요약	이 토론에서는 남북 철도 개통의 ………………………………에 대해 의견을 나누어 보았습니다.
결론	이 주제로 논의를 해 본 결과 남북 철도 개통의 경제적 가치를 보는 시각이 다양함을 알 수 있었습니다.
끝내는 말	저는 이 토론이 남북 철도 개통의 의의를 이해하는 데 도움이 되었기를 바라면서 토론을 마치려고 합니다. 지금까지 진행에 ○○○이었습니다/였습니다. 안녕히 계십시오.

02 다음을 읽고 질문에 답하십시오.

〈토론 제목〉 ....

국회의원 이번 정상회담을 계기로 더 많은 기업들이 북한에 투자를 해 준다면 남북 관계는 경제 협력을 바탕으로 더욱 좋아질 거라고 생각합니다.

시민 저는 정상회담을 보면서 경제계 인사 분들의 걱정이 많이 됐는데요. 북한은 투자 환경이 열악하기로 유명하잖아요. 그런데 남한 기업들을 북한에 투자하라고 정부가 밀어붙이면 기업들에게 너무 많은 부담을 주고 있는 것은 아닌지 그런 생각이 듭니다.

국회의원 잘 아시다시피 기업들은 기업의 입장에서 판단해서 투자할 가치가 있을 때 투자를 하게 됩니다. 그걸 정부가 강요할 수도 없는 겁니다. 지금 말씀하신 것처럼 개성공단에 투자를 더 활성화하기 위해서는 가장 큰 난제가 바로 통신, 통행, 통관의 절차가 까다롭고 복잡했던 것인데 이것은 이번 정상회담에서 아주 구체적이고 명시적으로 다루어졌습니다. 그래서 앞으로 북한의 투자 환경이 크게 개선될 것이라고 봅니다. 그러면 남쪽의 기업들은 정부가 시키지 않아도 자연스럽게 북쪽에 투자할 거라고 봅니다.

시민 정부의 강요가 없다면 다행인데요. 제가 좀 걱정이 되는 것은 북한의 정치적 위험입니다. 금강산 관광 등 북한에 투자를 많이 하고 있는 현대그룹의 경우만 하더라도 북한에 관한 뉴스가 나올 때마다 주가가 계속 요동치고 있지 않습니까? 그만큼 정치적 위험이 큰 곳에 기업이 자발적으로 투자하길 바라는 것은 현실적으로 문제가 있지 않을까요?

국회의원 정부가 북한의 투자 환경을 개선한다는 것은 남북 간의 군사적 긴장을 해소하는 것을 의미합니다. 그래서 남쪽의 기업이 스스로 북에 찾아가서 투자할 수 있도록 하는 것이지요. 이번에 정상회담에서 남북 간의 최고 지도자들이 직접 이 문제를 다룬 것도 결국 같은 생각에서 비롯된 것이지요.

1) 이 내용을 바탕으로 토론의 제목을 붙여 보십시오.

2) 시민의 우려와 국회의원의 답변을 다음과 같이 정리했습니다. 빈칸을 채우십시오.

시민의 우려	국회의원의 답변
정부가 기업들의 북한 투자를 강요하여 부담을 주는 것은 아닌가?	
	남북 간의 군사적 긴장을 해소하여 투자 환경을 개선한다.

03 이 토론을 마무리하려고 합니다. 다음 표를 정리하고 이야기해 보십시오.

마무리를 도입하는 말	
토론 내용의 요약	
결론	
끝내는 말	

03 정리해 봅시다

I. 어휘

01 다음 설명에 알맞은 표현을 쓰십시오.

[보기] 회사에 정식으로 채용되지 않고 임시로 채용된 사람 비 정 규 직

1) 국민들의 생활에 꼭 필요한 문제 □□□□

2) 나라를 관리하고 다스림 □□

3) 마음이 넓어서 이해하고 받아들임 □□

4) 같았던 것이 서로 달라짐 □□□

02 다음 표에 알맞은 표현을 쓰십시시오.

❶ 후보자	김대한	이민국
❷	한나라당	민주당
❸	1번	2번
❹	안정적 번영	적극적 통일 정책
❺	TV 연설	대중 집회
선거 결과	❻	❼

03 다음의 표현을 사용해서 여러분 나라의 정치 혹은 경제에 대해서 이야기해 보십시오.

번영　부작용　개방　안정　비용　원칙　협력　극복

[보기] 우리나라는 지금부터 50년 전 박정희 씨가 대통령이 되면서 경제적으로 크게 발전하였다. 박정희 대통령은 한국의 번영을 위해 무역을 개방하고 다른 나라와 협력을 이루어 나갔다. 그 결과 한국은 세계에서 가장 빨리 경제적 성장을 이룬 국가가 되었다. 하지만 경제적 성장의 결과가 항상 긍정적인 것만 있는 것은 아니었다. 빈부의 격차가 커지면서 사회가 각박해지고 사람들이 성장을 지향하면서 경제적 가치만을 추구하는 현상이 나타났다. 이제 한국 사회는 급속한 경제 성장의 부작용을 극복해야 할 때다.

II. 문법

다음 문법을 사용해서 보기와 같이 대화를 완성하십시오.

–는 가운데　–을/ㄹ 테지만　–을/ㄹ 법하다　–는다뿐이지/ㄴ다뿐이지/다뿐이지

[보기] 직원 이 휴대폰을 한 번 보시겠어요? 디자인이 특이해서 인기가 있는 제품입니다.
손님 디자인이 특이하다뿐이지 별다른 기능이 없잖아요? 최신 제품이라면 카메라 기능은 말할 것도 없고 엠피스리(MP3) 기능이나 지피에스(GPS) 기능 정도는 갖추었을 법한데…….

1) 가 : 말리 씨는 언제나 공주처럼 말하고 행동하더라. 말할 땐 콧소리를 많이 섞어서 천천히 하고 행동도 아주 우아하게 하려고 노력하는 것 같아.

나 : ....

2) 가 : 우리 사장님은 퇴근 시간이 지나고 저녁 9시가 가까워지도록 댁에 돌아가실 생각을 안 하셔. 게다가 우리 직원들한테도 그 시간까지 일해 주기를 바라신다니까. 늦게까지 일하는 것이 일을 잘 하는 거라고 생각하시나 봐.

나 : ....

3) 가 : 엄마는 늘 잔소리를 하셔. 공부해라, 방 정리해라, 미리 미리 챙겨라 등등. 엄마의 잔소리를 이해 못하는 건 아니지만 항상 기분 좋게 들리는 건 아니야.

나 : ....

4) 가 : 스트레스가 쌓일 땐 역시 술을 좀 마시는 게 좋은 것 같아. 피로했던 몸에 새로운 기운이 돌고 기분도 편안해지는 것 같아서 말이야.

나 : ....

III. 과제

우리 학교에서 학생 대표를 뽑으려고 합니다. 여러분이 후보자가 된다면 어떤 공약을 내세우시겠습니까?

01 다음 표에 여러분의 생각을 정리해 보십시오.

	공약
도입하는 말	
내가 바라는 우리 학교는?	
우리 학교가 개선해야 할 것은?	
선생님과 학생들에게 당부하고 싶은 것은?	

02 정리한 내용을 발표하고 누구의 생각에 동의하는지 또는 반대하는지 이야기해 봅시다.

03 다음 순서에 따라 우리 반의 대표를 선출해 봅시다.

1) 선거 진행자 결정하기 : 누가 선거를 진행했으면 좋겠습니까?

선거 위원장 :

기록하는 사람 :

2) 후보자 추천받기

여러분은 누구를 추천합니까?

그 사람을 추천하는 이유는 무엇입니까?

3) 추천에 동의하기

추천을 받은 사람이 지도자가 되는 것에 대해 동의합니까?

4) 후보자 공약 말하기

누가 내 생각과 비슷합니까?

누가 일을 잘 할 것 같습니까?

5) 투표하기

6) 당선 소감 말하기

문화

한국의 정치 제도

한국은 정치 제도로 대통령제를 실시하고 있다. 대통령제란 권력 분립의 원리에 기초를 두고 입법부, 행정부, 사법부 상호 간에 견제와 균형을 통해서 권력의 집중을 방지하고 국민의 자유와 권리를 최대한 보장하는 현대 민주국가의 정부 형태를 말한다.

대통령제에서는 대통령을 수반으로 하는 행정부의 성립과 존속이 의회로부터 완전히 독립되어 있다. 대통령은 국민이 선출하고 행정부는 대통령에 의해서 구성되며, 대통령은 국가 수반인 동시에 행정 수반으로서의 지위를 가진다. 대통령과 정부는 임기 동안 의회에 대하여 정치적 책임을 지지 않으며 의회를 해산할 권한도 없다. 그리고 의회 의원과 행정부 각료의 겸직이 인정되지 않고 정부의 법률안 제출권이나 행정부 각료의 의회 출석, 발언권도 인정되지 않는다. 그러나 입법부와 행정부의 상호 억제와 균형을 위해 일반적으로 대통령은 법률안 거부권을 가지며, 의회는 고위 공무원 임명에 동의권, 국정감사권, 조사권, 탄핵소추권 등을 가진다.

한국은 1948년 7월 20일 이승만을 초대 대통령으로 선출함으로써, 국가대표기관으로서의 국가 원수인 동시에 행정부의 수반이라는 대통령제가 시작되었다. 그런데 1960년 4.19혁명으로 이승만이 하야하고 내각책임제 개헌안이 통과되어 제2공화국에서는 의원내각제가 잠깐 도입되었다. 그러다가 1961년 5.16 군사정변으로 제2공화국이 무너지고, 7개월의 군정 이후 1962년 제3공화국 때에는 대통령제로 환원되었다. 그 후부터는 지금까지 줄곧 대통령제를 실시하고 있다.

한국의 대통령은 직선제로 선출되며 임기는 5년이고, 단임제로 연임할 수 없다. 한국의 대통령은 국가 원수로서의 지위와 행정부 수반으로서의 지위를 겸하고 있다. 국가 원수로서의 지위는 대외적으로 국가를 대표하는 지위, 국가와 헌법의 수호자로서의 지위, 국정의 통합 · 조정자로서의 지위, 다른 헌법기관 구성자로서의 지위로 세분된다. 행정부 수반으로서의 행정 최고 지휘권자와 최고 책임자로서의 지위를 가진다

1. 한국의 대통령제는 어떤 변화 과정을 겪었습니까?

2. 여러분 나라의 정치 제도에 대해서 이야기해 봅시다.

3. 여러분 나라의 정치 제도와 한국의 정치 제도와 비교하여 장단점을 이야기해 봅시다.

문법 설명

01 -는다뿐이지/ㄴ다뿐이지/다뿐이지

선행절의 내용을 인정하지만 그것은 아주 작은 부분에 해당하며 그와 반대가 되는 내용이나 예상 밖의 내용이 후행절에 온다.

- 학교를 안 다녔다뿐이지 그는 모르는 게 없다.
- 애인이 아니다뿐이지 그녀는 나에 대해 모르는 게 없어요.
- 그는 조금 나이가 먹었다뿐이지 신랑감으로는 더할 나위 없는 사람이다.
- 그는 감독으로서 프로야구 우승을 하지 못했다뿐이지 모든 분야에서 거의 최고의 자리에 오르신 분입니다.

02 -을/ㄹ 법하다

어떤 상황이 일어날 만한 가능성이 많음 혹은 그렇게 되는 것이 마땅함을 나타낸다.

- 믿기지는 않지만 충분히 있을 법한 일이에요.
- 사생활 침해로 고소할 법도 하지만 문제 삼지 않겠대요.
- 작년 실적으로 봐서는 승진될 법도 한데 이번에도 밀렸어요.
- 다섯 번이나 떨어졌으면 포기할 법도 한데 계속 하겠다니 대단해요.

03 -는 가운데

선행문의 내용이 진행되는 중에 후행문의 내용이 발생했음을 나타낸다.

- 시민들이 지켜보는 가운데 축하 행렬이 광화문 앞을 지나가고 있습니다.
- 여러 사람이 보는 가운데 혼자 춤을 추기란 여간 어렵지 않아요.
- 총탄이 빗발치듯 날아오는 가운데 그 소대장은 부하를 구하기 위해 달려 나갔다.
- 공무원들의 비난이 계속되는 가운데에도 대통령은 구조조정을 계속해 나갔다.

04 -을/ㄹ 테지만

추측 가능한 내용, 혹은 예상되는 내용과 반대의 사실을 전달할 때 쓴다.

- 외국에서 공부하면 처음에는 고생할 테지만 풍부한 경험을 쌓을 수 있어서 삶에 큰 도움이 될 것이다.
- 지금은 이런 일이 의미 없다고 생각할 테지만 1년만 지나면 사장님이 왜 이런 일을 하게 했는지 이해할 거예요.
- 너는 나를 도와주려고 그 일을 했을 테지만 그러다가 몸이라도 더 나빠지면 안되니까 앞으로는 그 일을 하지 말아라.
- 시간이 늦었으니까 벌써 밥을 먹었을 테지만 이리 와서 떡이라도 한 개 먹어라.

제5과 스포츠

01
제목 | 스포츠 과학
과제 | 스포츠 과학의 발전 모습에 대해서 의견 나누기
발표하기 (시작)
어휘 | 스포츠 과학과 효과
문법 | -는 셈치고, -으려만

02
제목 | 스포츠 정신
과제 | 바람직한 스포츠 정신에 대해서 의견 나누기
발표하기 (마무리)
어휘 | 스포츠 정신
문법 | -는 탓에, 이라도 -을라치면

03
정리해 봅시다

문화
한국의 무술 '택견'

01 스포츠 과학

학습 목표 ● 과제 스포츠 과학의 발전 모습에 대해서 의견 나누기, 발표하기 (시작)
● 문법 -는 셈치고, -으련만 ● 어휘 스포츠 과학과 효과

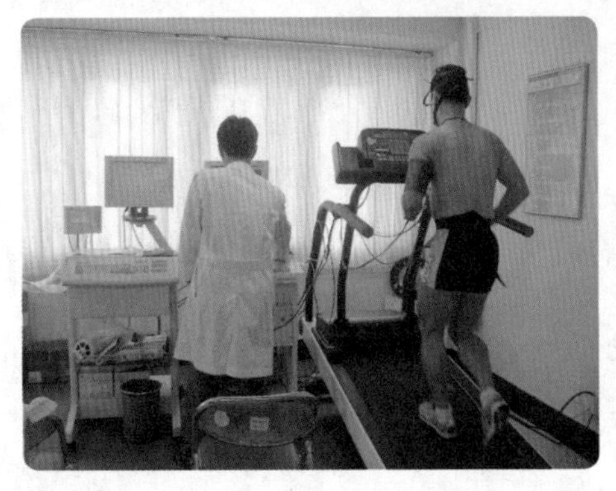

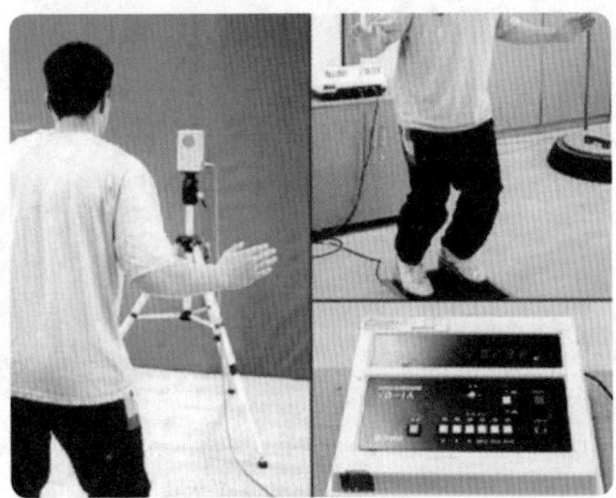

위의 사진은 무엇을 하는 장면입니까?
운동 실력을 향상시키기 위하여 어떤 노력을 하는지 이야기해 봅시다.

다음은 스포츠 과학의 기술로 개발된 스포츠 용품들입니다.

	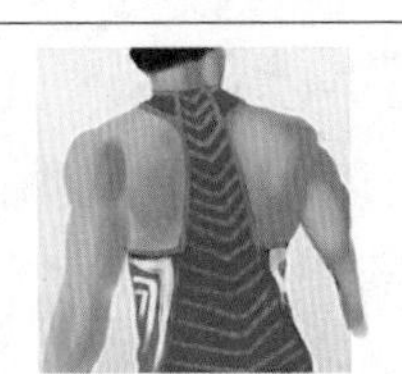		
마라톤화 (이봉주 선수 전용)	T자형 등판 유니폼	전신 수영복	2006독일월드컵 공인구 '팀가이스트'
소재 자체가 공기를 흡입하고 습기를 내뿜도록 함. 일반 마라톤화보다 통기성이 30% 높아 내부 온도가 2도 가량 낮음.	단거리 육상 선수들을 위하여 개발됨. 어깨 뒤를 고정시키고 몸에 착 달라붙게 만들어 어깨 부위의 움직임이 가벼움.	물과 공기의 저항을 감소시키고 부력을 증가시킴. 상어 비늘의 원리를 적용함.	2002년까지는 공의 면이 32조각이었으나 14조각으로 줄어듦. 모서리의 수를 줄여 구에 가까워지면 공의 진행 속도와 정확도가 높아짐.

1) 여러분은 위의 용품 중에서 어떤 것을 가지고 싶습니까? 이유는 무엇입니까?

2) 여러분이 알고 있는 첨단 스포츠 용품에 대해 이야기해 보십시오.

대화

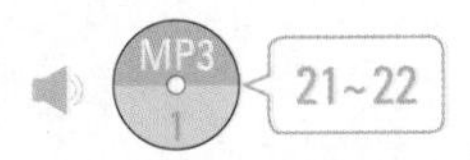

민철 어휴, 힘들다. 좀 쉬자. 너도 물 좀 마실래?

친구 너 정말 운동 부족이구나. 자, 이 스포츠 음료 마셔. 물을 마시면 당장의 갈증은 해소되지만 체내에서 필요로 하는 충분한 수분 섭취는 안 돼. 운동 중에 위에 부담을 줄 수도 있고.

민철 또 스포츠 과학 전공자 티를 내는구나. 그건 그렇고 이 운동화 어때? 이래봬도 이게 유명 육상 선수가 금메달 딸 때 신었다던 바로 그 제품이야. 무게도 가볍고 땀도 안 나서 참 좋다.

친구 말이 나왔으니 말인데 얼마 전에 93그램짜리 초경량 육상화가 개발됐다더라. 신발을 신고 있는 사실조차 잊을 정도라는데 실의 강도는 보통실의 수천 배이고, 신발 안에서 발이 미끄러지는 것도 완벽히 방지한대.

민철 우와, 대단하다. 0.001초를 줄이기 위해 안간힘을 쓰는 단거리 선수들에게는 신발 몇 그램의 차이로 메달의 색깔도 달라질 수 있겠네.

친구 그게 바로 스포츠 과학의 산물이지. 하지만 그건 빙산의 일각에 불과해. 선수들을 낱낱이 분석해서 개개인에게 맞는 최적의 프로그램을 개발하고, 상대 선수의 경기 장면을 촬영해서 기술을 분석하고 대응 전략까지 개발하고 있어. 또 현지 분위기를 재현하고자 가상 경기장을 만들어 기후나 관중들의 소음에까지도 익숙해지게끔 심리 훈련도 하고 있을 정도라고.

민철 반세기 전만 해도 맨발의 마라토너가 세계를 제패했었는데. 이쯤 되면 이젠 스포츠가 아니라 과학 기술의 대결인 것 같구나. 그렇다면 선수 하나 기르는 셈치고 네 전공을 활용해서 내 운동 실력을 확 높여 줄 수는 없겠니?

친구 그런 좋은 운동화를 신었으면 남들만큼이라도 뛰어야 하련만 10분도 못 뛰고 주저앉는 네게는 모든 첨단 과학을 동원해도 불가능할 듯싶구나. 스포츠 과학도 선수의 선천적인 체력과 노력이 밑바탕이 되어야 최고의 효과를 볼 수 있는 거란다.

티를 내다 摆架子，做样子 **초경량** 超轻型 **강도** 强度 **방지하다** 防止 **안간힘을 쓰다** 竭尽全力 **산물** 产物 **빙산의 일각** 冰山一角 **낱낱이**——，一个一个地 **최적** 最佳，最合适 **재현하다** 再现，重现 **가상** 假想，虚拟 **제패하다** 夺冠，取胜 **선천적** 天生的，先天的 **밑바탕** 基础

01 대화의 내용에 맞는 것을 고르십시오.

❶ 민철은 스포츠 과학이 발달하지 않았던 시대를 그리워하고 있다.
❷ 민철은 유명 스포츠 운동화를 신은 것을 자랑하고 있다.
❸ 친구는 스포츠 과학의 전공자로서 지나친 과학의 발달을 우려하고 있다.
❹ 친구는 앞으로 민철의 운동 실력 향상을 위해 전공을 발휘해 도와줄 것이다.

02 대화에 나타난 스포츠 과학의 구체적인 예를 모두 찾으십시오.

03 스포츠 과학 분야에서 무엇이 더 개발되면 좋을지 이야기해 보십시오.

[보기] 저는 얼마 전 우리나라 선수들이 외국 관중들의 소음과 야유에 힘들어하는 걸 봤어요. 그래서 양궁이나 사격, 역도 같이 고도의 집중력을 요하는 종목의 경기 때에는 적당한 순간에 관중석의 모습과 소리를 차단할 수 있는 장치가 있으면 좋겠다는 생각을 했어요.

01 다음 표현을 익히고 질문에 답하십시오.

(가)	(나)
전신 운동 유산소 운동 근력 운동 체력 정신력 지구력 경기력 폐활량	통기성 탄성 기록 단축 대응 전략 심리 훈련 긴장 완화

1) (가)에서 알맞은 표현을 찾아 빈칸을 채우십시오.

[보기] 온몸을 골고루 움직이는 운동이며 공으로 하는 대부분의 운동이 여기에 속한다.	전신 운동
정신 활동의 힘을 말하며, 양궁 선수들은 고도의 집중력과 이것이 요구된다.	
몸 안에 최대한 많은 양의 산소를 공급시켜 심장과 폐의 기능을 향상시키는 것으로 에어로빅 운동이라고도 한다.	
오랫동안 버티며 견디는 힘을 말하며, 철인 3종 경기와 같은 운동에서는 강한 근력과 함께 이것이 필요하다.	
운동 선수나 팀이 운동 경기를 해 나가는 능력으로서, 김 선수는 부상의 후유증으로 요즘 이것이 떨어져 매번 패하고 있다.	

2) (나)에서 알맞은 표현을 찾아 빈칸을 채우십시오.

❶ 운동역학 분야에서는 최근 상대방의 경기 장면을 분석해서 시간대별로 어떻게 경기를 해야 하는지 (　　　　　)을/를 개발하는 것까지 가능하다고 합니다.

❷ 최근 유명 스포츠의류회사가 제작한 육상복은 공기의 저항을 줄여 줄 뿐만 아니라 몸의 열과 땀을 빨리 배출시키는 (　　　　　)이/가 매우 뛰어나 이를 입은 선수들의 (　　　　　)이/가 예상됩니다.

❸ 선수들은 경기장에 나가면 심리적으로 위축감을 느끼고 불안감이 높아지게 마련인데, 빨리 긴장감을 풀고 경기에 집중할 수 있도록 평소에 (　　　　　)을/를 하는 것이 중요합니다.

❹ 새로 나온 이 제품은 신발 밑창뿐 아니라 뒤축과 옆면까지도 공기망을 확대 장착하여 (　　　　　) 과/와 신축성이 매우 뛰어납니다.

02 위의 표현을 사용하여 여러분이 알고 있는 스포츠 과학의 사례에 대하여 이야기해 보십시오.

[보기] 지난 올림픽 때 화제가 됐던 어느 마라톤화는 선수가 달릴 때 뒤꿈치에 전달되는 충격을 흡수하는 첨단 소재를 사용해 탄성과 강도를 높임으로써 경기력을 4%쯤 향상시켰다고 해요. 전문가들이 말하기를 4%의 경기력 향상은 마라톤 경기에서 4분쯤에 해당하고 이는 곧 순위 경쟁에서 1등과 22등의 차이라고 하니 정말 대단하지 않아요?

전신 운동 全身运动　**유산소 운동** 有氧运动　**근력 운동** 体力锻炼　**체력** 体力　**정신력** 精神力量
지구력 耐力，持久力　**경기력** 竞技水平　**폐활량** 肺活量　**통기성** 透气性　**탄성** 弹性，弹力
기록 단축 缩短记录　**대응 전략** 应对策略　**심리 훈련** 心理训练　**긴장 완화** 缓解紧张

문법

01 다음을 읽고 문법 및 표현을 익혀 봅시다.

일주일 전에 친구 영수가 나를 찾아와 농구를 가르쳐 달라고 했다. 회사에서 농구 시합을 하는데 꽤 많은 상금이 걸려 있다고 한다. 영수가 하도 사람 **살리는 셈치고** 좀 도와 달라고 해서 날마다 시간을 쪼개서 영수네 팀에게 기술을 가르쳐 주고 있다. 하지만 어떻게 이런 조합이 있을까 싶을 정도로 개개인의 기술은 물론 팀의 조직력도 엉망이다. 그들에게 조금만 더 운동 신경이 있다면 **좋으련만** 그들의 경기를 보고 있으면 전직 농구 코치인 내 실력이 무색할 정도다. 며칠 만에 운동 실력을 급속도로 향상시킬 만한 과학 기술은 아직 개발되지 않은 걸까?

-는/은/ㄴ 셈치고

1) 다음을 연결하고 보기와 같이 이야기해 보십시오.

[보기] 운동하다 •	• TV에서 선전하는 다이어트약을 샀다
속다 •	• 살 테니 당장 나가라
한국말 연습하다 •	• 아는 길도 물어보면서 갔다
월급의 20만 원은 없다 •	• 날마다 집에서 학교까지 걸어다닌다
부모 말 안 들으면 딸자식 하나 없다 •	• 매달 적금을 들었다

[보기] 운동하는 셈치고 날마다 집에서 학교까지 걸어다닌다.

-으련만/련만

2) 보기와 같이 다음 대화를 완성하십시오.

[보기] 가 : 저 선수는 최첨단 운동복에 최고의 훈련을 받았는데도 왜 실력이 안 좋아질까요?
나 : 글쎄 말이에요. 저렇게 과학적인 훈련을 받았으면 좋은 기록을 세울 만도 하련만 아무래도 요즘 슬럼프인가 봐요.

❶ 가 : 돈 있으면 10만 원만 좀 빌려 줄래?
나 : 미안해. 돈이 있으면 ______________으련만/련만 나도 요즘 주머니 사정이 안 좋아.

❷ 가 : 영수야, 너희 부모님께서 너를 많이 보고 싶어하시더라.

나 : ....으련만/련만 회사일이 많이 밀려서 틈을 낼 수가 없어.

❸ 가 : 내일 아침에 바다에서 해 뜨는 모습을 볼 수 있을까?

나 : 글쎄. ....으련만/련만 일기예보에 의하면 내일 흐리다고 하던데.

❹ 가 : 미선아, 사귀는 남자랑 언제쯤 결혼할 예정이야? 사귄 지 벌써 5년이나 되지 않았니?

나 : ....으련만/련만 ....

02 위의 두 표현을 사용하여 하고 싶은 일을 하지 못했던 경험을 이야기해 봅시다.

[보기] 저는 대학교 때 외국에 어학 연수를 다녀오지 못한 것이 후회돼요. 당시에는 아르바이트 하면서 돈을 무조건 절약하면서 하고 싶은 일도 마음대로 하지 않고 지냈는데, 그냥 돈 버리는 셈치고 1년만 자신에게 투자했더라면 하는 생각이 들어요. 그랬다면 지금 영어 때문에 입사 시험에서 떨어지지 않았으련만 매번 최종 영어 면접에서 떨어져 정말 힘들어요.

과제 1 듣고 말하기 MP3 1 23

다음을 듣고 질문에 답하십시오.

01 무엇에 대한 내용입니까?

❶ 약물 남용의 악영향

❷ 스포츠 과학의 부정적인 영향

❸ 어느 수영 선수의 성공 이야기

❹ 스포츠 과학의 효과와 나아갈 방향

02 들은 내용에 맞지 않는 것을 고르십시오.

❶ 박 선수가 입은 새 수영복은 순수 국내 기술로 만들어졌다.

❷ 박 선수의 메달 획득은 스포츠 과학에 힘입은 부분이 있다.

❸ 약물 복용 사실이 발각되면 땄던 메달을 빼앗기게 된다.

❹ 모든 선수들이 과학 기술이 스포츠에 도움을 주는 것에 찬성하는 것은 아니다.

03 러시아의 수영 선수는 전신 수영복을 왜 입지 않았습니까?

04 여러분은 스포츠와 과학이 만나는 적정선이 어디라고 생각합니까?

기능 표현 익히기

〈인사, 발표자 소개하기〉

- **안녕하십니까? 저는** 미국에서 온 제임스**입니다.**

〈화제 제시하기〉

- 저는 오늘 스포츠의 역사**에 대하여 발표하고자/말씀드리고자 합니다.**
- 제가 오늘 말씀드리려고 하는 **주제는** 스포츠의 역사**입니다.**

〈발표 목적 제시하기〉

- 제 발표의 **목적은** 스포츠 대중화의 방향을 찾아보는 **데에 있습니다./것입니다.**

〈발표 내용 제한하기〉

- 저는 스포츠의 역사 **중에서** 근대 스포츠의 역사**에 국한하여/관하여/대하여 발표하고자 합니다.**

〈내용 전개 순서 제시하기〉

- 저는 발표 내용을 **다음의 네 부분으로 나누어/순서로 설명하고자 합니다.**
- **우선/첫째** 스포츠의 일반적인 역사, **둘째, 셋째, 마지막으로/끝으로…….**

〈질문에 대해 언급하기〉

- 만약 **질문이 있으시다면 발표가 끝난 후에/언제든지 해 주셔도 괜찮습니다.**

다음은 발표문의 서두 부분입니다. 읽고 질문에 답하십시오.

한국 씨름에 대하여

(가) 안녕하십니까? 저는 일본에서 온 다나카입니다.

(나) 저는 한국의 전통 스포츠인 씨름에 대하여 발표하고자 합니다. 씨름이란 두 사람이 샅바나 띠를 매고 상대방을 먼저 넘어뜨려 승부를 내는 운동을 말합니다. 씨름과 같은 격투기는 인류의 생존과 함께 시작되었다고 할 수 있을 만큼 인류 역사상 가장 오래된 경기라 해도 과언이 아닙니다. 이러한 사실은 씨름을 고유의 민속 경기로 즐기는 나라가 비단 한국뿐만이 아니라 중국, 일본, 몽골, 터키, 스위스, 러시아, 브라질, 세네갈 등 30여 개국에 이르는 것을 보아도 알 수 있습니다.

(다) 제 발표는 여러 나라의 씨름 중에서 한국 씨름에 관한 것입니다. 한국 씨름의 흐름을 보면 20세기에 한국에 수많은 서구의 경기가 들어오면서 씨름은 최고의 국민 스포츠의 자리를 내 주게 됩니다. 왜냐하면 국내 경기만 실시되는 씨름은 신교육을 받은 젊은 세대들에게 구태의연한 스포츠로 인식됨으로써 점차 인기가 없어졌고 다른 스포츠에 비해 경쟁력을 잃게 되었기 때문입니다.

(라) 제 발표의 목적은 근대까지도 대중들에게 인기가 있었던 국민 스포츠 씨름이 현대에 와서 쇠퇴하게 된 원인을 구체적으로 살펴보고 씨름의 대중화를 위한 바람직한 방안을 모색해 보는 데에 있습니다.

(마) 이를 위하여 저는 첫째, 씨름의 역사와 종류, 둘째, 방법과 규칙, 셋째, 씨름 경기의 변천과 근대화 과정, 마지막으로 현대 씨름의 쇠퇴 원인과 대중화를 위한 바람직한 방안의 네 부분으로 나누어 말씀드리고자 합니다.

(바) 만약 질문이 있으시다면 발표가 끝난 뒤 해 주시면 감사하겠습니다.

〈본문, 결론 생략〉

01 윗글에서 화제를 제시하는 부분은 어느 곳입니까?

❶ (가) ❷ (나) ❸ (다) ❹ (라)

02 윗글에서 발표 목적을 제시하는 부분은 어느 곳입니까?

❶ (나) ❷ (다) ❸ (라) ❹ (마)

03 다음은 발표문의 서두에서 주로 쓰이는 기능 표현들입니다. 각각의 기능이 나타난 단락을 찾고 문장을 써 보십시오.

기능	단락	문장
인사와 발표자 소개하기	(가)	
화제 제시하기		
발표 내용 제한하기		
발표 목적 제시하기		제 발표의 목적은 근대까지도 대중들에게 인기가 있었던 국민 스포츠 씨름이 현대에 와서 쇠퇴하게 된 원인을 구체적으로 살펴보고 씨름의 대중화를 위한 바람직한 방안을 모색해 보는 데에 있습니다.
내용 전개 순서 제시하기	(마)	저는 첫째, 씨름의 역사와 종류, 둘째, 방법과 규칙, 셋째, 씨름 경기의 변천과 근대화 과정, 마지막으로, 현대 씨름의 쇠퇴 원인과 대중화를 위한 바람직한 방안의 네 부분으로 나누어 말씀드리고자 합니다.
질문에 대해 언급하기		

04 한국과 관련된 것에 대해서 조사하여 발표하려고 합니다. 다음의 표를 채우고 서두의 내용을 생각해 보십시오.

주제의 예 : 한국 음식
한국의 전통 의상(한복)
한국의 전통 스포츠
한국의 교육
한국 드라마와 영화의 특징 등

발표 제목	
인사와 발표자 소개하기	
화제 제시하기	
발표 내용 제한하기	
발표 목적 제시하기	
내용 전개 순서 제시하기	
질문에 대해 언급하기	

05 위의 표를 바탕으로 발표해 보십시오.

02 스포츠 정신

학습 목표 ● 과제 바람직한 스포츠 정신에 대해서 의견 나누기, 발표하기 (마무리)
● 문법 -는 탓에, 이라도 -을라치면 ● 어휘 스포츠 정신

위의 장면들은 어떤 상황인 것 같습니까?
이와 비슷한 상황을 보거나 직접 경험한 적이 있습니까?

"심판 탓하기 앞서 너 자신의 플레이를 돌아보라"

어제 농구 결승전은 '각본 있는 드라마'?

女핸드볼 감독 "세계챔피언도 이길 수 없는 경기였다"

K리그 심판 판정, 또 도마 위에 오르나?

엄중처벌로 '그라운드 폭력' 추방해야

심판은 눈 뜬 장님?

'응원과 폭력' 위험한 줄타기

1) 위의 기사 제목은 무슨 뜻입니까?

2) 기사 제목을 보고 어떤 상황이 발생했었는지 추측해서 이야기해 봅시다.

대화

제임스 어제 올림픽 개막 행사는 정말 성대하고 화려하더라. 각국 대표단이 깃발을 휘날리며 입장하는 장면도 아주 멋졌는데, 너 봤어?

영수 물론 봤지. 내가 얼마나 손꼽아 기다려 왔는데. 더군다나 전쟁 중이거나 분단된 나라들이 손에 손을 잡고 입장하는 모습은 너무 감격적이었어.

제임스 맞아. 하지만 개막식 후에 열린 축구 시합은 그전까지의 감동에 찬물을 끼얹는 꼴이었어. 선수들의 반칙도 그렇고, 심판 판정도 편파적인 탓에 도저히 경기를 지켜볼 수가 없더라고.

영수 누가 아니라니? 상대 팀의 반칙은 다 눈감아 주고 우리 팀에서 적극적으로 공격이라도 좀 할라치면 금세 심판들이 달려오니 원.

제임스 나도 어찌나 화가 나던지……. 지난 대회 때하고는 영 대조적이야. 육상 결승전 때 아슬아슬하게 금메달을 차지한 선수가 비디오 판독 결과에 승복하여 은메달을 딴 선수에게 금메달을 양보했잖아.

영수 그랬었지. 그런데 2등을 했던 선수도 역시 금메달을 양보하면서 시상대에서까지도 서로 윗자리로 미는 모습은 정말 흐뭇했어. 그런 둘의 모습에 관중들이 모두 기립 박수를 보냈고.

제임스 그게 바로 진정한 스포츠 정신이랄 수 있지. 최선을 다해 정정당당히 경쟁하고 결과를 받아들이는 거며, 그런 모습에 아낌없이 박수를 보내는 관중들의 모습 전부가 말이야.

영수 네 말이 맞다. 이번 올림픽의 구호가 '하나 되는 우리' 이니만큼 화합과 평화를 기대하면서 앞으로 남은 경기를 지켜보자고.

01 위 대화의 내용에 맞는 것을 고르십시오.

❶ 올림픽 개막 행사가 매우 성대하고 감동적이었다.
❷ 두 사람은 개막전 축구 시합에서 졌기 때문에 실망했다.
❸ 지난 올림픽 때 선수들의 반칙 때문에 화가 났었다.
❹ 두 사람은 올림픽 폐막식을 보면서 아쉬워하고 있다.

성대하다 盛大，隆重 **손꼽아 기다리다** 翘首以待，期盼 **찬물을 끼얹다** 泼冷水
꼴 样子 **편파적이다** 偏颇的，片面的 **대조적이다** 相反的，截然不同的
판독 判读，解读 **승복하다** 服从，接受 **기립 박수** 起立鼓掌

02 대화에 나타나 있는 진정한 스포츠 정신이란 무엇입니까?

03 스포츠와 관련된 감동적인 이야기나 반칙 또는 부정 사례에 대해서 이야기해 봅시다.

[보기] 1960년 로마올림픽 때 미국의 윌마 루돌프는 어릴 적부터 앓았던 소아마비를 극복하고 육상 100m, 200m, 400m를 석권했대요. 그 의지가 정말 대단하지 않아요?

어휘 스포츠 정신

01 다음 표현을 익히고 질문에 답하십시오.

(가)	(나)
개막식 폐막식 개최하다 구호 종목 순위 세계신기록 메달을 따다 N관왕을 차지하다	화합 반칙 공명정대하다 정정당당하다 승복하다 판정 편파적이다

1) (가)에서 알맞은 표현을 찾아 빈칸을 채우십시오.

일정 기간 동안 계속되는 행사를 시작할 때 행하는 의식		올림픽 때는 각국의 선수들이 국기를 들고 입장한다.
시위나 운동 경기 등에서 어떤 주장을 간결한 형식으로 표현한 문구		지난 올림픽 때는 '하나의 세계, 하나의 꿈' 이었다.
여러 가지 종류에 따라 나눈 항목		올림픽 경기에는 육상, 수영, 체조, 역도, 권투, 레슬링 등이 있다.
차례나 순서를 나타내는 위치나 지위		올림픽 때 한국에서는 금메달의 개수로 결정한다.
주로 운동 경기 등에서 세운 세계 최고의 기록		4년 만에 마라톤에서 에티오피아 선수가 이것을 깼다.

2) (나)에서 알맞은 단어를 찾아 빈칸을 채우십시오.

❶ 스포츠 경기에서 심판의 (　　　　)에는 어떤 경우라도 (　　　　)해야 합니다.

❷ 하지만 그만큼 심판도 역시 어떤 팀에게도 (　　　　)해야 한다고 생각합니다.

❸ 올림픽은 메달 따기 전쟁이 아니라 스포츠를 통한 전 세계의 평화와 (　　　　)을/를 도모하는 데에 개최 목적이 있어야 할 것이다.

❹ 이번 동계 올림픽에서 김 선수가 세계신기록을 세울 것이라고 모두가 확신했었는데 다른 선수의 (　　　　)으로/로 좌절돼서 아쉬움이 남는다.

02 다음은 역대 올림픽의 구호들입니다. 여러분의 나라에서 올림픽이 열린다면 어떤 구호를 만들고 싶은지 생각해 보십시오.

1896, 제1회 아테네올림픽——인류 평화의 제전
1988, 제24회 서울올림픽——인류에 평화를, 민족에 영광을
1992, 제25회 바르셀로나올림픽——영원한 친구들
1996, 제26회 아틀랜타올림픽——안전 올림픽

개막식 开幕式 **폐막식** 闭幕式 **개최하다** 举行，举办 **구호** 口号 **종목** 项目，赛事 **순위** 位次，顺次 **세계신기록** 新的世界记录 **메달을 따다** 获得奖牌 **N관왕을 차지하다** 成为几冠王 **화합** 和睦，融洽 **반칙** 犯规 **공명정대하다** 公正 **정정당당하다** 堂堂正正 **판정** 裁定，判定

문법

01 다음을 읽고 문법 및 표현을 익혀 봅시다.

어릴 적부터 운동의 '운' 자도 모르던 내가 친구따라 강남 간다고 얼떨결에 농구 동아리에 가입하고 코트를 뛰어다닌 지가 벌써 일 년이다. 워낙 운동을 안 해 왔던 터라 처음 몇 주 동안에는 말도 못하게 고생을 했었다. 평소 안 쓰던 근육을 무리하게 **움직인 탓에** 팔 다리 허리 목 등 온몸 구석구석이 안 아픈 곳이 없었다. 우리 팀 선수에게 **패스라도 할라치면** 여기저기서 상대 팀이 무섭게 달려드는 통에 나는 정신없이 뛰어다니기만 했었다. 하지만 이제 1년여가 지난 지금은 어느 정도 개인기도 생겼고 눈속임도 할 수 있는 정도가 되었다. 다음 달에 있을 길거리 농구 대회에 참가하기 위해 오늘도 나는 친구들과 함께 코트를 누빈다.

-는/은/ㄴ 탓에

1) 다음을 연결하고 보기와 같이 이야기해 보십시오.

[보기] 부상을 당했다 •	• 아직 김치도 못 먹어 봤다
날씨가 건조하고 쌀쌀하다 •	• 요즘 생활비가 없어 고생한다
매운 음식을 못 먹는다 •	• 이번 경기에 출전하지 못했다
한국 문화를 잘 모른다 •	• 화재가 많이 발생한다
돈을 낭비해서 썼다 •	• 실수를 많이 한다

[보기] 부상을 당한 탓에 이번 경기에 출전하지 못했다.

이라도/라도 -을라치면/ㄹ라치면

2) 다음을 연결하고 보기와 같이 이야기해 보십시오.

의도	결과
[보기] (모처럼)시합 전에 모두 모여 연습을 하려고 한다.	꼭 몇 사람이 빠져서 연습을 할 수 없게 된다.
❶ (잠시)거리에 주차를 하려고 한다.	
❷ (모처럼)술 한 잔 마시려고 한다.	
❸ (오랜만에)공부를 하려고 한다.	
❹ (모처럼)데이트를 하려고 한다.	

[보기] 모처럼 시합 전에 모두 모여 연습이라도 할라치면 꼭 몇 사람이 빠져서 방해가 되곤 해요.

02 위의 두 표현을 사용해서 의도와 다른 결과가 발생했던 경험을 이야기해 봅시다.

[보기] 저는 평소에 운동을 거의 하지 않는데, 어쩌다가 큰마음 먹고 조깅이라도 할라치면 뭔가 일이 생겨서 그냥 집으로 돌아오게 돼요. 또 만약 조깅을 하게 되어도 갑자기 무리를 한 탓에 몸이 여기저기 아파서 며칠 고생을 하고요.

다음을 읽고 질문에 답하십시오.

[신문 사설] 올림픽에서의 메달

미국의 한 사이트를 살펴보다가 내가 알고 있는 올림픽에서의 국가 순위와 이곳 사이트에서 공개한 순위가 다른 것을 보게 되었다. 각각의 메달의 숫자는 같은데 순위가 왜 다르게 나왔을까 하여 살펴보니, 순위 산출 방식이 우리나라와 달랐다. 우리나라는 금메달 수가 많으면 은메달 수와 관련 없이 순위가 오르는 금메달 위주의 방식이었고, 미국은 전체 메달수로 순위를 매기고 있었다.

일반적으로 올림픽 메달 순위를 산정하는 방법은 IOC식과 미국식이 있다. IOC식은 금메달 순서로 순위를 매기고 동수일 경우에 은메달과 동메달의 수를 따져서 순위를 매긴다. 미국식은 메달 색에 관계없이 전체 메달수를 기준으로 순위를 매긴다.

전자의 경우 금메달에 비중을 둠으로써 선수들의 메달 의욕을 증진시키는 효과가 있는 반면 일등 지상주의를 낳는다는 비난을 받는다. 게다가 소수 종목에서 집중적으로 금메달을 딴 나라가 다양한 종목에서 고루 메달을 획득한 나라보다 순위가 높게 책정되는 폐단이 있다. 후자의 경우 메달수로 하기 때문에 1등을 위해 금메달 획득자가 흘린 땀을 제대로 반영하지 못한다. 게다가 이는 다양한 종목을 육성하고 선수를 파견할 수 있는 강대국한테 유리한 조건이다.

최근 어느 나라에서 메달수를 인구수로 나눠서 인구 당 메달수로 순위를 매기는 방법을 시도했다. 당시 호주와 헝가리 등이 상위권을 형성했고 우리나라는 20위권으로 밀려났다. 엉뚱한 듯 보이지만 일리 있는 방식이다. 어떤 국가든 1위를 할 수 있는 기회를 주는 것이 올림픽 정신에 부합하는 것 아닌가. 그렇지만 현실적으로 이 방식은 여러모로 가능하지 않다는 것은 인정한다.

그런데 상식적으로 가장 이상적으로 보이는 방식이 있다. 개인적으로 금메달은 3점, 은메달은 2점, 동메달은 1점으로 환산해서 포인트제로 순위를 산정하는 방식이 어떤가 한다. 이 방식은 금메달에 가중치를 주면서 은메달과 동메달에도 가치를 부여할 수 있다. 금메달에 지나치게 절대적인 가치를 부여하고 있는 IOC식과 메달 간의 차이를 없앰으로써 금메달에 대한 의지를 꺾어 버리는 미국식의 단점을 보완할 수 있다.

더 나아가 올림픽의 순수한 정신을 되새겨 보아야 할 듯싶다. 공식적으로 올림픽에서 순위를 매기는 제도는 없으며, 그건 단지 각국의 언론사들이 만들어낸 것일 뿐이다. '올림픽의 아버지' 쿠베르탱은 1896년 아테네올림픽에서 이렇게 말했다. "올림픽에서 중요한 것은 메달이 아니라 자국의 명예를 가슴에 품고 달리는 선수들의 땀방울이다." 우리도 이제는 금메달 지상주의를 바꿔야 할 때가 된 것이 아닐까? 메달에 상관없이 노력해 왔던 모든 선수에게 박수를 쳐 주자.

01 이 글의 주장은 무엇입니까?

❶ 올림픽 정신이 사라진 현대 올림픽은 폐지되어야 한다.

❷ 올림픽에서 순위를 매기는 제도를 없애야 한다.

❸ 메달에 상관없이 모든 선수들에게 격려와 힘을 주어야 한다.

❹ 금, 은, 동메달을 구별하지 말고 하나의 메달로 만들자.

02 이 글에서 제시한 올림픽 메달 순위 산출 방식을 다음 표에 정리해 보십시오.

유형	방법
IOC식	금메달 순서로 순위를 매기고 동수일 경우에 은메달과 동메달의 수를 따져서 순위를 매기는 방법
미국식	
인구수로 나누기	메달수를 인구수로 나눠서 인구 당 메달수로 순위를 매기는 방법
점수 포인트제	

03 이 글의 내용에 맞는 것을 고르십시오.

❶ 미국식 방식은 일등 지상주의를 낳는 단점이 있다.

❷ 이 글을 쓴 사람은 점수 포인트제 방식을 제안하고 있다.

❸ 근대 올림픽의 창시자 쿠베르탱은 금메달에 가치를 두고 있다.

❹ 한국은 금, 은, 동에 상관없이 전체 메달 수로 순위를 매긴다.

04 여러분은 올림픽의 메달 순위 산정 방식에 대해서 어떻게 생각합니까? 이야기해 보십시오.

과제 2 발표하기 (마무리)

기능 표현 익히기

〈결론 말하기〉

- **지금까지** 저는 씨름의 종류**에 대해서 살펴보았습니다./ 알아보았습니다.**
- **결론을 말씀드리겠습니다./결론적으로 말하면** 정부의 노력이 필요하다는 **것입니다.**

〈요약하기〉

- **이상의 내용을 요약하자면/이상에서 살펴본 바와 같이/요컨대** 씨름의 역사는 인류의 역사와 함께 시작되었다고 할 수 있습니다.

〈제안하기〉

- 그래서 저는 씨름의 현대화 방안을 **제안하고 싶습니다.**

〈마무리하기〉

- **이상으로/이것으로 제 발표를 마치겠습니다.**

〈질문 유도하기와 질문에 대답하기〉

- **혹시 질문 있으십니까?/혹시 질문이나 의견 있으시면 말씀해 주십시오.**
- **죄송하지만 다시 한 번 말씀해 주시겠습니까?**
- 영수 씨의 말씀은 씨름의 종류에 대하여 예를 들어 달라는 **말씀이시지요?**

〈인사하기〉

- **지금까지 제 발표를 들어주셔서 감사합니다.**

다음은 발표문의 마무리 부분입니다. 읽고 질문에 답하십시오.

한국 씨름에 대하여

〈서두〉, 〈본문〉생략

(가) 지금까지 저는 한국의 씨름에 대하여 살펴보았습니다. 구체적으로는 씨름의 역사와 종류, 방법과 규칙, 씨름 경기의 변천과 근대화 과정의 흐름을 기술하였고, 나아가 현대 씨름의 쇠퇴 원인과 대중화를 위한 바람직한 방안에 대해서도 논해 보았습니다.

(나) 이상의 주요 내용을 간단히 요약하자면 씨름은 4,600여 년 전에 격투기의 일종으로 인류의 역사와 함께 시작되었고 한국에서는 고구려 태조왕(서기 53~146년) 때에 행한 것이 기록에 남아 있습니다. 씨름의 종류로는 지역별로 구분할 수 있었는데, 과거의 왼씨름, 오른씨름, 띠씨름이 현재에는 왼씨름으로 통일되었으며 그 외의 지역별 특징이 남아 있습니다. 씨름은 고구려시대 이후 근대와 일제 치하의 씨름, 해방 이후부터 프로 민속 씨름의 태동, 1983년 이후부터 현대에 이르기까지 한국 고유의 국민 스포츠로서 자리를 잡아 왔으나, 서구의 다양한 스포츠의 유입으로 현대에 와서는 민족의 스포츠로서 위상을 상실하게 된 배경을 갖고 있습니다. 그러나 한국씨름연맹의 노력으로 국제 스포츠로서 발돋움하려는 적극적인 시도가 계속되어 한국 전통 씨름의 맥은 끊어지지 않을 것입니다.

(다) 저는 씨름이 국제화도 되어야 하지만 한국 고유의 특징을 잃어버리지 않도록 주의해야 한다고 생각합니다. 그리고 이를 위해서는 무엇보다도 한국 정부가 씨름에 적극적인 보조와 지원을 아끼지 말아야 하며 국민들도 애정과 관심을 가져야 한다는 것을 강조하고 싶습니다.

(라) 그럼 이상으로 제 발표를 마치겠습니다.

(마) 혹시 질문이나 의견 있으시면 말씀해 주십시오.

(바) 지금까지 제 발표를 들어주셔서 감사합니다.

01 위 글에서 결론을 말하는 부분은 어느 곳입니까?

02 위 글에서 요약하는 부분은 어느 곳입니까?

03 다음은 발표문의 마무리 부분에서 주로 쓰이는 기능 표현들입니다. 각각의 기능이 나타난 단락을 찾고 문장을 써 보십시오.

기능	단락	문장
결론 말하기	(가)	
요약하기		이상의 주요 내용을 간단히 요약하자면~끊어지지 않을 것입니다.
제안하기	(다)	그리고 이를 위해서는 무엇보다도 한국 정부가 씨름에 적극적으로 보조와 지원을 아끼지 말아야 하며 국민들도 애정과 관심을 가져야 함을 제안하고 싶습니다.
마무리하기		
질문 유도하기와 질문에 대답하기		
인사하기	(바)	

04 한국과 관련된 것에 대해서 조사하여 발표하려고 합니다. 다음의 표를 채우고 빈칸에 마무리의 내용을 생각해 보십시오.

주제의 예 : 한국 음식
한국의 전통 의상(한복)
한국의 전통 스포츠
한국의 교육
한국 드라마와 영화의 특징 등

발표 제목	
결론 말하기	
요약하기	
제안하기	
마무리하기	
질문 유도하기와 질문에 대답하기	
인사하기	

05 위의 표를 바탕으로 발표해 보십시오.

03 정리해 봅시다

I. 어휘

01 다음 문장의 밑줄 친 부분을 보기와 같이 바꾸십시오.

대조적이다	티를 내다	기립 박수를 보내다	안간힘을 쓰다
성대하다	손꼽아 기다리다	제패하다	재현하다

어제는 기다리고 기다리던 회장님배 사내 농구 시합이 있었다. 같은 부서 동료들로 결성된 우리
([보기] **손꼽아 기다리던**)

팀은 근무 시간 후 틈틈이 모여 연습해 왔다. 출전 팀도 여덟 팀이나 되었고 화려한 깃발을 든 응

원단도 입장하여 큰 행사처럼 웅장하고 볼 만했다. 제비뽑기 결과 우리 팀은 처음부터 제일 강한
(　　　　　　)

팀과 맞붙게 되었다. 그 팀은 전직 농구 선수가 있어서 취미로 공을 만져 온 우리와는 영 딴판이었다.
(　　　　　　)

우리 팀은 승리를 위해 젖 먹던 힘까지 다해서 뛰었고, 의외로 상대 팀에서 한 명이 퇴장당한 덕
(　　　　　　)

분에 결국 우리 팀이 이기게 되었다. 시합 후 응원단은 모두 자리에서 일어나 박수를 쳤고, 우리
(　　　　　　)

는 응원을 해 준 응원단에게 절을 했다.

02 다음의 표현을 사용하여 대화를 완성하십시오.

반칙	판정	근력	지구력	탄성	통기성
폐활량	경기력	강도	전신 운동	유산소 운동	
세계신기록	승복하다	정정당당하다	편파적이다	메달을 따다	

[보기] 가 : 나는 요즘 들어 더 몸이 둔해지고 살이 찌는 것 같아. 팔다리에도 힘이 없고 조금 만 일해도 힘이 들어. 어떤 운동을 하면 좋을까?

나 : 글쎄, 달리기 같은 유산소 운동을 하는 게 어떨까? 날마다 꾸준히 하면 팔다리의 근력도 길러지고 몸도 가벼워질거야.

1) 가 : 최근 스포츠 과학이 화제가 되고 있잖아. 최첨단 스포츠 용품이 뭐가 있는지 알고 있니?

나 : ....

....

2) 가 : 너는 올림픽 종목 중에서 어느 종목이 가장 기대가 되고 재미있어?

나 : ....

....

3) 가 : 지난번 올림픽 때 어떤 경기가 인상적이있어?

나 : ....

....

4) 가 : 승리를 위해서라면 반칙도 적당히 할 수 있지 뭐. 안 그래?

나 : ....

....

5) 가 : 상대 팀 선수가 반칙하는 건 봐주고, 내가 몸싸움을 좀 하려 하면 반칙이라고 하니 정말 화가 나. 아무리 심판 판정이라도 따르고 싶지가 않아.

나 : ....

....

II. 문법

다음 상황을 읽고 대화를 완성하십시오.

–는/은/ㄴ 셈치고 –으련만/련만 –는/은 탓에 이라도 –을라치면

영수 3년차 직장인이고 결혼해서 2살 된 아이가 있는 가장이다. 대학교 전공이나 적성과는 무관한 직장에 들어와 아직도 직장 생활의 의미나 애정을 느끼지 못하고 있다. 체질적으로 술을 잘 못 마시는데 영업상의 술자리도 많고 회식도 잦은 편이라 몸도 안 좋아지고 지각과 결근을 하게 되어 상사로부터 꾸중도 자주 듣는다. 요즘 회사를 그만둘까 심각하게 고민 중이지만 자신만 바라보고 있는 가족들 생각을 하면 사표를 쓰려다가도 그만 포기하고 만다.

정민 대학 졸업 후 5년째 사법고시 준비 중이다. 1차 시험에는 붙지만 계속 2차에서 떨어지고 있다. 아직 부모님과 함께 살고 있으며 미혼이다. 될 때까지 고시 준비를 하고 싶으나 부모님은 그만 포기하고 평범한 회사에 들어가서 빨리 결혼하라고 재촉이 심하다. 고시 공부 외에는 영어나 컴퓨터 등의 공부도 하지 않았고 여자나 결혼에 대한 관심도 없기 때문에 당장 고시를 포기하고 입사 시험 준비를 할 수도 없고 맞선조차 보고 싶은 생각이 없다.

영수 난 네가 부럽다. 아직 혼자 몸이고 또 하고 싶은 공부를 하고 있으니 말이야.

정민 무슨 말이야. [보기] **시험에서 계속 떨어지는 탓에 집에서는 그만 포기하라고 야단이야.** 차라리 나도 대학 졸업하고 너처럼 취직이나 할 걸 그랬어. 넌 어때? 회사 생활하니까 마음 편하고 좋지?

영수 좋기는. ....

....

정민 그럼 회사를 옮기거나 그만두는 건 어때?

영수 ....

....

넌 어떻게 할 거야? 고시 준비 계속할 거야? 아님 취직할 거야?

정민 글쎄. ....

....

Ⅲ. 과제

01 다음은 이색 스포츠입니다. 이 스포츠의 경기 방법과 규칙에 대해서 이야기해 봅시다.

스키장 골프

수중 펜싱

겨울철 북극곰 수영 대회

체스복싱

야마카시

참치던지기 대회

02 여러분이 알고 있는 이색 스포츠를 소개해 보십시오. 그리고 재미있는 스포츠를 상상해서 이야기해 보십시오.

[보기] 하이힐 신고 100미터 달리기
여성 베개 격투기
맥주 캔/우유병 보트 대회
물속에서 축구하기

문화

한국의 무술 '택견'

택견은 정조 연간(1777-1800년)에 간행된 『제물보』에 '탁견'으로 나와 있고 태종실록, 세종실록에서는 택견을 통해 군사를 뽑은 기록이 전한다. 택견은 역사성과 예술성을 인정받아 1983년 6월 1일 중요무형문화재 제76호로 지정되었다. 택견은 맨손으로 하는 격투기로서 민속놀이로 행해졌으며 서울 일원에서는 편을 짜서 승부를 겨루는 단체 놀이로 유행하기도 하였다.

택견은 우리 민족이 형성해 온 전통적 가치관 위에서 성장한 무술로서 다른 종류의 격투기에서 찾아볼 수 없는 독특한 구조를 가지고 있다. 택견 경기에는 상대방이 공격하기 쉬운 위치에 한쪽 발을 내어 주는 대접의 규칙이 있는데 공정과 형평에 대한 스스로의 의지를 굳게 하고 적극적인 투쟁 심리를 갖게 한다. 공격자가 발 모서리나 주먹 같은 강한 신체 부위를 사용하지 않고 장심, 발바닥같이 부드러운 부분으로 공격한다든지 상대방의 급소를 피하고 대신 이마, 장딴지, 어깨 등과 같이 비교적 위험성이 적은 곳을 공격 목표로 삼는 등은 상대방에 대한 배려가 승부에 우선한다는 의식을 보여 준다. 택견 경기의 승부는 상대방을 넘어뜨리는 것으로 결정되지만 얼굴을 발로 차도 이기게 되어 있어서 고난도 발 기술의 묘미를 즐길 수 있다. 그리고 상대의 높이 찬 발을 손으로 잡아 넘길 수 있게 하여 함부로 얼굴을 공격할 수 없도록 견제하고 있어서 다양하고 종합적인 기술 구사가 가능하다.

씨름과 태권도의 혼합된 형태라고 할 수 있는 택견에는 유희성이 짙게 나타나고 있는데 이것은 대중 스포츠의 중요한 요소이기도 하다. 택견 경기는 대접 규칙으로 인하여 견제거리가 배제된 근접거리에서 경기를 하게끔 되어 있어서 긴박하고 경쾌한 경기 진행과 아울러 경기 시간의 단축 효과를 얻을 수 있다. 격투 경기는 관중에게 구경거리를 제공해야 하고 또한 그것

이 도덕성을 가지고 있어야 한다. 따라서 경기의 진행을 위해서나 관중의 흥미를 유발시키기 위해서는 승부에 소요되는 시간이 합리적으로 제한되어야 하고 공방 기술이 지루하게 전개되지 않도록 유도되어야 한다.

1. 택견의 특징은 무엇입니까?

2. 택견을 통해서 알 수 있는 한국인의 사고방식에 대해서 이야기해 봅시다.

3. 여러분 나라의 전통 무술과 특징을 소개해 보십시오.

문법 설명

01 -는/은/ㄴ 셈치고

관형형 뒤에 붙어서 앞의 동작이나 사실 등을 한다고 가정을 하고 뒤의 행동을 함을 나타낸다.

- 사람 살려 주는 셈치고 한번 도와주세요.
- 속는 셈치고 그냥 사자.
- 그냥 밥 먹은 셈치고 일이나 하자.
- 아무 일도 없었던 셈치고 용서해 줄게.

02 -으련만/련만

어떤 조건이 충족되면 이러이러한 결과가 기대되는데, 아쉽게도 그 조건이 충족되지 못하여 기대하는 결과도 이루어질 수 없음을 나타낸다. 간혹 '조건' 은 생략되기도 하며 '-겠건만' 보다 옛 표현이다.

- 비가 안 오면 당장 가련만 비가 내리니 내일 가자.
- 바람만 없으면 날씨가 제법 포근하련만 바람이 부는구나.
- 돈이라도 있으면 장사라도 하련만 밑천이 없어 엄두도 못 낸다.
- 솔직히 말했으면 좋았으련만 거짓말을 해서 일이 커졌다.

03 -는/은 탓에

주로 부정적인 까닭이나 원인으로 주로 부정적인 결과가 생겨남을 나타낸다.

- 계속 불규칙적인 식사를 한 탓에 위장병이 생겼다.
- 영수는 성격이 급한 탓에 주변 사람들과 충돌이 자주 생긴다.
- 어제 술을 지나치게 많이 마신 탓에 오늘 출근을 못하고 말았다.
- 요즘 일교차가 큰 탓에 감기 환자가 급증하고 있다.

04 이라도/라도 -을라치면/ㄹ라치면

과거에 경험한 사실을 조건으로 삼을 때 으레 뒤의 상황이 일어남을 나타낸다. 즉 무슨 일을 하려고 생각하거나 의도할 때 뒤의 상황이 일어나 그 생각대로 할 수 없음을 나타낸다. '-으려고 하면' 의 뜻으로 주로 입말에 쓰인다.

- 피곤해서 잠시 낮잠이라도 잘라치면 아기가 깨서 운다.
- 오랜만에 도서관에 가서 공부라도 할라치면 빈자리가 없어 나오고 만다.
- 가족 사진이라도 찍을라치면 꼭 한 사람이 참석하지 못해 미루고 있다.
- 잠깐 밖에 나가 산책이라도 할라치면 날씨가 나빠져 곧 돌아온 적이 한두 번이 아니다.

제6과 가까워지는 세계

01

제목 | 한국 속의 외국인
과제 | 한국 생활의 어려움에 대해서 의견 나누기
통계 자료 분석하기
어휘 | 고민과 조언
문법 | -는다는 듯이, -건만

02

제목 | 경제의 세계화
과제 | 경제적 측면의 세계화와 그 장단점에 대해서 의견 나누기
논박하는 글쓰기
어휘 | 자유 무역
문법 | -는답시고, -는 날엔

03

정리해 봅시다

문화
외국인을 위한 배려

01 한국 속의 외국인

학습 목표 ● 과제 한국 생활의 어려움에 대해서 의견 나누기, 통계 자료 분석하기
● 문법 -는다는 듯이, -건만 ● 어휘 고민과 조언

위 사진의 외국인들은 무엇을 하고 있습니까?
여러분이 체험한 한국 문화에 대해 이야기해 보십시오. 여러분은 어떤 한국 문화를 체험해 보고 싶습니까?

다음은 국내 체류 외국인의 국적별 · 연도별 증감 추이에 대한 표입니다.

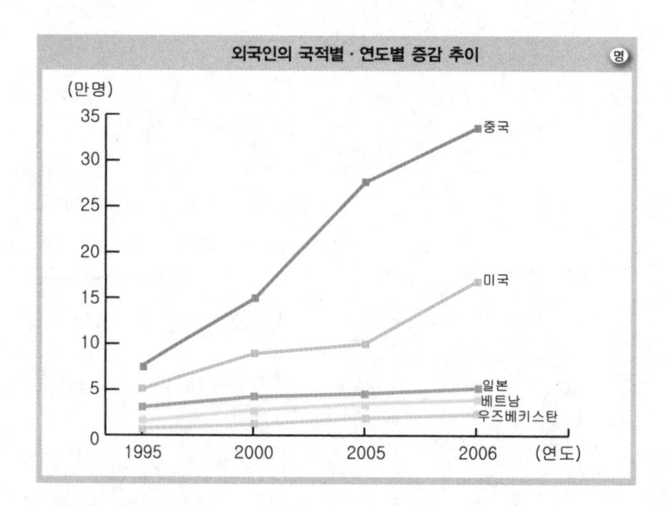

1) 국내 체류 외국인의 국적별 · 연도별 증감 추이에 대해서 이야기해 보십시오.

2) 여러분 나라에는 얼마나 많은 외국인이 체류하고 있습니까? 여러분 나라의 외국인 체류 실태에 대해 이야기해 보십시오.

대화

친구 이봐, 알렉스, 오늘은 또 무슨 일이 있길래 얼굴이 그 모양이야? 지하철을 거꾸로 타기라도 한 거야?

알렉스 말도 마세요. 길에서 사람들이 외국사람 처음 본다는 듯이 힐끔거리는데 마치 제가 동물원 원숭이가 된 기분이었어요.

친구 하하하, 뭘 그 정도 가지고 그래. 내가 처음 한국에 왔을 때는 아이들이 날보고 울음을 터뜨리기까지 한걸.

알렉스 그랬군요……. 사실, 이런 일이 생길 때마다 매번 불쾌하다는 내색을 하건만 사람들은 전혀 신경 쓰지 않는 눈치예요.

친구 그래, 한국 사람이나 한국 사회가 여러 면에서 좀 배타적인 건 사실이야. 하지만 최근엔 외국인에 대한 사회적 배려도 크게 늘었고 또 제도의 개선이나 외국인과 관련된 법 개정이 꽤 활발한 걸로 알고 있어.

알렉스 하지만 사회적 배려나 법 개정 같은 변화는 그저 표면적인 변화에 불과한 것 같아요. 진정한 변화는 한국 사람 한 사람 한 사람의 의식의 변화에서 오는 거 아닌가요?

친구 내가 보기에는 한국은 이미 다민족, 다문화 사회로 접어들었어. 그러니까 의식의 변화는 필연적인 거지. 혹시 알아? 그렇게 되면 오히려 한국 사람들의 관심어린 시선이 그리워질지도…….

알렉스 설마요. 어쨌거나 이렇게 얘기를 나누고 보니 답답한 마음이 좀 풀리는군요. 정말이지 요 며칠 동안은 당장 내 나라로 돌아가고 싶은 심정이었어요.

01 '알렉스'가 말하는 한국 생활에서의 어려움은 무엇입니까?

❶ 복잡한 지하철 타기 ❷ 한국 사람들의 시선
❸ 한국 사회의 배타성 ❹ 표면적인 제도의 개선

02 한국 사회에 대한 '친구'의 생각은 어떻습니까?

힐끔거리다 一瞟一瞟 **내색을 하다** 流露，表露 **배타적이다** 排斥的 **개정** 修订
표면적이다 表面上 **불과하다** 只不过 **다민족** 多民族 **다문화 사회** 多元文化社会
접어들다 进入，步入 **필연적이다** 必然的 **관심어리다** 关注，关心 **심정** 心情

03

여러분은 어떤 경우에 한국에서 살기가 힘들다고 느낍니까? 이야기해 보십시오.

[보기] 한국 사람들은 다른 사람한테 좀 지나칠 만큼 관심이 많은 것 같아요. 물론 관심을 가져 주는 건 고맙지만 가끔은 귀찮을 때가 있어요. 좀 참견이 심하다고 할까요. 가끔은 그냥 내버려둬 주는 것도 상대방에 대한 배려인데……. 사생활은 물론 심지어 옷차림까지 간섭을 받을 때는 짜증이 나기까지 해요.

어휘 고민과 조언

01

다음 표현들을 익히고 질문에 대답하십시오.

(가)	(나)
고민	고민이 생기다, 고민을 털어놓다, 고민을 해결하다, 고민에 고민을 거듭하다
고충	고충이 따르다, 고충을 털어놓다
갈등	갈등의 골이 깊다, 갈등이 심화되다, 갈등을 해소하다, 갈등을 빚다
마찰	마찰이 심하다, 마찰을 겪다, 마찰을 일으키다
조언	조언을 아끼지 않다, 조언을 구하다, 조언을 따르다
충고	충고를 따르다, 충고를 받아들이다
화해	화해를 청하다, 화해시키다

1) □□에 사용할 수 있는 표현을 (가)에서 찾아 쓰십시오.

❶ 부모님에게도 털어놓지 못할 □□이/가 생겼다.

❷ 이혼의 위기를 겪던 부부가 대화를 통해 □□을/를 해소했다.

❸ 양국 간에 무역으로 인한 □□이/가 점점 커지고 있다.

❹ 나는 두 사람을 □□시키기 위해 가능한 모든 노력을 기울였다.

❺ 그 분은 언제나 내게 □□을/를 아끼지 않으시는 내 인생의 스승이시다.

❻ 입에 쓴 약이 몸에 좋다고 지금 당장은 듣기 싫더라도 친구의 □□을/를 받아들이는 게 좋을 듯싶다.

❼ 유명인이 되면 사생활을 포기해야 하는 □□이/가 따른다.

2) (　　)에 알맞은 표현을 (나)에서 찾아 쓰십시오.

사람들은 누구나 항상 사소한 일에서 갈등을 (　　　　　). 이 대리와의 갈등도 아주 작은 일에서 시작되었다. 담배를 피우지 않는 이 대리는 근무 중에 담배 때문에 들락날락하는 나를 몹시 못마땅해했고 나 역시 개인적인 기호까지 참견하려 드는 이 대리가 마음에 들지 않았다. 결국 업무에서도 이 대리와 나는 여러 차례 마찰을 (　　　　　)고 윗사람들에게도 이런 사실이 알려져 나에 대한 평가는 나빠져 갔다. 나의 회사 생활은 점점 더 고통스러워졌고 결국 '회사를 그만두는 게 좋지 않을까?' 밤이면 밤마다 심각하게 고민에 고민을 (　　　　　). 마침내 나는 조언을 (　　　　　)기 위해 전문가에게 회사 생활의 고충을 (　　　　　). 상담 전문가는 나 자신의 건강을 위해서라도 우선 담배를 끊고 내가 먼저 이 대리에게 화해를 (　　　　　)는 것이 가장 원만한 해결책이라고 말했다. 어떻게 해야 할까? 아무래도 취직하기도 어려운 이때 회사를 그만두는 것보다는 그의 충고를 (　　　　　)는 것이 나을 것 같다.

02 위의 표현을 이용하여 여러분이 가진 문제와 그것의 원인, 또는 해결 방법에 대해서 이야기해 보십시오.

[보기] 요즘의 제 고민거리는 한국인 여자 친구와의 갈등이에요. 문화와 사고방식의 차이로 사소한 일에도 오해와 마찰이 생기고 화해하기는 점점 더 힘들어지고……. 그래서 친구에게 조언을 구했는데, 글쎄 친구는 고민하지 말고 헤어지라고 충고하데요.

고민 苦闷，烦恼　고민이 생기다 产生烦恼　고민을 털어놓다 宣泄苦闷　고민을 해결하다 解决烦恼
고민에 고민을 거듭하다 烦恼不断　고충 苦衷，难处　고충이 따르다 困难跟随而至　고충을 털어놓다 倾吐苦衷
갈등 矛盾，纠纷　갈등의 골이 깊다 矛盾严重　갈등이 심화되다 矛盾深化　갈등을 해소하다 消除矛盾
갈등을 빚다 产生矛盾　마찰 摩擦　마찰이 심하다 摩擦严重　마찰을 겪다 经历摩擦　마찰을 일으키다 引起摩擦
조언 指教，意见　조언을 아끼지 않다 不吝赐教　조언을 구하다 征询意见　조언을 따르다 听从意见　충고 忠告，劝告
충고를 따르다 听从劝告　충고를 받아들이다 接受忠告　화해 和解，和好　화해를 청하다 请求和解
화해시키다 使和解，劝和

문법

01 다음을 읽고 문법 및 표현을 익혀 봅시다.

어느덧 가을이다. 찬바람이 불고 낙엽이 뒹구니 고향에 있는 가족이 그립다. 하지만 언제나 부모님과 전화를 할 때엔 전혀 아무 문제도 **없다는 듯이** 씩씩하고 즐겁게 이야기한다. 그러나 전화를 끊고 나면 오히려 그리움은 더욱 커져 있다. 그토록 한국에서 공부하고 **싶어했건만** 한국 생활은 왜 이렇게 외롭고 힘든 걸까…….

-는다는/ㄴ다는/다는 듯이

1) 처세술 : 이럴 땐 이렇게…….

[보기] 한국 친구의 농담을 이해하지 못했어도,
정말 재미있다는 듯이 큰 소리로 웃어 준다.

❶ 여자 친구의 새로운 머리 스타일이 마음에 안 들어도,
………………………… 는다는/ㄴ다는/다는 듯이 ………………………….

❷ 어젯밤 부부 싸움을 했어도 직장에서는,
………………………… 는다는/ㄴ다는/다는 듯이 ………………………….

❸ 컴퓨터를 잘 못하지만 회사 면접시험에서는,
………………………… 는다는/ㄴ다는/다는 듯이 ………………………….

❹ 남자 친구가 하는 이야기를 전에 들은 적이 있어도,
………………………… 는다는/ㄴ다는/다는 듯이 ………………………….

–건만

2) 다음 표를 완성하고 문장을 만드십시오.

행동	결과
[보기] 열심히 노력하다	실력이 늘다
❶ 한국에 온 지 5년이 다 되다	
❷ 모든 일을 성실히 하다	
❸ 시킨 대로 꼬박꼬박 약을 먹다	
❹ 여러 번 전화했다	

그러나 현실은…….

[보기] 열심히 노력하건만 실력이 늘지 않는다.

❶ ....

❷ ....

❸ ....

❹ ....

02 위의 두 표현을 이용하여 여러분을 좌절시켰던 경험과 그 후의 이야기를 해 보십시오.

[보기] 나는 대학 시절 성적도 좋고 자격증도 몇 개 있건만 취직 시험만 보면 떨어진다. 그래서 이제는 사람들에게 취직할 생각이 없다는 듯이 말한다.

다음을 읽고 질문에 답하십시오.

여행은 일상을 떠나서 낯선 곳에서 낯선 문화와 낯선 사람들을 만나는 신선함 때문에 즐겁다. 특히 제 나라가 아닌 다른 나라만이 줄 수 있는 이색적인 분위기는 더욱 더 여행을 짜릿하게 한다. 그래서 해외여행은 여행을 계획하고 준비하는 과정에서부터 충분히 설레고 흥분된다. 그러나 막상 공항에 내리는 그 순간부터 고생이 시작되는 경우도 비일비재하다. 말이 통하지 않아서 손짓, 발짓, 심지어 그림을 그렸다는 사람이 있는가 하면 익숙하지 않은 음식으로 여행 내내 화장실에서 살았다는 사람까지 해외여행에서의 고생담은 전집을 엮고도 남을 법하다. 그렇다면 과연 한국을 찾은 외국인 관광객들이 한국을 여행하면서 불편했던 점은 무엇일까? 2007년 한국관광공사가 외국인 관광객을 대상으로 '한국 여행에서의 불편 사항'을 조사한 바에 따르면 전체 응답자의 60% 이상이 언어 소통에서 가장 불편함을 느낀 것으로 나타났다. 한 가지 재미있는 사실은 미국, 호주, 캐나다, 영국 사람들에 비해 오히려 중국, 태국, 말레이시아, 러시아 사람 등이 언어 소통하기가 불편했다고 응답한 점인데 이는 한국 관광 시장에 영어 이외의 언어가 소통되는 환경이 조성되면 가까운 나라로부터 보다 많은 외국인 관광객이 한국을 찾을 것이라고도 해석될 수 있다.

언어 소통에 이어 외국인들은 비싼 물가, 교통 혼잡, 난해한 교통 표지판, 입에 맞지 않는 음식 등의 순으로 불편함을 느꼈다고 대답했는데 특히 많은 외국인들이 호텔 식당처럼 비싼 식당의 메뉴판에는 있는 음식에 대한 그림이나 설명이 일반 대중식당의 메뉴판에는 없는 경우가 많아서 울며 겨자 먹기로 비싼 식당만 이용했다고 하소연하기도 했다. 또한 단체 여행시 상품 구입을 강요받아서 매우 불편했다는 응답도 전체의 10% 이상을 차지했으며 택시 기사의 불친절로 마음을 상했다는 외국인(5.6%), 공항에서의 출입국 수속이 불편했다는 외국인(3.6%), 대중교통을 이용하기 어려웠다는 외국인(3.4%)이 있었다.

그럼에도 불구하고 대부분의 관광객들은 한국에서의 여행이 즐거웠다고 응답했다. 이들은 가장 인상 깊었던 것으로 안전하고 활기가 넘치는 거리, 친절한 사람들, 독특한 문화유산, 매력적인 쇼핑지 등을 꼽았으며 다시 한번 한국에 오고 싶다는 외국인도 절반이 넘었다.

외국인으로서 낯선 나라를 여행하면서 불편을 겪지 않으리라고 예상하는 사람은 아무도 없다. 그러나 불편의 정도를 넘어서 불쾌의 수준으로까지 간다면 다시는 그 나라에 가고 싶어지지 않을 것이다. 불편한 점들을 가능한 한 해소하여 한국을 다녀간 외국인들 대부분이 여행이 즐거웠다고 말하게 된다면 한국은 지금보다 더욱 발전된 관광국으로 발돋움할 수 있으리라 생각한다.

01 외국인 관광객이 이야기한 '한국 여행에서의 불편 사항'을 순서에 맞게 번호를 쓰십시오.

❶ 교통 혼잡 ( )

❷ 입에 맞지 않는 음식 ( )

❸ 언어 소통 (1)

❹ 택시 기사의 불친절 ( )

❺ 공항에서의 출입국 수속 ( )

❻ 난해한 교통 표지판 ( )

❼ 비싼 물가 ( )

❽ 대중교통 ( )

❾ 단체 여행시 상품 구입을 강요받는 것 ( )

02 외국인 관광객이 이야기한, 한국 여행에서 인상 깊었던 점을 모두 쓰십시오.

03 여러분은 한국을 여행하면서 불편했던 점과 인상 깊었던 점이 무엇입니까? 이야기해 보십시오.

04 여러분 나라에 온 외국인 관광객들이 불편해하는 것과 인상 깊어하는 것은 무엇입니까? 이야기해 보십시오.

기능 표현 익히기

- 외국인 관광객이 한국 여행시 가장 인상 깊었던 점 1위는 '친절한 사람들'인 **것으로 나타났다/드러났다.**
- 외국인 관광객들을 대상으로 한국을 여행할 때 가장 인상 깊었던 점을 묻는 조사에서 '친절한 사람들'이 1위**를 차지했다.**
- 외국인 관광객들은 한국 여행시 가장 인상 깊었던 점으로 안전하고 활기가 넘치는 거리, 친절한 사람들, 독특한 문화유산, 매력적인 쇼핑지 등**을 꼽았다.**
- 외국인 관광객이 꼽은 한국 여행시 가장 불편했던 점은 언어 소통, 비싼 물가, 교통 혼잡, 입에 맞지 않는 음식 등의 **순이었다.**
- 특히 3번 질문에 아니라고 대답한 응답자는 무려 62%**에 달했다.**
- 특히 3번 질문에 그렇다고 대답한 응답자는 겨우 16%**에 불과했다.**

01 다음은 한국관광공사가 외국인 관광객을 대상으로 조사한 인상 깊은 관광지에 대한 통계 자료입니다.

〈인상 깊은 관광지(2007)〉

(가)	전체	일본	미국
1위	명동	명동	고궁
2위	고궁	남대문 시장	인사동
3위	남대문 시장	부산	이태원
4위	동대문 시장	동대문 시장	판문점
5위	부산	고궁	박물관
6위	제주도	남산 타워	남산 타워
7위	남산 타워	인사동	남대문 시장
8위	인사동	제주도	인천
9위	박물관	박물관	제주도
10위	인천	경주	동대문 시장

〈자료 : 한국관광공사〉

1) 위의 통계 자료를 분석하여 표를 채우십시오.

조사 기관	
조사 시기	
조사 내용	
조사 대상	
특기 사항	

2) 다음은 위의 통계 자료를 분석하여 결과를 발표하는 글입니다. 글을 완성하십시오.

한국을 찾은 외국인 관광객들에게 가장 인상 깊은 관광지로 명동이 ______________. 한국관광공사가 2007년 한국을 찾은 외국인 관광객을 ______________ 한국 여행시 가장 인상 깊었던 관광지를 묻는 조사에서 전체 11,470명의 응답자 중 21.7%인 2,497명이 명동이었다고 대답했다. 명동에 이어 인상 깊은 관광지 아홉 곳은 고궁, 남대문 시장, 동대문 시장, 부산, 제주도, 남산 타워, 인사동, 박물관, 인천의 ______________. 한편 대답은 국적에 따라 다소 차이를 보였는데 일본 관광객들 사이에서는 명동이 인상 깊은 관광지 1위를 ______________은/는/ㄴ 반면 미국 관광객들은 인상 깊은 관광지로 가장 많이 고궁을 ______________. 특히 종합 10위 안에는 들지 못했으나 일본인들에게는 경주가, 미국인들에게는 이태원과 판문점 등이 인상 깊은 관광지인 것으로 ______________.

02 다음 통계 자료 중 하나를 골라 분석, 발표해 보십시오.

〈국내 체류 외국인 유학생 현황(단위 : 명)〉 〈자료 : 법무부〉

<table>
<tr><td rowspan="8">연도별</td><td>2006년</td><td colspan="4">41,638</td></tr>
<tr><td rowspan="7">2007년</td><td rowspan="7">61,029</td><td rowspan="5">국적별</td><td>중국</td><td>47,677</td></tr>
<tr><td>베트남</td><td>2,764</td></tr>
<tr><td>몽골</td><td>1,939</td></tr>
<tr><td>일본</td><td>1,602</td></tr>
<tr><td>미국</td><td>1,073</td></tr>
<tr><td rowspan="2">성별</td><td>남자</td><td>32,086</td></tr>
<tr><td>여자</td><td>28,943</td></tr>
</table>

조사 기관	
조사 시기	
조사 내용	
조사 대상	
특기 사항 및 해설	

〈외국인과의 결혼 호감도(2007, 단위 : %)〉 〈자료 : 서울시〉

	15세 이상 서울 시민 (48,000명)	연령별						혼인 상태	
		10대	20대	30대	40대	50대	60대 이상	미혼	기혼
거부감 있다	62.8	41.7	45.9	58.7	69.2	73.7	74.4	44.7	69.6
거부감 없다	37.2	58.3	54.1	41.3	30.8	26.3	25.6	55.3	30.4

조사 기관	
조사 시기	
조사 내용	
조사 대상	
특기 사항 및 해설	

〈한국인의 사망 원인(2006/2007)〉 〈자료 : 보건복지부〉

순위	2006년		2007년	
	사망 원인	명	사망 원인	명
1	암	65,909	암	67,561
2	뇌혈관 질환	30,036	뇌혈관 질환	29,277
3	심장 질환	20,282	심장 질환	21,494
4	당뇨병	11,600	고의적 자해(자살)	12,174
5	고의적 자해(자살)	10,688	당뇨병	11,272

조사 기관	
조사 시기	
조사 내용	
조사 대상	
특기 사항 및 해설	

02 경제의 세계화

학습 목표 ● 과제 경제적 측면의 세계화와 그 장단점에 대해서 의견 나누기, 논박하는 글쓰기
● 문법 -는답시고, -는 날엔 ● 어휘 자유 무역

FTA반대 시위 장면 (시애틀컨벤션센터 앞)

WTO 농업 협상 중단 촉구 시위
(광화문 외교통상부 앞)

위의 시위 사진들은 무엇을 반대하는 장면일까요?
여러분은 수입 자유화에 대해서 어떻게 생각합니까?

이것은 여러 나라에서 생산된 부품으로 만든 자동차입니다.

1) 이 그림을 보고 알 수 있는 것은 무엇입니까?

2) 여러분이 사용하는 물건 가운데 수입품은 얼마나 됩니까?

대화

정희 시내에서 수입 개방을 반대하는 시위를 하던데 여간 격렬한 게 아니었어.

민철 그럴 만도 하지. 요즘 한창 진행 중인 자유무역협정이 체결되는 날엔 싼 농축산물이 무제한으로 수입되잖아. 그렇게 되면 우리 농축 산업 시장이 치명적인 타격을 입게 될 거야.

정희 그렇긴 하지만 관세 장벽이 뚫리면 그만큼 수출입 비용이 감소할 테고 자연히 무역량이 증가할 거야. 그러면 결과적으로 경제 활성화에 도움이 되리라고 보는데.

민철 무역업을 하는 사람들 입장에서는 환영할 만한 일이겠지.

정희 무역업을 하는 사람들뿐만 아니라 소비자의 입장에서도 가격이나 질적인 면에서 선택의 폭이 넓어지니 만족도가 높아질 거야.

민철 그렇지만 경제를 활성화시키고 소비자의 편의를 돕는답시고 조상 대대로 물려 내려온 생계의 수단을 하루아침에 잃게 될지 모르는 농민들을 모른 척할 수는 없지.

정희 그 문제의 심각성은 정부도 잘 인식하고 있는 모양이니까 기다려 봐야 할 것 같아. 다방면으로 지원 정책을 강구하고 있다고 하더라고.

민철 아닌 게 아니라 개방으로 인해 피해를 입은 사람들을 위해 보호 기금을 마련하고 있다고 하더군. 모두가 수혜자가 될 수 있는 방법을 하루 빨리 찾았으면 좋겠는데…….

01 두 사람은 무엇에 대해서 이야기하고 있습니까?

❶ 경제 전망 ❷ 무역 자유화 ❸ 정부의 수출 정책 ❹ 소비자 만족도

02 두 사람의 의견은 어떻게 다릅니까? 이야기해 봅시다.

	정희	민철
입장	찬성	반대
근거	• 수출입 비용 감소 • ____________ • ____________	• 농축산물 시장에 치명적 • ____________

격렬하다 激烈的 **자유무역협정** 自由贸易协定 **체결되다** 缔结，订立 **치명적이다** 致命的，毁灭性的
타격 打击 **관세** 关税 **장벽** 屏障，障碍 **뚫리다** 被打通，被打穿 **활성화** 搞活 **생계** 生计，生路
다방면 多方面 **강구하다** 谋求，寻求 **기금** 基金 **수혜자** 受益人，受惠者

03 여러분은 누구의 의견에 동의하십니까? 보기와 같이 이야기해 보십시오.

[보기] ■ 정희의 의견에 동의하는 경우:
한국의 무역 규모는 이제 세계적인 수준으로 성장했습니다. 상당히 많은 한국 기업이 해외에 진출해 있고 한국 제품도 세계 여러 나라에서 팔리고 있습니다. 이제 한국도 무역 시장을 개방해서 세계 여러 나라와 경쟁해야 하고 또한 협력해야 합니다.

■ 민철의 의견에 동의하는 경우:
한국은 원래 농업 국가입니다. 1970년 총인구 중 45%였던 농민 인구가 2000년대에 들어서 약 8%로 감소했다고 합니다. 농민은 몰락하고 농업이 위험한 상태에 이르렀다는 말입니다. 이러한 상황에서 수입 농산물까지 싼 가격으로 들어온다면 농민들은 이제 농사만 지어서는 먹고살 수 없게 될 것입니다.

어휘 자유 무역

01 다음 표현을 익히고 질문에 답하십시오.

(가)	(나)
외화	세계화시대
국제수지	시장 개방
흑자/적자	관세 철폐
환율	수입 자유화
외환위기	세계무역기구(WTO)
국가 경쟁력	자유무역협정(FTA)
다국적 기업	보호 무역

1) (가)에서 알맞은 표현을 찾아 빈칸을 채우십시오.

❶ 외국 돈, 다시 말해서 (   )과/와 자국 화폐의 교환 비율을 (   )이라고/라고 한다. 한 나라가 국제 거래를 통해 다른 나라와 주고받은 총액이나 차액, 즉 (   )에서 들어온 돈보다 나간 돈이 많으면 (   )이/가 되고 나간 돈보다 들어온 돈이 많으면 (   )이/가 된다.

❷ 한국은 1990년대 후반에 대외 거래에 필요한 외환이 부족하여 국제 사회로부터 돈을 빌려 써야만 했던 (   )을/를 경험한 적이 있다. 같은 경험을 반복하지 않으려면 (   )을/를 높여 기업이 세계 시장에서 성공적으로 경쟁하도록 해야 할 것이다.

❸ 한국에 진출해 있는 야후, 힐튼호텔, 맥도날드 등은 (   )이다.

2) (나)에서 알맞은 표현을 찾아 빈칸을 채우십시오.

❶ 1995년, 전 세계 125개국이 자유로운 무역을 목적으로 만든 세계 규모의 경제기구가 (   )이다. 이에 따라 국가 간에 개별적으로 (   )을/를 맺으면서 수입 자유화의 장벽을 제거하고자 (   )을/를 추진하고 있다.

❷ 개발도상국의 경우는 경쟁력이 약하기 때문에 무역 개방을 제한하는데 이것을 (   ) 주의라고 하고 관세 제도나 영화의 스크린 쿼터제가 이에 해당한다.

3) 다음에서 세계화의 사례로 볼 수 있는 것에 표시하십시오.

❶ 다른 나라의 상품을 인터넷을 통해서 살 수 있다.	✔
❷ 한국의 어느 지역에서는 전통 의상을 입고 전통적인 생활 방식만을 지키려는 사람들이 모여 산다.	
❸ 위성 방송을 통하여 다른 나라의 방송을 시청할 수 있다.	
❹ 한국의 김치가 외국 시장에서 많이 팔리고 있다.	
❺ 한국 대중 가수의 노래가 동남아시아 지역에서 유행하고 있다.	

02 여러분은 자유 무역 추진에 찬성하십니까? 위 표현을 사용해 보기와 같이 이야기해 보십시오.

[보기] 국제무역수지에서 흑자만을 바란다면 지금 당장은 보호 무역을 선호하겠지요. 그러나 한 나라의 경제가 이제 더 이상 그 나라만의 것이 아닙니다. 그런 만큼 경제적인 사고와 행동의 범위도 국가에서 세계로 확대시켜야 한다고 봐요. 시간은 걸리겠지만 자유무역협정을 통해 세계 시장이 하나의 시장이 될 날도 이제 멀지 않았어요.

외화 外汇 **국제수지** 国际收支 **흑자/적자** 盈余/赤字 **환율** 汇率 **외환위기** 外汇危机
국가 경쟁력 国家竞争力 **다국적 기업** 跨国企业 **세계화시대** 全球化时代 **시장 개방** 市场开放
관세 철폐 取消关税 **수입 자유화** 进口自由化 **세계무역기구(WTO)** 世界贸易组织 **보호 무역** 贸易保护

문법

01 다음을 읽고 문법 및 표현을 익혀 봅시다.

요즘 오나가나 들리는 말이 '세계화', '국제화'**이다**. 일반인들은 국제화시대에 **발맞춘답시고** 자녀들의 조기 교육과 해외 연수에 열을 올리고 있고 정부는 무역의 세계화라고 수입 개방을 밀어붙이고 있다. 그러나 다른 나라와 경쟁할 수 있는 능력이 충분히 갖추어지지 않은 상태에서 시장이 완전히 **개방되는 날엔** 취약한 분야의 산업이 하루아침에 무너져 버리지나 않을까 심히 우려된다.

-는답시고/ㄴ답시고

1) 빈칸을 채우고 보기와 같이 이야기해 보십시오.

의도	행위	실제 결과
[보기] 정부는 기업의 경쟁력을 높인다	튼튼한 기업들만 적극 지원했다	중소기업들을 문 닫게 했다
❶ 동생이 TV를 고친다	기계 부품을 모두 분해했다	TV를 완전히 망가뜨렸다
❷ 서울시가 도로를 넓힌다	1년째 공사를 한다	통행에 불편만 준다
❸ 아들이 구직 정보를 찾는다	비싼 돈을 들여 인터넷을 연결했다	
❹ 딸이 어머니 일을 도와준다	평소에 안 하던 설거지를 했다	

[보기] 정부는 기업의 경쟁력을 높인답시고 튼튼한 기업들만 적극 지원해서 중소기업들의 문을 닫게 만들었다.

❶ ....

❷ ....

❸ ....

❹ ....

-는 날엔

2) 보기와 같이 다음 대화를 완성하십시오.

[보기] 가 : 자유 무역이 이루어지면 우리 같은 중소기업들도 큰 영향을 받겠지?
나 : 당연하지. 부지런히 기술 개발하고 해외 시장을 개척하지 않으면 도산의 위험마저 있다니까.
가 : 혹시라도 회사가 도산하는 날엔 우리 가족과 우리 앞으로의 인생은 어떻게 되는 거지?

❶ 가 : 요즘 다시 과소비 현상이 나타나고 있다던데 우리 경제가 괜찮을까?
나 : 그러게 말이야. 이러다가 90년대 말에 겪었던 외환위기가 재발할까 봐 겁나네 그려.
가 : ______________ 이번에야말로 회복하기 어려운 게 아닐까 싶은데 말이야.

❷ 가 : 우리 오늘 컴퓨터 게임하고 논 거 엄마께는 절대 비밀이야.
나 : 알았어, 형. 엄마 오시면 우리는 하루 종일 컴퓨터 안 했다고 말씀드리면 되지?
가 : 아이구, 바보야. 아무 말씀도 드리면 안 돼. ______________
진짜 혼난단 말이야.

❸ 가 : 빨리 뛰어가자. 막차 시간이 얼마 안 남았어.
나 : 뭐? 돈도 다 써 버렸는데 ______________ 잘 데도 없을 거야.
가 : 그러길래 좀 일찍 나오자고 내가 몇 번이나 말했잖아.

❹ 가 : 너 학교에 잘 다니고 있어?
나 : 나 사실은 늦잠을 자서 결석한 날이 많아. 선생님 말씀으로는 ______________
난 정말 졸업을 못하게 된대.
가 : 그럼 이제부터는 일찍 자고 일찍 일어나야지. 내가 아침마다 깨워 줄까?

02 여러분이 새해에 세운 계획에 대해서 위의 두 표현을 사용하여 이야기해 보십시오.

[보기] 오빠가 올해에야말로 꼭 담배를 끊겠답시고 집에 사 놓았던 담배들을 다 버렸는데 한 달도 안 지나서 그 유혹에 지고 말았다. 어머니께서 아시는 날엔 잔소리를 한참 들어야 할 텐데…….

과제 1 듣고 말하기 MP3 2 05

01 다음을 듣고 질문에 답하십시오.

1) 이 강연의 주장으로 알맞은 것을 고르십시오.

❶ 세계의 경제적 국경은 없어져야만 한다.

❷ 국산품 애용이 반드시 좋은 것은 아니다.

❸ 국산품 애용은 기업 경쟁력을 높이는 길이다.

❹ 다국적 기업의 발달로 인해 민족주의를 지킬 수 없다.

2) 국산품 애용은 시대에 따라 그 영향이 어떻게 달라졌습니까? 다음 빈칸을 채우십시오.

경제 발전 초기	글로벌경쟁시대
• 기업을 보호한다 • ______________	• 생산성 향상을 저해한다 • ______________ • 대외 경쟁력을 약화시킨다 • ______________

3) 다국적 기업의 사업 전략은 어떤 것입니까?

02 다음 질문에 답하십시오.

1) 국산품 애용과 세계화에 관한 여러분의 의견을 이야기해 보십시오.

2) 다국적 기업의 긍정적인 면과 부정적인 면에 대해서 이야기해 보십시오.

기능 표현 익히기

- 이 글의 국산품 애용이 국가 경제를 보호**한다는 주장에 대해 반박하고자 한다.**
- **위의 주장은 다음과 같은 점에서 이론의 여지가 있다.**
- **반박의 근거는 다음과 같은 3가지 점이다.**
- **위의 주장에서는 첫째,** 국산품을 애용하면 기업의 경쟁력이 커지고, 그로 인해 더 많은 일자리를 창출할 수 있다고 **했다. 그러나…….**
- **이와 같이 위 주장은 근거가 미약하며 각각 문제점을 안고 있다.**

다음을 읽고 질문에 답하십시오.

스크린 쿼터제 폐지를 반대하며

(가) 스크린 쿼터(screen quota)란 ㉠ ______________________ 라고도 한다. 즉 외국 영화로부터 자국 영화를 보호하고 육성하는 차원에서 국산 영화 상영 일수를 의무적으로 정해 놓은 제도이다. 영국을 시작으로 프랑스, 이탈리아 등의 일부 국가들이 이 제도를 시행했으나 현재는 한국을 비롯하여 브라질, 파키스탄, 이탈리아 등에만 남아 있다. 처음엔 연간 6편 이상 그리고 90일 이상 한국 영화 상영이 의무적이었으나 현재는 73일로 제한되었다.

비록 요즘 한국 영화가 강세를 보이고 관객 천만 명을 돌파한 영화들이 나오는 성과를 거두고 있지만, 한국 영화 발전의 근간이 되었던 스크린 쿼터제의 폐지는 시기상조라고 할 수 있다.

(나) 첫째로 몇 년 간 호조를 보이고는 있지만, 아직 한국 영화가 튼튼히 뿌리내렸다고 보기는 어렵다. 근래 들어 소재의 다양화가 다소 이루어지고는 있지만, 새로운 소재나 실험적인 영화는 거의 대부분 고배를 마시고 있다.

둘째로, 관객 동원율을 보면 '태극기 휘날리며'와 '실미도'의 흥행 행진이 계속될 때 우리 영화의 점유율이 50%를 넘었다. 스크린 쿼터는 1년 중 40%를 한국 영화를 상영해야 한다는 의무 조항이다. 현재와 같은 관객 점유율이 계속된다면 이 조항은 의미가 없다. 하지만 관객 점유율이 떨어질 경우에는 영화계가 몰락하지 않도록 지켜 줄 수 있는 조항인 것이다.

마지막으로 지금 상황에서 스크린 쿼터제를 폐지한다면 과연 지금과 같은 상황이 계속될까? 물론 우리가 외국 영화에 뒤지지 않을 좋은 영화를 만들 수 있을지도 모른다. 하지만 분명 외국 영화 시장은 이만큼 성장한 한국 시장을 그냥 놔두지는 않을 것이다. 해외

톱스타들이 영화 홍보 차 한국을 더 자주 방문하고, 홍보 등에도 더욱 많은 비용을 들여서 말 그대로 물량으로 밀어붙일 게 뻔하다. 특히 헐리웃 블록버스터는 당연히 그게 가능하다. 당분간 다소 손해를 보더라도 한국 영화를 누르고 자국 영화를 들여오기 위해 최선의 노력을 다할 것이기 때문이다.

(다) 이러한 상황에서 우리가 해야 할 일은 스크린 쿼터제를 폐지하는 것이 아니라, 스크린 쿼터제에 대해 왈가왈부하지 못할 정도로 우리 영화의 양과 질을 높이는 일일 것이다.

〈역대 한국 영화 흥행 기록〉

1위 : 〈괴물〉 1,301만 명
2위 : 〈왕의 남자〉 1,230만 명
3위 : 〈태극기 휘날리며〉 1,207만 명
4위 : 〈실미도〉 1,108만 명
5위 : 〈친구〉 818만 명

01 ㉠에 들어갈 말로 알맞은 것을 고르십시오.

❶ 국산 영화 의무 상영제
❷ 외국 영화 상영 제한제
❸ 헐리웃 블록버스터
❹ 관객 동원 천만 이상의 영화

02 (가)~(다)의 내용을 요약하십시오.

(가)	•
(나)	• • •
(다)	•

03 다음의 근거를 이용하여 위 주장에 대해 논박하는 글을 써 봅시다.

논박의 근거
- 한국 영화의 수준도 상당히 높다.
- 젊고 능력 있는 감독과 정열적인 배우들이 있다.
- 관객 수가 천만 명을 넘는 영화들이 등장하고 있다.
- 개방을 통해 공정하게 경쟁을 해야 할 때이다.

위 글에서는 세 가지 논거를 통해 '스크린 쿼터제 폐지를 반대한다'고 주장하고 있다. 그러나 내 견해는 좀 다르다. 위 글의 세 가지 논거는 문제의 한쪽 면만 보고 있다. 다른 면에서 생각하면 또 다른 주장이 가능하다.

여기에서는 같은 문제를 다른 관점에서 봄으로써 위의 주장에 대해 반박하고자 한다.

위의 주장에서는 첫째, ... 다고/이라고 했다.

....

....

둘째, ... 다고/이라고 했다.

....

....

셋째, ... 다는/이라는 점이다.

....

....

....

....

이와 같이 위의 '스크린 쿼터제 폐지 반대' 주장은 문제를 다각도에서 보지 못한 일방적인 주장이라고 할 수 있다.

03 정리해 봅시다

I. 어휘

01

힐끔거리다　회의가 들다　배타적이다　배려하다　개선하다　활발하다
표면적이다　불과하다　격렬하다　치명적이다　활성화하다　취약하다

위의 표현은 긍정적인 의미입니까? 부정적인 의미입니까? 다음의 표에 정리하고 보기와 같이 이유를 이야기해 보십시오.

긍정적인 의미	부정적인 의미
	격렬하다

[보기] 저는 '격렬하다'라는 단어를 들으면 부정적인 느낌이 들어요. 왜냐하면 저는 뭐든지 너무 지나치게 강하면 좋지 않다고 생각하거든요.

02 보기와 같이 다음의 내용 또는 상황을 가장 잘 설명하는 표현을 쓰십시오.

[보기] 그와 나는 생각하는 바가 너무나 달라서 시시때때로 부딪친다 : 마찰을 일으키다

❶ 그와 나는 생각이 다르고 마음도 맞지 않아서 잘 어울리지 못하고 불화가 잦다 :

....

❷ 후배들이 보다 효과적으로 시험을 준비하도록 도움이 되는 이야기를 해 주었다 :

....

❸ 의견이 달라서 심하게 충돌했던 그와 서로 사과하고 잘 지내기로 했다 :

……………………………………………………………………………………

❹ 이번 정상회담 결과 양국은 내년부터 서로의 나라로부터 수입한 물품에는 세금을 부과하지 않기로 했다 : ……………………………………………………………

❺ 자국의 산업을 보호하기 위한 여러 가지 법규를 개정하여 외국산 물품들이 자유롭게 쏟아져 들어올 수 있도록 했다 : ……………………………………………………

II. 문법

다음 상황을 읽고 알맞은 문법을 골라 보기와 같이 이야기해 보십시오.

–건만, –다는 듯이, –답시고, –는 날엔

[보기] 김 대리는 요즘 자꾸 실수를 하는 이 대리에게 진심으로 충고를 했지만 내가 듣기에는 말이 지나쳐서 모욕적으로까지 들렸다. 나는 순간 이 대리가 김 대리에게 주먹을 날릴지도 모른다고 생각했다. 하지만 워낙 사람이 좋은 이 대리는 아무 말도 듣지 못한 것처럼 하던 일을 계속했다. 그렇지만 또 다시 김 대리가 같은 충고를 한다면 그 때는 뭔가 큰일이 일어날 것만 같다.

❶ 김 대리는 이 대리를 위한답시고 충고를 했지만 말이 좀 지나쳐 보였다.

❷ 내가 보기에는 주먹을 날릴 법도 하건만 이 대리는 아무 말도 듣지 못했다는 듯이 하던 일을 계속했다.

❸ 다시 한번 김 대리가 같은 충고를 하는 날엔 뭔가 큰일이 일어날 것만 같았다.

01 거의 도서관에서 살다시피 하는데도 사법 시험에 4번이나 떨어지고 또다시 불합격 소식을 들은 나의 아들. 오늘도 변함없이 도서관에서 책과 씨름 중인 걸 보면 전혀 실망하지 않은 눈치이다. 그런 아들을 위로하고 싶어서 나는 도시락을 싸 가지고 점심 시간에 아들을 찾아갔다. 그런데 이런 나의 정성을 아들은 부담스러워하는 것 같다. 아들이 끝내 합격하지 못한다면 어떻게 될까……. 마음이 아프다.

02 학교 앞 커피숍에서 아르바이트를 하는 누나를 좋아하게 되었다. 그래서 날마다 그 집에 가서 누나를 도와주기 시작했는데 어느 날 누나는 입장이 난처하니까 제발 그만해 달라고 부탁을 했다. 사실은 누나를 좋아하고 있다고 말했지만 누나는 내 말을 농담으로 생각하는지 그저 내 어깨를 한 번 툭 치더니 가 버렸다. 아, 무너지는 자존심! 하지만 나는 용기를 내서 다시 한번 고백할 생각이다.

03 그는 우리의 꿈이요 희망이었다. 우리는 그를 훌륭한 배우로 성공시키기 위해 많은 것들을 기꺼이 희생했다. 그러나 이제 조금 유명해지니까 그는 마치 우리를 모르는 사람처럼 행동하고……. 언젠가 그도 자신의 잘못을 깨닫게 될 것이다. 그럼 그는 죄책감으로 몹시 괴로울 것이다.

04 모든 일처리에 완벽한 그녀. 그럼에도 불구하고 사람들로부터 인정을 받지 못하는 건 그녀의 오만한 행동 때문이다. 그녀의 표정은 늘 나는 당신들보다 한 수 위라고 말하는 것 같다. 물론 그녀가 남보다 좀 잘난 건 사실이지만 그래도 사람을 함부로 대하는 태도는 옳지 않다. 혹시 그녀에게 뭔가 문제라도 생기면 모두들 어떤 반응을 보일까? 과연 누가 그녀를 도와주려 할까?

Ⅲ. 과제

다음의 통계 자료를 분석, 설명하고 문제의 해결책을 제시해 보십시오. 그리고 두 사람이 짝이 되어 상대방이 제시한 해결책에 대해 반박해 보십시오.

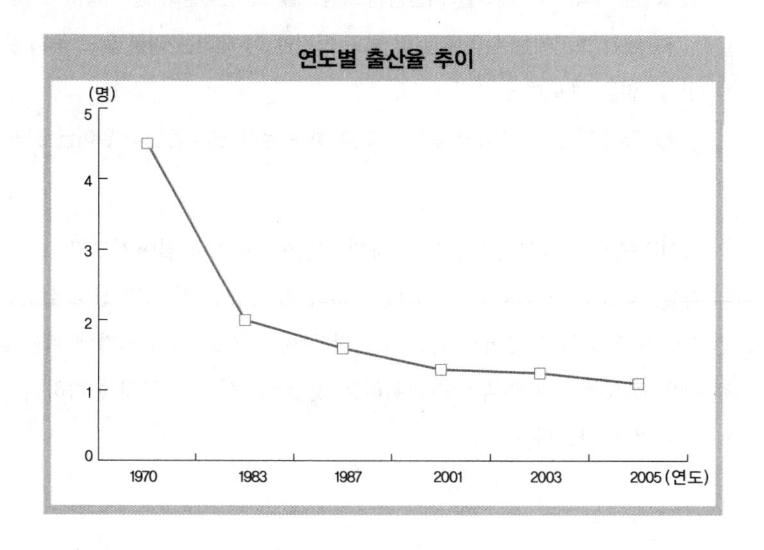

조사 기관	
조사 내용	
특기 사항 및 해설	
해결책	
반박	

문화

외국인을 위한 배려

정부에서는 결혼이민자들의 한국 생활 적응을 돕고 다문화 가정을 지원하고자 각 지역에 〈결혼이민자가족지원센터〉(tmfc.familynet.or.kr)를 열었다. 결혼이민자가족지원센터는 공통적으로 한국어 교육을 지원하고 있다. 또한 가족 구성원들이 참여하는 교육 프로그램을 마련하여 부부가 서로의 국가에 대한 이해의 폭을 넓히며 고부 간의 갈등, 자녀와의 관계 고민 등을 해결할 수 있도록 하는 가족 통합 교육을 운영하고 있다. 그리고 한국의 명절 이해나 지역 탐방, 요리 등 한국 문화 이해 교육과 결혼이민자들이 국적별로 모임을 할 수 있는 자조 집단 교육, 전화나 온라인, 면접을 통한 가족 상담 등을 지원하고 있다.

또한 보건복지부는 한국 생활 적응에 어려움을 겪고 있는 여성 결혼이민자가 보다 수월하게 적응할 수 있도록 '행복한 한국 생활 도우미' 라는 생활 안내 책자를 배포하고 있다. 이 책은 결혼이민자들이 입국에서부터 한국 생활 정착에 이르기까지 필요한 영역별 각종 시책에 대한 소개와 이용 방법, 서비스 제공 기관 등을 수록했다. 합법적인 거주, 한국 생활 정착, 건강한 삶, 아이 낳아 기르기, 저소득층 생활 보장, 취업 관련, 한국 문화 등으로 구분해, 질문에 답하는 형식(Q&A)으로 작성되어 여성 결혼이민자들의 모국어인 영어, 중국어, 베트남어, 러시아어, 몽골어, 타갈로그어(필리핀)와 한국어로 제작했고 법무부의 출입국관리소, 지방자체단체 등을 통해 제공하고 있다.

지방자치단체에서도 외국인 지원 기관을 설치하여 외국인들의 생활 편의를 도모하고 있다. 서울시는 〈글로벌센터〉(global.seoul.go.kr)를 개관하여 외국인의 서울 생활을 돕고 있다. 응급 서비스, 쓰레기 분리 수거 방법과 같은 일상적인 것부터 운전면허증이나 신용카드 발급, 휴대전화 개통, 비자 입국이나 세무 상담, 각종 서류 발급, 자녀 교육, 의식주 관련 정보, 관광 안내 등 서울 생활에 필요한 모든 도움을 이곳에서 받을 수 있다. 이 외에 수원시, 하남시 등 다른 지방자치단체에서도 〈외국인복지센터〉를 통해 한글 교육과 법률 상담, 결혼이민자 생활 지원 서비스 등을 제공하고 있다.

1. 정부와 지방자치단체에서 시행 중인 외국인을 위한 정책은 무엇입니까?

2. 여러분 나라에서는 외국인의 생활 지원을 위한 특별한 지원책이 있습니까?

3. 외국인의 생활 편의를 위해 개선되어야 할 점에 대해서 이야기해 봅시다.

문법 설명

01 -는다는/ㄴ다는/다는 듯이

선행문의 내용을 직접 말하지는 않지만 마치 그렇게 말하는 것처럼 후행문의 행동을 한다는 의미이다. 따라서 후행문의 행동은 충분히 선행문의 내용을 짐작할 수 있을 만한 행동이어야 한다.

- 드디어 그가 왔을 때 자존심 때문에 그를 전혀 기다리지 않았다는 듯이 모르는 척했다.
- 내가 가장 싫어하는 여자들의 부류는 세상의 모든 남자가 다 자기를 좋아한다는 듯이 행동하는 여자들이다.
- 저 두 사람은 세상에 둘도 없다는 듯이 서로를 아낀다.
- 내 어머니는 항상 큰일이 생겨도 별일이 아니라는 듯이 대범하게 행동하신다.

02 -건만

선행문의 내용으로 예상되는 결과와 반대되는 내용이나 상황이 후행문으로 이어질 때 쓰는 표현이다.

- 저렇게 능력이 뛰어나건만 인정을 받지 못하다니!
- 언제나 열심히 일하건만 성과가 그다지 좋지 않다.
- 벌써 여러 번 설명을 했건만 이해를 못한 눈치이다.
- 부모가 크게 신경 쓰지도 못했건만 아이들이 모두 반듯하게 자랐다.

03 -는답시고/ㄴ답시고

어떤 일을 제대로 하려고 했는데 혹은 어떤 상태를 자랑스럽게 만들려고 했는데 결과가 만족스럽게 나오지 않았음을 빈정거리며 말할 때 쓴다.

- 한 푼이라도 더 번답시고 밤낮으로 일하다가 병만 얻었다.
- 너는 요리를 한답시고 부엌을 엉망으로 만들어 놓으면 어떡하니?
- 영수는 영화 감독이 된답시고 공부는 안 하고 영화만 보러 다닌다.
- 다이어트 한답시고 운동 기구만 잔뜩 사들여서 집안만 더 좁게 만들었다.

04 -는 날엔

앞 문장에서는 극단적이거나 바람직하지 못한 상황을 가정하고 그에 따른 경고의 내용이나 우려하는 결과가 뒤 문장의 내용으로 온다.

- 거짓말한 게 들통나는 날엔 그 날로 쫓겨나고 말 거야.
- 다시 한 번 지각하는 날엔 진급할 수 없게 되니까 조심하세요.
- 네가 한 번만 더 약속을 어기는 날엔 우리 사이는 그걸로 끝이야.
- 이번 같은 지진이 또 한 번 일어나는 날엔 섬사람들이 모두 떠나 버릴 것 같아.

제7과 소중한 문화유산

01

제목 | 한국의 문화유산
과제 | 한국의 문화유산에 대해서 알아보기
논리적인 글쓰기(서론 쓰기)
어휘 | 문화유산
문법 | -은 이상, -는다는 점에서

02

제목 | 세계의 문화유산
과제 | 세계의 문화유산에 대해서 알아보기
논리적인 글쓰기(본론 쓰기 1)
어휘 | 문화재 훼손과 보호
문법 | -는 반면, 으로 말미암아

03

정리해 봅시다

- 문화
  한국의 문화재 보호

01 한국의 문화유산

학습 목표 ● 과제 한국의 문화유산에 대해서 알아보기, 논리적인 글쓰기(서론 쓰기)
● 문법 -은 이상, -는다는 점에서 ● 어휘 문화유산

무령왕릉

숭례문

다보탑

위 사진에 있는 한국의 문화재를 알고 있습니까?
세계유산으로 지정된 한국의 문화유산에 대해서 이야기해 봅시다.

다음은 한국의 성인 남녀 2,012명을 대상으로 한국인이 자랑스러워하는 문화유산을 조사한 결과입니다.

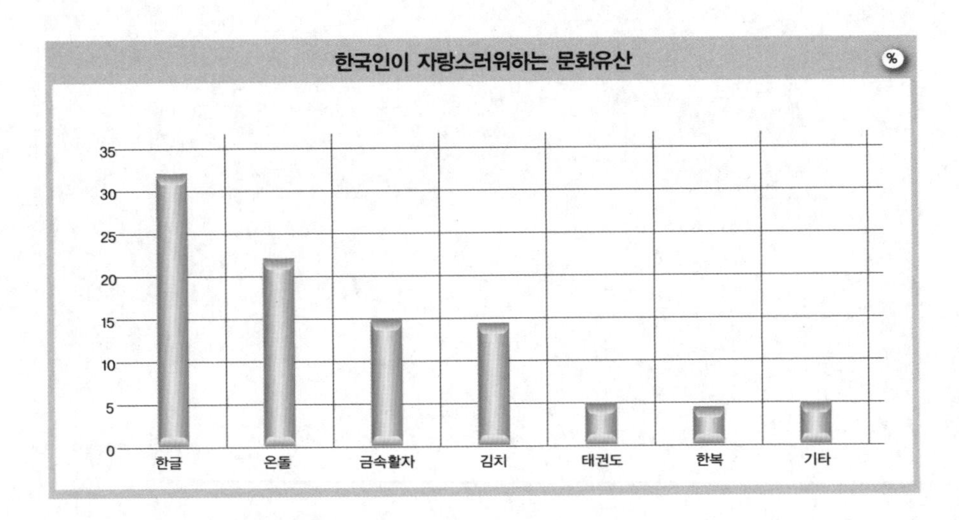

1) 이 문화유산들의 공통점은 무엇입니까?

2) 여러분 나라의 대표적인 문화유산에는 무엇이 있습니까?

대화

리에 오랜만에 야외로 나오니 가슴이 탁 트이는 것 같네요. 여기 수원 화성은 역사적으로도 큰 가치가 있는 유적지라면서요?

영수 네, 조선의 22대 왕인 정조께서 왕위에 오르지 못하고 죽임을 당한 아버지의 묘를 당시 최고의 명당인 수원의 화산으로 옮기고 근처에 새로운 도시를 건립하셨어요. 리에 씨가 한국에 대해 깊이 알고자 한국에 온 이상 이곳은 꼭 한 번 둘러봐야 할 것 같아서 오늘 오자고 한 거예요.

리에 그랬군요. 그런데 왕께서는 왜 이런 신도시를 만드신 거예요?

영수 부모에 대한 뜨거운 효심이 제일 큰 동기였고 또 정치 · 경제적 측면도 있었지요.

리에 한국인의 정서상 부모에 대한 효심 때문이라는 건 좀 알겠는데 정치 · 경제적 측면이란 구체적으로 어떤 내용이에요?

영수 왕의 권력을 지원하는 배후 도시를 건설해서 왕권을 강화하려는 정치적 의도와 남쪽에서 서울로 올라오는 길목인 이곳을 물자 유통의 요지로 삼으려는 경제적 목적으로 이 도시를 세웠다는 거지요.

리에 와, 화성이 그렇게 많은 의도를 갖고 건설된 계획 도시였다는 건 몰랐네요. 그런데 이런 규모의 성곽을 쌓으려면 아주 많은 사람들이 동원됐겠는데요?

영수 이곳은 그 당시 뛰어난 학자였던 정약용을 책임자로 하고 전국의 기술자들이 대거 참여한 덕분에 매우 과학적이고 실용적인 성곽으로 세워질 수 있었다고 해요. 게다가 화성의 설계와 함께 성을 쌓는 과정 모두를 글과 그림으로 완벽하게 기록한 책을 남겨 놓았다는 점에서 역사적 가치가 큰 것으로 평가되고 있어요.

01 두 사람은 왜 이 곳에 왔습니까?

❶ 기분 전환을 하려고 ❷ 역사적 가치가 있는 유적지이므로
❸ 화성을 세운 목적을 알아보려고 ❹ 최고의 명당을 보려고

02 정조는 왜 수원 화성을 만들었습니까?

03 여러분 나라에 이와 같이 특별한 목적으로 건설된 도시가 있으면 이야기해 보십시오.

트이다 开阔，开朗 **명당** 风水宝地 **효심** 孝心 **측면** 方面，角度 **배후** 背后，幕后
길목 要道 **물자 유통** 物资流通 **동원하다** 动员，调动 **대거** 大举 **성곽** 城市，城郭

어휘 문화유산

01 다음 표현을 익히고 질문에 답하십시오.

(가)	(나)
문화유산 자연유산 문화재(국보, 보물) 유적 유적지 유물	발굴 심의 선정 지정 보존

1) (가)의 표현을 이용하여 다음을 연결하십시오.

희귀하거나 멸종 위기에 처한 동식물의 서식지나 자연적인 지형 •   • 유물

한 나라의 문화유산 가운데 역사적, 예술적으로 계속 보존할 만한 가치가 있는 것 •   • 유적지

과거의 인류가 남긴 형태가 있는 제작품 •   • 문화재

남아 있는 자취라는 뜻으로 건축물이나 역사적인 사건이 벌어졌던 곳 •   • 자연유산

2) (나)에서 알맞은 표현을 찾아 빈칸을 채우십시오.

❶ 땅 속에 묻혀 있는 것을 파낸다는 의미인 (   )작업을 통해 유물이나 지하 자원을 찾아낼 수 있다.

❷ 세계유산으로 (   )되려면 유네스코 세계유산위원회가 심사하고 의논하는 (   ) 과정을 거쳐야 한다.

❸ 각 나라는 이러한 세계유산들을 잘 보살펴서 그대로 남아 있도록 (   )해야 한다.

02 위의 표현들을 이용해서 한국에서 세계유산으로 지정되었으면 좋겠다고 생각하는 것에 대해 이야기해 봅시다.

[보기] 저는 지난 주말에 경상남도 고성군에서 열린 공룡축제에 갔다왔어요. 그곳은 약 2천여 개의 공룡 발자국이 발견된 세계적으로 유명한 공룡 유적지래요. 바닷가에서 화석이 된 수많은 발자국을 보니 마치 제가 타임머신을 타고 공룡이 살았던 몇 억 년 전으로 돌아간 것 같은 착각이 들데요. 이런 경험을 해 볼 수 있는 곳이 얼마나 있겠어요? 그래서 저는 그곳이 세계유산으로 지정되었으면 좋겠어요.

문법

01 다음을 읽고 문법 및 표현을 익혀 봅시다.

나는 지난 주말을 이용해서 창덕궁을 구경했다. 1405년에 지어진 이 궁은 조선의 궁궐 중에서 그 원형이 거의 그대로 남아 있고 자연과 건물의 조화로운 배치가 **탁월하다는 점에서** 1997년에 유네스코 세계문화유산으로 지정되었다고 한다. 아름다운 그곳을 둘러보면서 창덕궁이 세계문화유산으로 **지정된 이상** 모두가 힘을 모아 더욱 더 소중하게 가꾸도록 노력해야겠다고 생각했다.

-은/ㄴ 이상

1) 다음 표를 완성하고 보기와 같이 이야기해 보십시오.

[보기] 네가 잘못하지 않았다	사과할 필요는 없다
❶ 담배를 끊기로 마음 먹었다	앞으로 다시 담배 피우는 날은 없겠지
❷ 그 친구를 도와주기로 약속했다	
❸ 그렇게 하기로 결정이 났다	
❹ 죄를 지었다	

[보기] 네가 잘못하지 않은 이상 사과할 필요는 없다.

문화유산 文化遗产 **자연유산** 自然遗产 **문화재** 文物 **국보** 国宝 **보물** 宝物
유물 遗物 **발굴** 挖掘 **심의** 审议 **선정** 选定, 列为 **지정** 指定 **보존** 保存

-는다는/ㄴ다는/-다는 점에서

2) 다음을 연결하고 보기와 같이 이야기해 보십시오.

인간은 생각하고 말할 수 있다 •	• 부담스럽기도 했다
승진을 해서 기뻤지만 책임이 늘었다 •	• 다른 동물과 구별된다
이번 여행은 고생스러웠지만 그 나라의 풍습을 많이 알게 되었다 •	• 칭찬 받을 만합니다
한글은 독창적이고 과학적인 문자 체계를 갖추고 있다 •	• 매우 유익했다
김 과장은 이 일에 끝까지 최선을 다했다 •	• 우수성을 인정받고 있다

[보기] 인간은 생각하고 말할 수 있다는 점에서 다른 동물과 구별된다.

02 빈칸을 채우고 '-다는 점에서'를 사용하여 보기와 같이 이야기해 보십시오.

	공통점	차이점
[보기] 나와 내 친구	외향적인 성격	수면 습관
남자와 늑대		
여자와 여우		
개와 고양이		
한국어학당 5급과 6급		
한국말과 여러분 나라 말		

[보기] 나와 내 친구 민수는 성격이 외향적이라는 점에서는 같지만 나는 늦게 자고 늦게 일어나는 올빼미형 인간인데 비해 민수는 일찍 자고 일찍 일어나는 아침형 인간이라는 점에서 많이 다르다.

과제 1 듣고 말하기 MP3 2 08

듣고 질문에 답하십시오.

01 조선시대 궁궐의 돌다리에는 왜 동물을 새겨 놓았습니까?

02 부용지의 모양을 설명해 보십시오.

03 다음을 연결하고 각각의 특징을 설명하십시오.

• • 돈화문 :

• • 금천교 :

• • 인정전 :

• • 부용지 :

04 여러분이 알고 있는 궁에 대해 이야기해 보십시오.

기능 표현 익히기

〈연구 주제 밝히기〉

- 이 글에서는 영어 공용화에 대해 다루**어 보고자 한다.**
- 요즘 영어를 공용화하자는 주장이 많이 제기되고 있으므로 이 문제**에 관해 다루기로 한다.**

〈의의 제시하기〉

- 한국 사회에서 영어 공용화를 하느냐 마느냐가 중요한 문제가 될 것으로 **판단된다.**

〈정의하기〉

- 영어 공용화**란** 공식적으로 영어를 국어와 동등한 위치에 놓는 **것을 말한다.**

01 다음은 논술문 작성에 관한 글입니다. 읽고 질문에 답하십시오.

글을 논리적으로 잘 쓰려면 어떻게 하는 것이 좋을까? 이를 위해서는 첫째, 논술 대상에 대해 구체적이고 정확한 이해를 해야 하고, 주제에 대한 철저한 조사를 통해 자료를 충분히 모으고 배경 지식을 쌓아야 한다. 둘째, 반드시 개요를 짜야 한다. 개요는 건물의 설계도와 같은 역할을 하기 때문이다. 셋째, 논점을 일관되게 유지하면서 논거를 적합하게 제시해야 한다. 넷째, 다양한 어휘를 정확하게 사용해야 하며 정확성과 효율성을 지닌 문장을 써야 한다. 다섯째, 각 문단은 서로 논리적으로 연결되어서 내용상 모순이 없어야 하며 긴밀한 관계를 가지고 있어야 한다.

이러한 글은 논술문이라 불리는데 보통 서론, 본론, 결론의 형식으로 이루어져 있다.

서론에는 일반적으로 글을 시작하는 간략한 도입 부분이 포함되어야겠지만 가장 중요한 것은 바로 문제 제기의 역할을 하는 것이다. 이를 위해서는 '무엇에 관해 글을 쓰고자 하는가', '왜 그것을 쓰고자 하는가', '어떤 방식으로 접근할 것인가' 가 잘 드러나야 한다.

본론은 논의를 전개하는 핵심 부분이므로 자신의 주장과 주장을 내세운 근거를 논리적이고 설득력 있게 제시해야 한다. 또한 각 문단의 연결에 논리적인 비약이 없도록 전체를 짜임새 있게 구성해야 한다. 찬반 논의형 논술문에서는 상대 주장의 비판도 철저하고 꼼꼼하게 검토해야 한다.

결론은 글 전체를 마무리하는 단계이지만 단순한 마무리 차원을 넘어 글 전체의 인상을 좌우할 수도 있으므로 피상적이고 막연한 내용은 피하고 구체적인 방향으로 나아가야 한다. 결론에서 대책을 제시할 경우 그 목표를 이룰 수 있는 구체적인 수단과 방법까지 제시해야 한다.

1) 논술문을 잘 쓰기 위해 가장 먼저 해야 할 일은 무엇입니까?

2) 서론의 제일 큰 역할은 무엇입니까?

3) 서론 부분에서 반드시 작성해야 할 세 가지는 무엇입니까?

4) 본론에서 꼭 해야 할 것은 무엇입니까?

5) 결론에서 피해야 할 것은 무엇입니까?

02 다음은 한국의 문화재인 안동 하회마을이 세계유산으로 지정되기를 희망하는 글의 서론입니다. 읽고 빈칸을 채우십시오.

하회마을은 한국에서 가장 유서 깊은 전통 마을이다. 오래된 기와집과 초가집이 옛 모습 그대로 남아 있기 때문이다. 또한 이곳에서는 해마다 10월이면 축제가 열려 한국의 전통 가면극, 길놀이, 마당극 등의 다양한 민속 공연들을 선보인다. 그래서 이 마을 전체가 조선 전기 이후의 전통 가옥촌 보존과 전통 문화의 계승 발전이라는 차원에서 중요민속자료 제 122호로 지정되었다. 이렇듯 옛 모습을 고스란히 간직하고 있고 전통 문화 보존에 힘쓰고 있는 이 마을이 세계문화유산으로 지정된다면 국민들과 정부의 관심이 늘게 되고 그 만큼 보존하기가 쉬워질 것이다. 그러므로 이 글에서는 앞서 이야기한 하회마을의 특징과 장점들을 더 자세히 살펴보고 하회마을이 세계문화유산으로 지정되어야 할 필요성에 관해 다루고자 한다.

1) 다음의 표를 이용하여 위 글의 개요를 정리해 보십시오.

주제	안동 하회마을은 세계문화유산으로 지정되어야 한다.
무엇에 관한 글인가 (논술 대상)	
왜 그것을 쓰려고 하는가 (연구 목적)	
어떤 방식으로 접근할 것인가 (연구 방법)	

2) 여러분 나라의 문화재 중에서 세계문화유산으로 등록되었으면 좋겠다고 생각하는 것을 고르고 서론의 개요를 만들어 보십시오.

주제	
무엇에 관한 글인가 (논술 대상)	
왜 그것을 쓰려고 하는가 (연구 목적)	
어떤 방식으로 접근할 것인가 (연구 방법)	

3) 위의 개요를 이용해서 서론을 써 보십시오.

02 세계의 문화유산

학습 목표 ● 과제 세계의 문화유산에 대해서 알아보기, 논리적인 글쓰기(본론 쓰기 1)
● 문법 -는 반면, 으로 말미암아 ● 어휘 문화재 훼손과 보호

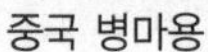
중국 병마용

인도 타지마할

캄보디아 앙코르와트

위의 세계문화유산을 알고 있습니까? 여러분은 어느 곳에 가고 싶습니까?
여러분이 알고 있는 세계문화유산에 대해서 이야기해 봅시다.

문화유산	훼손 원인	현황
중국 러산대불	석탄에 의한 대기 오염, 산성비	불상의 머리, 코, 귀 등의 색이 흑색으로 변함. 현재 공장과 화물차 운송로를 폐쇄하는 등 보호 정책 추진 중임.
아프가니스탄 얌(jam)첨탑	국가 간 전쟁과 내전	전체적으로 훼손이 심하며, 현재 보수 공사 중임.
페루 마추픽추	관광 산업과 개발	건축물의 훼손과 자연생태계 파괴가 매우 심각한 상태임.

1) 여러분은 훼손된 문화재를 직접 본 적이 있습니까? 이야기해 보십시오.
2) 여러분은 일반 관광객에게 문화유산을 개방해야 한다고 생각합니까? 통제해야 한다고 생각합니까?

대화

영수 민수야, 우리가 배낭여행 가서 찍은 사진 나왔다. 네 말대로 앙코르와트에 갔다 오길 잘한 것 같아. 여기 이 밀림 속의 사원이며 호수가 아주 장관이야.

민수 난 그렇게 큰 유적지는 난생 처음 가 봤어. 과연 세계문화유산이라 할 만하지 않니?

영수 맞아. 열대의 정글 한가운데서 그렇게 어마어마하게 큰 돌로 지어진 사원이 나타났을 때는 정말 입이 딱 벌어지더라. 웬만한 도시 규모라는 것도 놀라워.

민수 나 역시도 그 웅장한 크기에 압도당했다니까. 그런데 건물 여기저기에 부서지고 훼손된 곳이 많아서 마음이 씁쓸했어. 뒤늦게 보수 공사하는 모습들도 좀 안타까웠고.

영수 그런 귀중한 문화재들이 자연재해나 전쟁 같은 인간의 행위로 말미암아 파괴된다던데 역시 직접 보니까 그 심각성이 피부로 느껴지더라.

민수 그런데 세계유산으로 지정되는 문화재들은 점점 많아지는 반면 소실되고 황폐화된 문화재들에 대한 관심이나 복구 노력은 많이 부족한 것 같아. 오랜 세월 탓에 지반까지 점점 약해지고 있다는데 말이야.

영수 비단 세계유산뿐만이 아니라 인류의 역사가 숨 쉬는 모든 문화재들을 적극적으로 보호해야 할 것 같아.

민수 전적으로 동감이다. 그럼 말이 나온 김에 문화보존단체에 가입해 보는 게 어떨까? 기금 마련 행사도 하고 다양한 자원 봉사 활동도 한다던데, 내친 김에 오늘 가 볼래?

01 대화의 내용과 맞는 것을 고르십시오.

❶ 민수는 문화재 보호를 주장하는 영수의 제안을 반대한다.
❷ 두 사람이 다녀온 세계유산은 보존이 잘 되어 있는 편이다.
❸ 최근 훼손된 문화재에 대한 관심이 많아지고 있어 다행이다.
❹ 여행 당시 앙코르와트에서는 보수 공사가 진행되고 있었다.

02 대화에서 세계문화유산을 훼손시키는 원인이 무엇이라고 합니까?

밀림 丛林，密林 **사원** 寺院 **장관** 壮观 **어마어마하다** 巨大的，硕大的
압도당하다 被压倒 **씁쓸하다** 苦涩 **소실되다** 烧毁，烧掉 **황폐화되다** 荒废
지반 地基 **전적으로** 完全地 **동감** 同感 **내친 김에** （既然已经开始做）索性就

03 여러분이 가 본 적이 있는 문화유산에 대해서 이야기해 보십시오.

저는 작년 여름에 인도를 여행했는데요, 많은 관광 명소 중에서 '타지마할'이 가장 인상적이었어요. '타지마할'은 왕이 사랑하는 왕비인 '마할'의 죽음을 애도하기 위해 거액을 들여 22년 동안 지은 어마어마한 궁전 형태의 묘지인데 아름다운 건축 양식은 물론 손으로 직접 만든 대리석의 무늬들을 보면 감탄이 절로 나와요.

어휘 문화재 훼손과 보호

01 다음 표현을 익히고 질문에 답하십시오.

(가)	(나)
자연재해	훼손되다
산성비	소실되다
지구 온난화	도굴하다
지반 약화	복구하다
전쟁	복원하다
관광 산업	보수 공사를 하다

1) (가)에서 알맞은 표현을 찾아 빈칸을 채우십시오.

❶ 세계문화유산으로 지정된 많은 석조 건물이나 문화재 등이 (　　　　　)에 의해 녹거나 부식되어 그 훼손이 심각하다고 한다.

❷ 일본 오키나와에 있는 수리성은 태평양 (　　　　　)으로/로 성 전체가 완전히 소실되었었지만 전후 47년 만에 복원되어 2000년에 세계문화유산으로 지정되었다.

❸ 몰디브는 국토의 80%가 해발 1m에 불과하며, (　　　　　)으로/로 해수면이 높아지고 있어 언젠가는 나라 전체가 가라앉을지 모른다는 전망이 지배적이다.

❹ '물의 도시'라 불리는 이탈리아 베네치아는 해수면 상승뿐만 아니라 본래 모래로 이루어진 땅에 세워졌기 때문에 (　　　　　)으로/로 물속으로 가라앉고 있어 대책이 시급하다.

2) 다음 설명에 맞는 표현을 (나)에서 찾아 쓰십시오.

❶ 광물이나 옛 무덤 속의 유물을 불법적으로 몰래 파내다 (　　　　)

❷ 사라져서 없어지거나 잃어버리거나 불에 타서 없어지다 (　　　　)

❸ 손상을 입은 것을 원래의 상태나 모양으로 돌아가게 하다 (　　　　)

❹ 체면, 명예 등이 손상되거나 어떤 것이 망가지고 못 쓰게 되다 (　　　　)

02 위의 표현을 사용하여 여러분이 알고 있는 훼손된 문화유산에 대해 이야기해 봅시다.

[보기] 저는 작년에 미얀마에 갔다왔는데요, 천 년 전 미얀마의 수도였던 '바간'이라는 곳이 인상적이었어요. 세계 3대 불교 유적지 중의 하나인 '바간'은 1975년의 대지진으로 4,446개의 탑 중 2,000여 개나 파괴되었는데, 지금 계속 발굴과 복원 사업이 진행 중이라고 해요. 저녁노을이 질 무렵 황금빛으로 물드는 탑의 모습을 보면 천 년의 시공을 뛰어넘는 감동이 느껴지고요, 도시 전체가 인류의 소중한 유산이라고 생각해요.

자연재해 自然灾害 **산성비** 酸雨 **지구 온난화** 全球变暖 **지반 약화** 地基弱化 **전쟁** 战争 **관광 산업** 旅游产业
훼손되다 毁坏, 损坏 **도굴하다** 盗掘 **복구하다** 恢复 **복원하다** 修复, 复原 **보수 공사를 하다** 维修, 修缮

문법

01 다음을 읽고 문법 및 표현을 익혀 봅시다.

나는 다음 달에 남아메리카에 있는 '에콰도르'로 그동안 별러 오던 배낭여행을 떠난다. 에콰도르는 과거에 국경을 둘러싼 갈등을 비롯해 복잡한 투쟁 역사를 거쳐 **온 반면**, 현재는 남미에서 가장 평화롭고 안전한 나라 중의 하나로 손꼽힌다. 여행은 1979년에 세계유산으로 지정된 에콰도르의 수도 키토에서 시작할 예정이다. 키토는 고대 잉카제국의 문명이 꽃핀 도시이다. 비록 에스파냐인의 침입**으로 말미암아** 16세기에 잉카는 멸망하였으나 발굴된 유적지와 남아 있는 도시들에는 인류 역사의 신비가 잠들어 있다고 한다. 생각만 해도 가슴이 설레는 요즘이다.

-는/은/ㄴ/인 반면

1) 다음을 연결하고 보기와 같이 이야기해 보십시오.

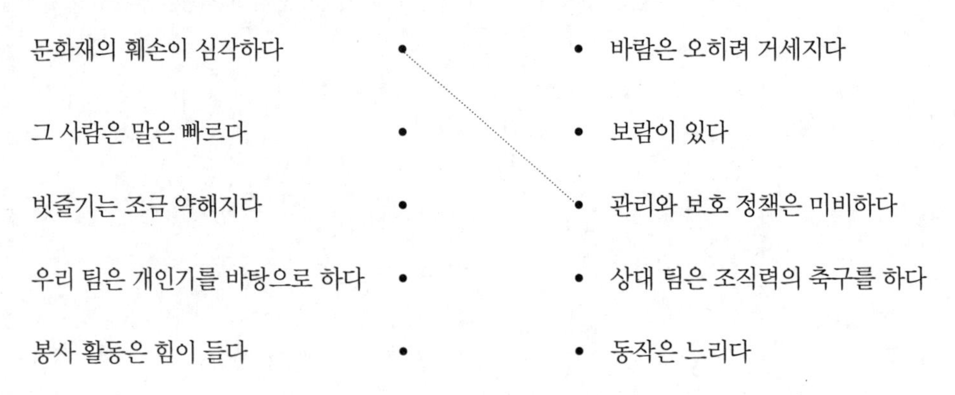

문화재의 훼손이 심각하다 •	• 바람은 오히려 거세지다
그 사람은 말은 빠르다 •	• 보람이 있다
빗줄기는 조금 약해지다 •	• 관리와 보호 정책은 미비하다
우리 팀은 개인기를 바탕으로 하다 •	• 상대 팀은 조직력의 축구를 하다
봉사 활동은 힘이 들다 •	• 동작은 느리다

[보기] 문화재의 훼손이 심각한 반면 관리와 보호 정책은 미비합니다.

-으로/로 말미암아

2) 다음 표를 완성하고 보기와 같이 이야기해 보십시오.

원인	결과
전쟁	문화유산 여기저기가 훼손되었다.
여론 악화	김영수는 이번 국회의원 선거에서 떨어졌다.
부상	
폭우	
음주운전	

[보기] 전쟁으로 말미암아 문화유산 여기저기가 훼손되었다.

02 위의 두 표현을 사용하여 여러분의 여행 경험에 대하여 이야기해 보십시오.

[보기] 저는 지난 여름에 유럽 여행을 다녀왔는데, 여름에는 오후 10시는 돼야 해가 지기 때문에 하루를 길게 사용할 수 있는 장점도 있었던 반면, 많은 관광객들로 말미암아 유명 박물관이나 미술관 입장 시 오랫동안 줄을 서야 하고 기차나 숙소에 자리가 없어 좀 곤란하기도 했었어요. 여름에 유럽 여행을 할 때는 미리 기차나 숙소 예약을 확실히 하는 것이 좋겠다고 생각했어요.

다음을 읽고 질문에 답하십시오.

사설──한번 세계문화유산은 영원한 세계문화유산?

종묘는 한국의 세계적인 문화유산이다. 하지만 최근 종묘에 가 본 사람들이 있다면 나와 같은 생각을 하게 되었으리라 짐작한다. 주변 환경을 제대로 관리하지 못하면 자칫 세계문화유산 등록이 취소될 수도 있다는데 이 아찔함을 우리 모두가 함께 인식해야 하지 않을까?

한국 최초의 세계문화유산 종묘. 종묘는 조선시대 역대 왕과 왕비의 신주를 모신 곳으로 1995년 불국사의 석굴암, 해인사의 팔만대장경 경판과 함께 유네스코 세계문화유산으로 지정되었다. 그런데 세계문화유산 지정 10여 년이 지난 종묘의 현재 모습은 어떨까?

종묘와 연결된 종묘광장에는 세계문화유산이 취소 위기에 있다며 불법 행위를 자제해 달라는 문구가 곳곳에 붙어 있다. 종묘 입구인 종묘광장은 불법 이동식 노래방의 소음과 무차별적인 주류 판매, 불법 집회 등이 판을 치고 있다. 이에 관리사무소는 지난 4월부터 대대적인 단속을 벌였지만 아직도 여기저기 나뒹구는 쓰레기와 불법 행위가 사라지지 않고 있다.

그렇다면 한번 지정된 문화유산의 취소는 가능할까? 유네스코 한국위원회에 따르면 문화유산 등록 취소는 가능한 일이라고 말한다. 인류가 공동으로 보호해야 할 만큼 탁월한 가치가 있다고 판단되어야 하는데 그 가치를 잃어버렸다고 판단되면 세계유산 지정을 취소하게 된다.

실제로 오만의 영양 서식지는 90%가 개발 지역으로 묶이면서 자연유산의 기능을 상실해 세계문화유산 등록이 취소된 첫 사례로 남아 있다. 또, 유럽 고딕건축의 걸작으로 평가받는 독일의 쾰른 대성당이 불법 고층건축물로 인해 보존을 위협받고 있어 위험에 처한 세계유산 목록에 올랐다. 위험에 처한 세계문화유산은 이외에도 네팔의 카트만두 계곡과 고대 사막 도시인 팀북투 등 32곳이 있는데 산업이나 채굴, 환경 오염, 도굴, 전쟁이나 무분별한 관광 등으로 위협받고 있으며, 이란의 도시 '밤'의 고고학적 유적들도 지진으로 파괴되었다.

종묘도 지금과 같은 상태라면 언제라도 '위험에 처한 유산' 목록에 올라 취소될 수 있음을 시사해 준다. 아직까지 경고를 받거나 제재를 받진 않았지만 등록 취소의 가능성은 항상 열려 있는 만큼 우리의 소중한 문화유산을 오래도록 보호할 수 있는 정화 노력이 더욱 더 요구된다.

01 이 글의 중심 내용은 무엇입니까?

❶ 한국 문화재의 세계문화유산 등재를 주장하고 있다.

❷ 훼손된 세계유산을 원인별로 분석하고 대책을 제시하고 있다.

❸ 세계유산으로 등재되어 있는 문화유산의 보호를 요구하고 있다.

❹ 가치가 없어진 문화유산의 등재를 취소할 것을 제안하고 있다.

02 종묘가 세계문화유산 등록이 취소될 위기에 놓인 이유는 무엇입니까?

❶ 종묘 내부에 불법 건축물들이 세워졌기 때문에

❷ 불법 행위나 음주 행위 등의 좋지 못한 주변 환경 때문에

❸ 개발 구역으로 선정돼 자연유산의 기능이 상실됐기 때문에

❹ 세계문화유산으로 지정된 지 10년이 지났기 때문에

03 이 글에 의하면 세계문화유산으로 지정된 문화재를 취소하게 되는 경우는 어떤 경우입니까?

04 위험에 처한 문화유산을 보호할 수 있는 방법에 대해서 이야기해 봅시다.

기능 표현 익히기

〈상술하기〉

- **다시 말하면/더 자세히 말하자면/ 풀어 말하자면/구체적으로 말하자면/ 즉,** 제주의 장점을 부각시켜야 한**다는 것이다.**

〈인용하기〉

- '삼다도' **라는 말이 있다.**
- 어느 작가는 '한국은 정이 흐르는 사회' **라고 말한 바가 있다.**

〈원인 제시하기〉

- 범죄**는** 개인적 또는 사회적인 하나의 원인이 아니라 복합적인 원인**에서 비롯된다.**

〈유추하기〉

- 이 사실/자료/통계 자료/설문 결과를 통하여 가정의 역할의 중요성**을 짐작할 수 있다.**
- 가정폭력범이 유년기에 폭력을 당한 경험이 있다는 사실**로 미루어 볼 때,** 유년기 때의 가정 환경이 얼마나 중요한지를 알 수 있다.

다음은 한국의 문화재인 안동 하회마을이 세계유산으로 지정되기를 희망하는 글의 본론입니다.

〈서론 생략〉

(가) 안동 하회마을은 조선 중기인 1600년대부터 풍산 류씨들이 모여 건축하고 마을을 조성한 풍산 류씨의 집성촌이다. 혈연을 중심으로 한 집성촌은 전국 여러 곳에 형성되었으나, 오늘날에는 대부분 소멸되거나 변형되어 그 본래의 모습을 찾아보기 힘들다. 그러나 하회마을은 그 원형을 그대로 보존하고 있을 뿐만 아니라 양반의 주거 문화를 대표하는 옛 건축물들이 그대로 남아 있으며 빼어난 건축미를 자랑하고 있다.

(나) 하회마을은 전래의 문화유산이 잘 보존된 마을이다. 다시 말하면, 마을 전체가 중요 민속자료 제122호로 지정된 마을로서 국보, 보물, 중요민속자료 등으로 지정된 여러 유산들이 잘 보존되어 있다.

(다) 세계문화유산 등록 기준에 '독특한 예술적 혹은 미적인 업적, 즉, 창조적인 걸작품을 대표할 것', '일정한 시간에 걸쳐 세계의 한 문화권 내에서 건축, 조각, 정원 및 조경 디자인, 관련 예술 등의 결과물에 상당한 영향력을 행사한 것' 이라고 쓰여 있는데, 총 여섯 기준 중 이 두 가지 기준에 하회마을이 부합한다.

(라) 하회마을의 대명사가 된 하회탈은 사실 국내가 아니라 1954년에 해외의 학계에 먼저 발표됨으로써 그 가치를 인정받았으며 그 후 국내 학계에서 활발히 연구하여 국보로 지정된 바 있다. 하지만 이렇게 하회탈이 국내가 아니라 해외에서 먼저 인정받았다는 사실은 지금도 인정받지 못하고 있는 문화유산이 우리 주변에 있을지도 모른다는 것과 우리의 문화유산을 깊이 연구하여 그 소중함을 알아야 함을 시사하는 것이다.

(마) 우리의 역사 속에서 함께 했던 소중한 문화재들이 이미 많은 부분 소실되었다. 문화재의 소실은 재해나 오랜 세월의 흐름, 환경 변화에서도 비롯되지만 문화재에 대한 의식 부족, 보호와 관리 정책의 소홀에서도 비롯된다. 인류의 소중한 유산은 마땅히 인류 모두가 지켜야 한다. 그러므로 세계문화유산의 등록 기준에도 부합하며, 이미 마을 전체가 중요민속자료인 안동 하회마을을 세계문화유산으로 지정하여 세계 속의 소중한 마을로 보존해야 할 것이다.

〈결론 생략〉

01 윗글에서 다음의 기능 표현이 쓰인 단락과 문장을 찾아 빈칸을 채우십시오.

기능	단락	문장
상술하기	(나)	하회마을은 전래의 문화유산이 잘 보존된 마을이다. 다시 말하면, 마을 전체가 중요민속자료 제122호로 지정된 마을로서…….
인용하기		
원인 제시하기		
유추하기	(라)	해외에서 먼저 인정받았다는 사실은~ 우리의 문화유산을 깊이 연구하여 그 소중함을 알아야 함을 시사하는 것이다.

02 여러분 나라의 문화재 중에서 세계문화유산으로 등록되었으면 좋겠다고 생각하는 것을 고르고 다음의 기능 표현을 연습해 보십시오.

기능	문장
상술하기	
인용하기	
원인 제시하기	
유추하기	

03 위의 문장을 토대로 논술문의 본론을 써 보십시오.

03 정리해 봅시다

I. 어휘

01 어울리는 표현을 찾아 문장을 완성하십시오.

어마어마하다　　웅장하다　　압도하다　　씁쓸하다　　동원하다
보존하다　　복원하다　　트이다　　건립하다

[보기] 규모가
크기가 　**어마어마하다**
차이가
이번에 새로 짓는 건물은 150층으로 설계되어서 그 크기가 어마어마하다.

1) 기분이
뒷맛이 ....
마음이

....

2) 환경을
전통 문화를 ....
문화재를

....

3) 생태계를
훼손된 문화재를 ....
청계천을

....

4) 군대를
사람을 ....
물자를

....

5) 상대방을
뛰어난 연기력으로 관객을 ....
분위기를

....

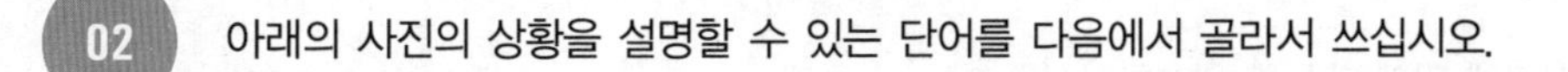

02 아래의 사진의 상황을 설명할 수 있는 단어를 다음에서 골라서 쓰십시오.

훼손	보존	복원	발굴	파괴	폭파	포격
소실	도굴	복구	전쟁	보수 공사	지반 약화	

바그다드 박물관

경남 진주 고분

보스니아 이슬람 사원

II. 문법

다음 상황에 맞게 대화를 완성하십시오.

-은/ㄴ 이상　　-다는 점에서　　-으로/로 말미암아　　-는/은/ㄴ/인 반면

[보기] 〈사건〉

2008년 2월 10일 오후 8시 48분에 국보 1호인 숭례문에 화재가 발생했음. 이 불은 토지 보상금에 불만을 품은 70대 노인에 의한 방화임. 소방 당국은 초기 진화에 성공했다고 추정하고 10시 30분쯤 화재가 진압된 것으로 판단한 뒤 잔불 진화 작업에 나섰음. 그러나 불길은 오후 10시 40분쯤 2층 안쪽 지점에서 다시 살아나 5시간 만에 모두 타 버림. 이번 사건을 계기로 문화재 개방에 대한 논란이 일 것으로 예상됨.

〈다시 쓰기〉

10일 오후 8시 48분쯤 국보 1호인 숭례문에 방화로 인한 화재가 발생해서 5시간 만에 숭례문이 완전 붕괴됐다. 소방 당국의 오판과 안이한 대응으로 말미암아 화재 초기 불길을 제대로 잡지 못해 국보를 소실시켰다는 비판이 제기되고 있다. 이번 화재는 숭례문을 일반에게 개방한 후에 일어났다는 점에서 앞으로 문화재 개방에 대한 논란을 가져올 것으로 예상된다.

01

고○○(28.남)씨는 지난 8월 1일 자정께 서울 강동구 이○○(42.여)씨의 집에 몰래 들어가 핸드백을 훔쳐 나오다 잠이 깬 이 씨가 생활고로 인해 먹고살기조차 힘들다고 호소하자 핸드백을 두고 오히려 현금 5천 원을 이 씨에게 쥐어 주고 나왔음. 고 씨는 이 씨의 신고를 받고 출동한 경찰에게 곧바로 붙잡혔고 경찰은 비록 범행은 미수에 그쳤지만 흉기로 피해자 이 씨를 위협했기 때문에 고 씨를 그냥 풀어 줄 수 없다며 구속했음.

〈다시 쓰기〉

02

취업 전문 업체 '스카우트' 가 지난 8월 26일부터 9월 5일까지 기업 인사 담당자 245명을 대상으로 '다른 조건이 모두 같을 때 채용 시 선호하는 구직자' 에 대해 조사한 결과 42.4%가 '장남 · 장녀' 라고 답했으나 외동아들 · 외동딸과 막내아들 · 막내딸은 각각 4.5%, 4.1%에 불과했음. 이 회사의 사장은 "장남이나 장녀는 성장 환경 속에서 다른 형제자매에 비해 신중함과 책임감을 더 갖게 된다" 면서 "이 같은 요인으로 인해 많은 기업 인사 담당자들이 장남 · 장녀를 선호하고 있다" 고 말했음.

〈다시 쓰기〉

03

미국 미시건대 연구팀이 17년에 걸쳐 192쌍의 부부를 대상으로 연구한 결과, 화가 날 때 두 사람 모두 화를 참는 부부 중 27%가 두 사람 중 한 사람이 연구 기간 중 조기 사망 했고, 23%가 두 사람 모두 사망했음. 그러나 부부 모두 화를 내거나 한 사람이 화를 낸 부부에서는 19%가 연구 기간 중 한 사람이 사망했으며 두 사람 모두 조기 사망한 것은 단 6%에 불과했던 것으로 나타남. 이 실험은 화가 날 때 화를 억제하는 부부들이 화를 표현하고 부부 싸움으로 이를 해소하는 부부들 보다 조기 사망할 위험이 크다는 것을 밝혀냈으므로 큰 의미가 있음.

〈다시 쓰기〉

Ⅲ. 과제

다음 주제로 토론해 봅시다.

주제 : 문화재 개방과 통제

화제 도입 : 숭례문이 완전히 불타 버려서 온 국민이 깊은 충격에 빠졌습니다. 많은 사람들이 이번 일의 원인을 숭례문의 성급한 개방에 돌리고 있습니다. 문화재 개방에 따른 훼손의 문제는 세계 여러 나라에서 나타나고 있는데 중국의 '만리장성' 과 페루의 '마추픽추' 가 그 대표적인 예입니다. 다음 표를 채우고 이를 바탕으로 문화재 개방과 통제의 문제에 관해 토론해 봅시다.

	문화재 개방	문화재 통제
장점	1) 교육적 효과 : 2) 관광객 유치 :	무분별하고 부주의한 관광객들로부터 문화재가 훼손되는 것을 막을 수 있다.
단점	문화재 훼손과 파괴가 있을 수 있다.	
해결책	개방	모조품을 만들어 전시하거나 특정한 기간에만 진품을 공개하는 등의 방안을 활용해야 한다.

문화

한국의 문화재 보호

한국에서 문화재를 보호하기 위한 정책을 수립하고 관리하는 정부 기관으로 문화재청이 있다. 문화재청은 소중한 문화재를 체계적으로 보존, 관리하여 민족 문화를 계승하고 이를 효율적으로 활용하여 국민의 문화적 향상을 도모하는 것을 기본 임무로 하고 있다.

문화재청에서는 문화재 중 중요한 것을 '지정문화재' 로 지정하여 관리하고 있으며 지정되지 않은 문화재 중에서 보존이 필요한 것은 '등록문화재' 로 등록하여 보존하는 일을 하고 있다. 유적지 관리, 문화재 보호를 위한 재정 지원, 문화재 조사 등의 업무를 수행하고 있으며 특히 우리 문화재의 세계화 및 남북한의 문화재 교류를 활성화하기 위한 노력을 기울이고 있다.

다음은 문화재청이 제정한 '문화유산헌장' 이다.

문화유산헌장

문화유산은 우리 겨레의 삶의 예지와 숨결이 깃들어 있는
소중한 보배이자 인류 문화의 자산이다.
유형의 문화재와 함께 무형의 문화재는 모두
민족 문화의 정수이며 그 기반이다.
더욱이 우리의 문화유산은 오랜 역사 속에서
많은 재난을 견디어 오늘에 이르고 있다.
그러므로 문화유산을 알고 찾고 가꾸는 일은
곧 나라 사랑의 근본이 되며
겨레 사랑의 바탕이 된다.
따라서 온 국민은 유적과 그 주위 환경이 파괴·훼손되지
않도록 노력하여야 한다.
문화유산은 한 번 손상되면
다시는 원상태로 돌이킬 수 없으므로
선조들이 우리에게 물려준 그대로
우리도 후손에게 온전하게 물려줄 것을 다짐하면서
문화유산헌장을 제정한다.

1. 문화유산은 원래의 모습대로 보존되어야 한다.
2. 문화유산은 주위 환경과 함께 무분별한 개발로부터 보호되어야 한다.
3. 문화유산은 그 가치를 재화로 따질 수 없는 것이므로
   결코 파괴·도굴되거나 불법으로 거래되어서는 안 된다.
4. 문화유산 보존의 중요성은 가정·학교·사회교육을 통해
   널리 일깨워져야 한다.
5. 모든 국민은 자랑스러운 문화유산을 바탕으로
   찬란한 민족 문화를 계승발전 시켜야 한다.

1997년 12월 8일

1. 문화재를 보존하고 보호해야 하는 이유는 무엇입니까?

2. 국가, 사회, 개인의 입장에서 문화재 보호를 위해 할 수 있는 노력에는 어떤 것이 있을까요?

3. 여러분 나라에서는 문화재를 보호하기 위해 어떤 노력을 하고 있습니까?

문법 설명

01 -은/ㄴ 이상

앞 문장의 내용이 이미 정해진 사실이거나 확실하므로 뒤의 상황이 당연하다는 의미를 나타낼 때 쓴다.

- 잘못을 한 이상 그것에 대한 책임을 져야 한다.
- 바보가 아닌 이상 그런 걸 모를 리는 없다.
- 그 사실을 안 이상 그냥 넘어갈 수는 없다.
- 계약을 한 이상 계약서대로 해야 한다.

02 -는다는/ㄴ다는/다는 점에서

앞 문장에서는 어떤 사실이나 특성을 말하고 '-다는 점에서' 뒤에서는 그것에 대해서 평가를 하거나 결론을 내릴 때 쓴다.

- 영어 공용화는 계층 간의 격차를 심화시킨다는 점에서 반대했다.
- 그 두 사람은 취미가 같다는 점에서 공통점을 발견했다.
- 문화재는 잘 지키고 보존해야 한다는 점에서 일반 시민에게 공개하는 것에 반대한다.
- 그 백화점은 사후 관리가 철저하다는 점에서 다른 백화점과 구별된다.

03 -는/은/ㄴ/인 반면

앞 문장과는 반대의 사실을 연결하여 말할 때 쓴다.

- 더워서 여름이 싫다고 하는 사람이 있는 반면 뜨거운 햇볕이 정열적이라며 여름을 즐기는 사람도 있다.
- 그 회사 휴대전화는 품질이 우수한 반면 수리 기간이 길다는 것이 흠이다.
- 한국 사람들은 집에 대한 애착이 강한 반면 서구인들은 자동차에 대한 애착도가 높다고 한다.
- 3개월만 해도 실력이 쑥쑥 느는 사람이 있는 반면 1년을 해도 항상 제자리인 사람도 있다.

04 –으로/로 말미암아

앞문장의 어떤 현상이나 사물을 원인이나 이유로 하여 뒷문장의 안 좋은 결과가 생겼음을 나타낼 때 쓴다. 명사에만 붙여 쓴다.

- 작은 실수로 말미암아 큰 사고가 났다.
- 이 영화는 전쟁으로 말미암아 파괴되는 인간들의 모습을 그리고 있다.
- 아버지의 사업 실패로 말미암아 학교를 중간에 그만두었다.
- 가정 교육의 소홀로 말미암아 청소년들의 탈선이 늘고 있다.

제8과 한국인의 생활

01

제목 | 한국인의 집
과제 | 한국의 전통 주거 문화에 대해서 알아보기
논리적인 글쓰기(본론 쓰기2)
어휘 | 주거
문법 | -다 못해, -기에 망정이지

02

제목 | 한국인의 사상
과제 | 한국의 사상에 대해서 알아보기
논리적인 글쓰기(결론 쓰기)
어휘 | 한국의 사상과 효
문법 | -는 둥 마는 둥 하다, -던 차이다

03

정리해 봅시다

- 문화
한국인의 종교

01 한국인의 집

학습 목표 ● 과제 한국의 전통 주거 문화에 대해서 알아보기, 논리적인 글쓰기(본론 쓰기2)
● 문법 -다 못해, -기에 망정이지 ● 어휘 주거

위 가옥의 특징은 무엇입니까?
여러 나라의 전통적인 주거 형태에 대해서 이야기해 봅시다.

난방법	난방 방식	보기
직접 난방	연료를 직접 태워서 난방을 하는 방식	난로
증기 또는 온수 난방	열을 내는 장치를 실내에 두고, 그 속에 실외의 보일러에서 만든 증기, 온수를 통해서 난방을 하는 방식	라디에이터
온풍 난방	가스, 증기, 온수, 전기 등으로 공기의 온도를 높여 내보내 난방을 하는 방식	온풍기
복사 난방	벽, 바닥, 천장 속에 파이프를 넣고 그 속에 온수, 열풍 등을 보내 줌으로써 벽, 바닥, 천장의 표면 온도를 높여서 난방을 하는 방식	온돌

위의 표는 다양한 난방법에 대한 설명입니다.

1) 각 난방법의 장점과 단점에 대해서 이야기해 보십시오.

2) 여러분 나라의 전통 난방법은 어떤 방식입니까?

대화

영수 한옥 체험을 하고 왔다고요? 온돌방에서 자 보니까 어땠어요?

제임스 겨우 한두 번 불을 때서 밤새도록 따뜻함을 유지할 수 있다니 참 놀라웠어요. 게다가 난방을 해도 방 안의 공기가 탁해지지 않다니 놀랍다 못해 경이롭기까지 하던걸요.

영수 언젠가 신문에서 온돌 난방법이 경제적일 뿐만 아니라 위생적이어서 세계적으로 주목을 받고 있다는 기사를 본 적이 있어요. 더욱이 요즘은 전통적인 한옥의 소재들이 자연친화적이어서 건강하게 오래 살고 싶어하는 사람들 사이에서 새롭게 인기를 끌고 있다고요.

제임스 그런데 온돌도 온돌이려니와 방 사이에 놓인 탁 트인 마루가 아주 인상적이던데요.

영수 잘 보셨어요. 온돌과 마루는 한옥의 과학적 우수성을 보여 주는 대표적인 두 가지 특징이에요. 온돌이 겨울을 위한 장치라면 마루는 여름을 위한 공간이지요.

제임스 하지만 한옥의 매력은 그런 기능적인 면에도 있지만 지붕이라든가 처마라든가 우아한 한복의 곡선을 닮은 부드러운 형태의 아름다움에 있는 것 같은데요.

영수 이거 하룻밤 만에 한옥의 매력에 푹 빠지셨군요. 어때요, 시간을 내서 체험해 보시길 잘했지요?

제임스 네, 우연히 체험단 얘기를 들었기에 망정이지 이렇게 좋은 경험도 못하고 한국을 떠날 뻔했어요.

01 온돌 난방이 세계적으로 주목을 받는 이유를 모두 고르십시오.

❶ 소재가 자연친화적이다.

❷ 지붕과 처마의 곡선은 한복의 그것과 유사하다.

❸ 불을 때도 방 안의 공기가 탁해지지 않아서 위생적이다.

❹ 한번 불을 때면 오랫동안 따뜻함이 유지되므로 경제적이다.

02 한옥의 과학적 우수성을 보여 주는 대표적인 두 가지 특징은 무엇입니까?

체험 体验，经历 **불을 때다** 烧火 **탁해지다** 变污浊 **경이롭다** 令人惊奇
소재 原材料 **자연친화적이다** 天然的 **장치** 装置 **처마** 屋檐 **형태** 形状，样子

03 '제임스'가 생각하는 한옥의 매력은 무엇입니까?

04 여러분이 체험한 한국의 전통 주거 문화에 대해서 이야기해 보십시오.

[보기] 아시다시피 미국 사람들은 집 안에서도 신발을 신은 채 생활해요. 그런데 한국에 와서 신발을 벗고 생활해 버릇하니까 이렇게 좋을 수가 없어요. 실내를 깨끗하게 유지할 수 있어서 좋고 또 발 위생에도 좋고요.

어휘 주거

01 다음 표현을 익히고 질문에 답하십시오.

(가)	(나)
기와집	
초가집	
온돌	난방 시설
아랫목	냉방 시설
윗목	방음 시설
아궁이	방수 시설
굴뚝	정수 시설
마루	
처마	

1) (가)에서 알맞은 표현을 찾아 빈칸을 채우십시오.

한국의 대표적인 전통 가옥은 부유한 양반들이 주로 살았던 (　　　　)과/와 대부분의 서민들이 살았던 (　　　　)이다/다. 여기에는 기본적으로 방과 (　　　　), 부엌의 세 공간이 갖추어져 있었고 한국인들은 부엌에 있는 (　　　　)에 불을 때서 취사를 하였다. 이때 그 열기가 연기와 함께 방을 덥힌 후 (　　　　)으로/로 빠져나갔는데 이러한 난방법을 (　　　　)이라/라 한다.

2) (나)의 표현 중에서 다음과 같은 경우에 필요한 시설이 무엇인지 쓰십시오.

❶ 무더운 여름 □□□□

❷ 추운 겨울 □□□□

❸ 오폐수가 많은 공장 □□□□

❹ 목욕탕, 수영장 □□□□

❺ 날마다 악기를 연습하는 연주가가 사는 집 □□□□

02 위의 표현을 사용하여 여러분의 고향집이나 지금 살고 있는 곳을 이야기해 보십시오.

[보기] 뉴질랜드는 여름에 별로 덥지 않고 겨울도 그리 춥지 않아서 냉방이나 난방 시설이 따로 없는 집이 많아요. 그리고 대부분 단독 주택에서 살지요. 저도 1층짜리 단독 주택에서 살았는데 특별한 냉난방 시설이 없었어요.

기와집 瓦房 **초가집** 茅草屋 **온돌** 暖炕 **아랫목** 炕头 **윗목** 炕梢 **아궁이** 灶膛
굴뚝 烟囱 **마루** 木地板 **처마** 屋檐 **난방 시설** 供暖设施 **냉방 시설** 冷气设施
방음 시설 隔音设施 **방수 시설** 防水设施 **정수 시설** 净水设施

문법

01 다음을 읽고 문법 및 표현을 익혀 봅시다.

지난 주말에 강릉에 있는 선교장으로 한옥 체험을 다녀왔다. 단풍철이 한창이어서 길이 좀 막혔지만 덕분에 차창 밖으로 **아름답다 못해** 황홀하기까지 한 단풍들을 실컷 볼 수 있었다. 선교장에 도착한 것은 오후 7시경이었다. 우리는 제일 먼저 마루로 안내되어 저녁 식사를 했다. 그 후 따끈따끈한 온돌방에 이불을 펴고 누웠는데 스르르 하루의 피로가 녹아 사라지는가 싶더니 어느새 잠이 들었나 보다. 한참을 자다가 한층 더 뜨거워진 바닥 때문에 눈을 떴는데……. 요가 **두꺼웠기에 망정이지** 하마터면 화상을 입을 뻔했다 하하하…….

-다 못해

1) 다음을 연결하고 보기와 같이 문장을 쓰십시오.

[보기] 조상의 슬기가 놀랍다 •	• 아프다
❶ 겨울 산의 경치가 아름답다 •	• 입에 불이 난 것 같다
❷ 배가 고프다 •	• 경이롭다
❸ 낙지볶음이 맵다 •	• 춥다
❹ 극장 안이 시원하다 •	• 황홀하다

[보기] 조상의 슬기가 놀랍다 못해 경이롭기까지 해요.

❶ ....

❷ ....

❸ ....

❹ ....

2) 다음 표현을 사용하여 보기와 같이 문장을 완성하십시오.

참다 못해　　견디다 못해　　생각다 못해　　보다 못해　　듣다 못해

[보기] 기차에서 아이들이 하도 떠들어서 참다 못해 조용히 하라고 말했다.

❶ 하숙집 아줌마의 잔소리가 너무 심해서 ....

❷ 애인과 성격이 맞지 않아서 ....

❸ 자꾸 엉뚱한 행동을 하길래 ....

❹ 수업 중에 자꾸 전화가 와서 ....

-기에 망정이지

3) 다음 표를 완성하고 보기와 같이 문장을 만드십시오.

문제 발생	예상되는 위기	위기 탈출
[보기] 물건을 사고 계산을 하려고 하는데 지갑이 없었다	망신당하다	수첩 속에 비상금이 있었다
❶ 자동차 타이어에 펑크가 났다		출발 전에 발견했다
❷ 계단을 헛디뎠다	넘어져서 다리가 부러지다	
❸ 컴퓨터에 저장해 놓은 자료가 모두 사라졌다		
❹ 소리 나게 방귀를 뀌었다		

[보기] 수첩 속에 비상금이 있었기에 망정이지 망신당할 뻔했다.

❶ ....

❷ ....

❸ ....

❹ ....

02 위의 두 표현을 사용하여 유학 생활의 어려움과 그것을 어떻게 극복했는지에 대해서 이야기해 보십시오.

[보기] 예상외로 생활비가 많이 들어서 생각다 못해 아르바이트를 하기로 했어요. 다행히 아르바이트 자리를 금방 찾았기에 망정이지 공부를 포기해야 할 뻔했어요.

과제 1 듣고 말하기 MP3 2 13

다음을 듣고 질문에 답하십시오.

01 무엇에 대해 이야기하고 있습니까?

❶ 좋은 집의 조건
❷ 풍수지리의 과학성
❸ 좋은 집을 짓는 방법
❹ 집에 대한 다양한 견해

02 풍수지리에서 말하는 좋은 집의 정의는 무엇입니까?

03 다음은 풍수지리에서 말하는 좋지 않은 집의 예입니다. 이와 같은 집들을 왜 좋지 않다고 했을까요? 그 이유를 이야기해 봅시다.

- 무덤이 있었던 자리는 좋지 않다.
- 집 주위에 변전소가 있으면 좋지 않다.
- 외딴집은 좋지 않다.
- 쓰레기 매립장이었던 곳도 좋지 않다.
- 막다른 집이나 복도식 아파트의 맨 끝 집은 좋지 않다.
- 집안 내부에 수석을 많이 두는 것은 좋지 않다.
- 집안에 동물 박제를 두는 것은 좋지 않다.
- 담장이 집에 비해 너무 높으면 좋지 않다.
- 침실 가까이 큰 나무가 있거나 나무가 많으면 좋지 않다.
- 애완동물은 집 밖에 두고 기르는 것이 좋다.
- 마당에 연못이나 분수대를 설치하는 것은 좋지 않다.
- 대문 바로 옆에 화장실을 두는 것은 좋지 않다.

04 여러분 나라에서는 어떤 집을 좋은 집으로 여깁니까? 그리고 어떤 집을 좋지 않은 집으로 여깁니까?

기능 표현 익히기

〈분석하기〉

- 각국의 전통적인 난방 방식**을 분석해 보면** 특히 열효율 면에서 온돌이 우수하다는 **것을 알 수 있다.**

〈설명하기〉

- **말하자면** 온돌은 조상의 과학적 슬기를 보여 주는 소중한 유산인 것이다.

〈예시하기〉

- **예를 들어** 기와 지붕의 선과 처마의 곡선이 한복의 그것과 유사하다.

〈비교하기〉

- 다른 나라의 전통 의상이 대부분 여인의 몸의 굴곡을 강조하여 아름다움을 표현하는 **것과는 달리** 한복은 여인의 몸을 드러나지 않게 감싸 숨김으로써 아름다움을 표현한다.
- 한복은 여인의 몸을 드러나지 않게 감싸 숨김으로써 아름다움을 표현한**다는 면에서** 다른 나라의 전통 의상**과 차이를 보인다.**

01 다음을 읽고 질문에 답하십시오.

과학적인 온돌 난방

<서론>

자연의 세계에서 인류는 신체적으로 열등한 조건을 가지고 있다. 따라서 인류는 자연의 세계에서 피포식자의 자리에 서 있어야 마땅하다. 그럼에도 불구하고 인류가 만물의 영장이 된 것은 신체의 열등함을 지혜로 극복해냈기 때문이다. 한 예로 인간은 혹독한 추위로부터 자신을 보호하기 위해 다양한 난방 장치들을 고안해냈다. 그리고 온돌은 한국인이 만들어 낸 한국 고유의 전통 난방 장치이다.

<본론>

온돌이란 아궁이에 불을 때 열기가 방밑을 지나게 해서 방바닥 전체를 덥히는 난방 장치를 말한다. 이는 한국 민족만이 가진 독특한 난방 방식으로서 그 난방의 방식을 분석해 보면, 온돌은 전도에 의한 난방 외에 복사 난방과 대류 난방을 겸하고 있음을 알 수 있다. 그리고 바로 이 점에서 온돌이 경제적이고 위생적인 난방법으로서 과학적으로 우수함을 드러낸다.

먼저 온돌은 바닥재로 돌을 사용한다. 돌은 공기에 비해서 오랫동안 열을 머물게 한다. 즉 한 번 달궈진 돌은 불을 때지 않는 시간에도 열을 방출해 바닥을 따뜻하게 유지한다는 점에서 경제적이다. 뿐만 아니라 온돌은 주거 환경을 쾌적하게 만드는 비밀이기도 하다. 온돌은 습도가 높을 때에는 바닥의 진흙이 습기를 흡수했다가 건조할 때 방출하여 방의 습도를 조절한다. 말하자면 자연 습도 조절 기능을 가진 것이다. 또한 벽난로와 같은 직접 가열식 난방이 방 안의 공기를 탁하게 하는 것과는 달리 온돌은 불을 땔 때 나오는 연기가 방바닥을 지나 굴뚝으로 빠져 나가도록 설계되어 있다. 그러므로 온돌은 위생적이다.

온돌은 한국인의 슬기와 지혜를 보여 주는 과학적 산물이며 나아가 최근에는 세계화의 가능성을 보이고 있다. 예를 들어 중국 상하이에 신축 중인 고급 아파트 가운데 상당수가 한국식 온돌 설치를 계획 중이고, 라디에이터에 익숙한 서양인들도 한국식 보일러 설치에 많은 관심을 보이고 있다는 것이다.

<결론 생략>

1) 온돌은 무엇입니까?

2) 온돌의 두 가지 우수한 점은 무엇입니까?

3) 위 글에서 다음의 기능 표현이 쓰인 문장을 찾으십시오.

정의하기	
분석하기	
설명하기	
비교하기	
예시하기	

4) 다음 표를 이용하여 이 글의 개요를 정리해 보십시오.

주제	온돌
서론	다양한 난방법 중의 하나, 온돌
본론	1) 온돌의 정의 2) 온돌의 우수성 ❶ .... ❷ .... 3) 온돌의 세계화
결론	(생략)

02 다음 글은 〈한국인의 식생활——김치〉의 서론입니다.

한국 사람들은 하루 세 번 밥을 먹는다. 이때 밥과 함께 꼭 상 위에 놓이는 것이 바로 김치이다. 해외여행을 갈 때도 한국인들의 가방 속에는 김치가 들어 있다. 김치 없이는 못 사는 민족, 그들이 바로 한국인이다. 김치 민족, 한국인들에게 김치는 단순히 음식만은 아닌 것 같다. 음식 그 이상의 무엇, 과연 김치는 무엇일까? 최근 세계의 음식으로 거듭나고 있는 김치를 바로 알기 위해 우선 이 글에서는 김치의 역사와 효능, 그리고 김치의 다양한 종류에 대해 살펴보고자 한다.

1) 이 글의 본론에는 무슨 내용이 있겠습니까? 본론의 내용을 예상할 수 있는 부분에 밑줄을 치십시오.

2) 다음은 〈한국인의 식생활——김치〉의 본론을 쓰기 위한 개요입니다. 빈칸을 채우십시오.

주제	한국인의 식생활——김치
서론	한국인은 김치 민족이다.
본론	1) ______________ ❶ 한자어 '침채(沈菜)'——채소를 절인다는 뜻 ❷ 삼국시대 이전부터 채소를 소금에 절여 먹었음. ❸ 조선 중기 고추가 전해짐. 2) ______________ ❶ 발효 식품——항암 효과 ❷ 저칼로리 식품——비만 억제 3) ______________ : 계절별, 지역별, 재료별로 종류가 수백 가지가 넘으며 최근 다양한 조리법의 개발로 그 수가 더욱 많아지고 있음.

3) 위의 내용 외에 본론에 더 쓰고 싶은 내용은 무엇입니까?

4) 위의 표를 이용하여 〈한국인의 식생활——김치〉의 본론을 써 보십시오.

5) 여러분 나라의 대표적인 음식은 무엇입니까? 그것을 설명하는 글의 개요를 만들고 서론과 본론을 써 보십시오.

02 한국인의 사상

학습 목표 ● 과제 한국의 사상에 대해서 알아보기, 논리적인 글쓰기(결론 쓰기)
● 문법 -는 둥 마는 둥 하다, -던 차이다 ● 어휘 한국의 사상과 효

사진 속의 사람들과 동상의 인물은 누구일까요?
여러분 나라에도 효 사상이 있습니까? 여러분 나라의 특징적인 사상은 무엇입니까?

1위		34.5%
2위	여행의 기회를 드린다	15.5%
3위	부모님께 취미나 소일거리를 가지시도록 도와 드린다	12.5%
4위	매월 일정한 용돈을 드린다	10.5%
5위	사소한 병이라도 나시면 꼭 병원으로 모시고 간다	9.5%
6위	자주 부모님을 모시고 외출한다	7.5%
7위	사랑의 표현을 한다	6.5%
기타	맛있는 음식을 해 드린다 적정한 시기에 결혼한다	3.5%

위의 표는 한국의 30~40대 직장인 300명을 대상으로 '부모님께 하는 효도의 방법'에 대하여 조사한 결과입니다.

1) 빈칸에 들어갈 내용은 어떤 것일까요?

2) 여러분은 부모님께 어떤 방법으로 효도를 하고 있습니까?

대화

민철 정희 씨는 날마다 어머니께 전화해서 문안 인사 드린다면서요? 지난 생신 때는 직장에 휴가까지 내서 고향에 갔다오고요. 그야말로 효녀 심청이 따로 없네요.

정희 효녀 심청이요? 과찬이세요. 전 그저 거동도 불편하신데 홀로 계신 어머니가 안쓰럽기도 하고 걱정도 돼서 틈틈이 안부나 여쭙는 건데요, 뭐. 제가 전화로라도 챙기지 않으면 식사도 하는 둥 마는 둥 하시거든요.

민철 그래도 요즘 같은 시대에 그 정도로 효도하는 사람도 흔하지는 않지요. 옛날에야 우리나라의 전통 사상 중 으뜸가는 덕목이었다지만.

정희 저는 아무것도 아니에요. 어제 텔레비전에서 딸이 어머니에게 신장을 기증하는 프로그램 봤어요? 정말 감동적이었어요.

민철 그래요. 저도 봤는데 정말 대단한 것 같아요. 어머니는 자식에게 짐이 될 수 없다며 한사코 거절했지만 결국 자식의 효심에 마음이 움직인 거죠.

정희 그뿐 아니라 민철 씨도 알다시피 우리 주변에도 부모님이나 시부모님을 지극 정성으로 보살피며 온갖 수발을 마다하지 않는 효자, 효부가 많잖아요.

민철 맞아요. 정희 씨 얘기를 듣고 보니 새삼 나 자신을 되돌아보게 되는군요. 그렇지 않아도 어버이날 선물로 뭘 보낼까 고민하던 차에 좋은 선물이 생각났어요. 바로 나를 보내는 거예요.

정희 잘 생각했어요. 저도 부모님 살아 계실 때 한 번이라도 더 찾아뵙는 게 가장 쉬우면서도 진정한 효도라고 생각해요.

01 위 대화의 내용에 맞는 것을 모두 고르십시오.

❶ 정희는 민철의 불효를 꾸짖고 있다.
❷ 민철은 정희가 현대판 심청이라고 한다.
❸ 효도하는 사람이 옛날보다 많아지고 있다.
❹ 정희는 부모님께 안부 인사를 자주 드린다.

02 위 대화에 나타난 효도의 방법은 무엇입니까? 모두 찾으십시오.

그야말로 的确，实在 **과찬이다** 过奖，过誉 **거동** 行动 **안쓰럽다** 抱歉，过意不去
흔하다 多的是，有的是 **으뜸가다** 首屈一指 **덕목** 品德 **신장** 肾脏
한사코 拼命，极力 **온갖** 各种 **수발** 伺候，照料 **마다하다** 嫌，嫌弃

03 여러분이 알고 있는 효자, 효녀에 대한 이야기를 해 보십시오.

[보기] 한국에는 '효녀 심청'이라는 옛날 이야기가 있습니다. 심청은 장님인 아버지의 눈을 뜨게 하려고 쌀 300석에 몸을 팔아 바다의 제물이 되었는데, 용왕에 의하여 구출되어 왕후까지 돼요. 그리고는 맹인 잔치를 열어 아버지를 만나고 아버지의 눈까지 뜨게 하는 이야기예요.

어휘 한국의 사상과 효

01 다음 표현을 익히고 질문에 답하십시오.

(가)	(나)
홍익인간 유교 불교 효 충 조상 숭배 장유유서	효도 효자 효녀 효부 불효자 공경하다 수발하다 섬기다

1) (가)에서 알맞은 표현을 찾아 빈칸을 채우십시오.

뜻	표현	예
윗사람과 아랫사람 사이에는 엄격한 차례와 질서가 있음.	장유유서	내가 아무리 목이 말라도 형님에게 먼저 물을 마시라고 준다.
널리 인간을 이롭게 함.		김영수 씨는 어려운 이웃을 위해 자원 봉사 활동을 많이 한다.
부모님을 잘 섬기는 것		외출할 때 꼭 가는 곳을 밝혀 부모님이 걱정하지 않도록 한다.
국민이 나라나 임금을 위하는 마음		나라를 위해 전쟁터에 나가 싸운다.
조상을 공경하고 받드는 것		우리 집에서는 5대 조상님들께 제사를 지낸다.

2) (나)에서 알맞은 표현을 찾아 빈칸을 채우십시오.

❶ 부모님께 (　　　　　)하는 방법은 그리 거창하지도 어렵지도 않다. 부모님의 마음을 이해해 드리고 걱정을 끼치지 않는 것이 그 시작이고 전부가 아닐까?

❷ 하반신 마비 장애인인 김 씨는 시집도 안 가고 88세 노모의 머리를 날마다 감겨 드리고 음식을 먹여 드린다는데 정말 보기 드문 (　　　　　)인 것 같다.

❸ 부모님께 제대로 효도도 못했는데 어머니가 병으로 누워 계셔서 마음이 아프다. 지금까지 (　　　　　)이었던/였던 내 자신이 부끄럽고 지금부터라도 잘 보살펴 드리고 모셔야겠다고 생각한다.

❹ 직장일 때문에 얼굴도 못 보는 아들보다 항상 곁에서 신경 써 주고 챙겨 주는 우리 며느리가 더 나을 때가 많아요. 우리 며느리는 정말 (　　　　　)이에요/예요.

❺ 김영수는 직장도 그만두고 5년째 암으로 투병 중인 아버지를 (　　　　　)하고 있다.

02 위의 표현을 사용하여 한국의 사상에 대한 여러분의 생각을 이야기해 보십시오.

[보기] 저는 장유유서 정신이 참 흥미롭다고 생각해요. 우리나라에서는 대중교통을 이용할 때 노약자에게 자리를 양보하는 문화도 없고 연장자를 먼저 우대하는 경우가 별로 없어요. 하지만 한국에서처럼 윗사람을 공경하고 받드는 예의가 있으면 인간관계가 더 따뜻해지고 좋을 것 같아요.

홍익인간 造福人类　**유교** 儒教　**불교** 佛教　**효** 孝道　**충** 忠诚　**조상 숭배** 崇拜祖先　**장유유서** 长幼有序
효도 孝道　**효자** 孝子　**효녀** 孝女　**효부** 孝顺媳妇　**불효자** 不孝子　**공경하다** 尊敬，恭敬　**섬기다** 侍奉，赡养

문법

01 다음을 읽고 문법 및 표현을 익혀 봅시다.

미선아, 통화가 안 돼서 우선 이렇게 메시지를 남길게. 다름이 아니라 다음 달이 어머니 회갑이시잖아. 그래서 우리 형제들이 돈을 모아 두 분 효도 여행을 보내 드리면 어떨까 하는데 네 생각은 어떠니? 언니는 흔쾌히 좋다고 했고 큰오빠는 전화했을 때 바빠선지 **듣는 둥 마는 둥 했지만** 찬성 쪽이었어. 그리고 내가 여기저기를 **알아보던 차에** 마침 여행사에 다니는 친구가 추천해 줘서 좋은 관광 상품도 찾았단다. 호주 여행 5박 6일 일정인데 더 자세한 이야기는 모두가 만나서 해야 할 것 같아. 메시지 확인하는 대로 연락해 줘.

-는 둥 마는 둥 하다

1) 다음 표를 완성하고 보기와 같이 이야기해 봅시다.

원인	결과
아침에 늦게 일어났다	밥을 제대로 못 먹고 나왔다
머리를 감는데 갑자기 단수가 됐다	
외출 준비를 하고 있는데 급한 전화가 왔다	
친구가 이야기하는데 자꾸 딴 생각이 났다	
시험 공부를 하고 있는데 텔레비전에서 좋아하는 가수가 나왔다	

[보기] 아침에 늦게 일어나서 밥도 먹는 둥 마는 둥 하고 나왔다.

-던 차이다

2) 다음 대화를 완성하십시오.

[보기] 가 : 미선아, 오랜만이다. 요즘 어떻게 지내니?

나 : 어, 민수구나. 그렇지 않아도 **너한테 전화하려던 차였는데 잘 만났다.**

❶ 가 : 레이 씨, 백화점에서 세일을 한다는데 같이 안 갈래요?

나 : 잘 됐네요. ....

❷ 가 : 웨이 씨, 우리 편의점에서 아르바이트생을 구하고 있는데 혹시 생각 있어요?

나 : 그럼요. ....

❸ 가 : 선생님. 마리아 씨가 갑자기 고향에 일이 생겨서 어제 러시아에 돌아갔어요. 선생님께 미리 연락 드리지 못해서 죄송하다고 전해 달래요.

나 : 그랬군요. 그렇지 않아도 ....

❹ 가 : 미선 씨, 저 빨간색 가방 어때요? 요즘 가장 유행하는 디자인이라던데요.

나 : 그래요? ....

02 위의 두 표현을 사용해서 보기와 같이 이야기해 보십시오.

[보기] 저희 옆집 사람은 음악가라서 거의 날마다 밤늦게까지 악기 연주를 하는 통에 잠을 잘 자지 못했어요. 그래서 한 번 얘기를 하려고 생각하던 차에 그 사람을 집 앞에서 우연히 만나게 되었어요. 나는 흥분해서 항의했는데 그 사람은 무슨 급한 일이 있는지 내 말은 듣는 둥 마는 둥 하고 서둘러 가 버리던데요. 내 참.

과제 1 읽고 말하기

다음은 한국의 옛 이야기입니다. 읽고 질문에 답하십시오.

(가) 백제의 마지막 왕인 의자왕 즉위 15년에 신라와 당나라가 연합하여 백제를 공격하게 되었는데, 의자왕은 계백 장군에게 나가 싸울 것을 명령하였다. 계백은 그 때 이미 나라의 위태로움을 알았고 출정 명령을 받은 후 집으로 가 '살아서 욕을 보는 것이 죽어서 편안함만 못하다'하면서 자신의 가족들을 직접 죽였다. 자신의 가족까지 모두 죽이고 전장에 나선 계백으로 인해 백제군의 사기는 높았다. 반면 70만의 신라군은 고작 5천만 백제군과 대적하였으나 죽기 살기로 싸우는 그들에게 번번이 패하였다. 한편 신라 화랑도의 세속오계 중에 '임전무퇴'가 있다. 나이 어린 화랑 관창은 백제군에게 사로잡혔으나 계백은 그를 풀어 주었다. 살아 돌아온 관창은 백제군을 또다시 공격하였으나, 계백은 두 번째 사로잡힌 관창의 목을 베어 신라로 돌려보냈다. 용감하게 싸우다 죽은 어린 관창의 모습을 본 신라군은 흥분하였고 목숨을 걸고 싸워 결국 싸움을 승리로 이끌었다. 계백도 이 전투에서 전사하고 백제도 멸망하였다.

(나) 조선의 명장 이순신은 1545년에 가난한 선비의 가정에서 태어났다. 이후 무과에 급제하여 관직에 올랐으며 전쟁에 나아가 적군을 무찔러 큰 공을 많이 세웠다. 하지만 주변의 시기와 모함으로 관직을 빼앗기고 백의종군하기도 하였다. 그러나 타고난 무예와 충성심으로 많은 전쟁을 승리로 이끌었으며 1592년 임진왜란이 일어나기 며칠 전 거북선을 발명했다. 거북선을 이끌고 바다에서의 모든 전쟁에서 승리를 거둔 이순신 장군은 언제 어디서나 큰 칼을 옆에 차고 나라를 위한 근심만을 하였다. 그가 쓴 일기는 충성으로 가득 차 있다. 1598년 노량 앞바다의 싸움에서 이순신은 그만 적탄에 겨드랑이를 맞았으며 "방패로 나를 가려라. 그리고 내가 죽었다는 말을 하지 말라"는 말을 남기고 54살의 나이로 장렬하게 전사하였다. 승리는 하였지만 뒤늦게 이순신 장군이 전사한 것을 안 장병들은 통곡을 하며 장군의 명복을 빌었다. 충무공 이순신 장군은 우리 역사상 가장 위대한 나라의 수호자로서, 성웅으로 떠받들어지고 있다.

01 두 이야기의 공통된 주제는 무엇입니까?

02 (가)의 내용에 맞는 것을 고르십시오.

❶ 백제군은 신라군보다 수가 더 많이 전쟁에서 유리하였다.

❷ 계백 장군은 신라의 용감한 장군으로서 관창과 싸우다 전사하였다.

❸ 의자왕은 백제의 마지막 왕으로서 전쟁터에 나가 목숨을 걸고 싸웠다.

❹ 관창은 임전무퇴 정신을 지켜 전쟁에서 죽을 때까지 싸우다 전사하였다.

03 (나)의 내용에 맞지 않는 것을 고르십시오.

❶ 이순신은 충성으로 가득 찬 일기를 계속 써 왔다.

❷ 이순신은 조선시대의 위대한 장군으로 지금도 존경받고 있다.

❸ 이순신의 부상으로 참전하지 못한 노량 전투는 크게 패하였다.

❹ 이순신은 거북선을 만들어 바다에서의 전쟁을 승리로 이끌었다.

04 여러분 나라에도 위의 주제와 관련된 이야기가 있습니까? 이야기해 보십시오.

과제 2 논리적인 글쓰기(결론 쓰기)

기능 표현 익히기

〈결론 암시하기〉

- **이상으로** 한국의 전통 음식에 **대해서 살펴보았다.**

〈요약하기〉

- **지금까지의 내용을 요약해 보면 다음과 같다.**
- 한국의 교육**에 대해** 다음의 세 가지로 **요약해 보고자 한다.**
- **요컨대** 청소년들에게 미치는 교육의 문제의 해결 방안 모색이 시급함을 알 수 있다.

〈제안하기〉

- 대학은 진리 탐구라는 대학 설립 목적을 회복하는 **방향으로 나아가야 하겠다.**

〈전망하기〉

- 이 정보화 사회에서 개인은 더욱 창조적인 역할을 담당해야 **할 것이다.**

01 다음 글은 〈과학적인 온돌 난방〉의 결론입니다. 읽고 질문에 답하십시오.

과학적인 온돌 난방

〈서론, 본론 생략〉

(가) 이상으로 한국의 전통 난방 방식인 온돌에 대해서 살펴보았다. (나) 지금까지의 내용을 요약해 보면 다음과 같다. 첫째, 온돌은 열을 방출해 불을 때지 않는 시간에도 바닥을 따뜻하게 유지할 수 있다는 경제성과 둘째, 불을 땔 때 나오는 연기가 방바닥을 지나 굴뚝으로 빠져 나가도록 설계되어 있는 위생성을 장점으로 살펴보았으며, 마지막으로 이러한 온돌이 세계화되는 추세에 있음을 구체적인 예를 들어 살펴보았다.

(다) 온돌은 이제 한국만의 고유 생활 문화가 아니라 세계인의 난방법으로 진화하고 있으니만큼 기존 온돌의 전파에 만족할 것이 아니라 세계적이고 현대적인 온돌을 개발하려는 연구에 힘을 쏟아야 한다. 즉, 유럽에서는 이미 바닥 난방 설비의 독자적인 기준을 만들고 있으며, 서양에서도 지금 한창 생태 환경을 고려한 바닥 난방에 대하여 연구하고 있다고 하니, 바닥 난방의 근원이 한국의 온돌임을 정확히 알리고 온돌의 현대화와 산업화를 서둘러야 한다. (라) 그렇지 않으면 한국 태생인 온돌의 정체성이 사라져 버릴 위험에 처할 것이다.

온돌은 2천 년 이상 유일하게 한국 민족만이 사용해 왔던 한국 고유의 문화였으나, 최근 10여 년 사이에 전 세계 각국으로 급속이 전파되고 있다. 그러므로 한국은 온돌의 경제적, 위생적, 건강학적인 장점을 계승하고 개발하여 종주국으로서의 권리와 역할을 지켜야 할 것이다.

1) 위 글에서 결론임을 암시하는 부분은 어느 곳입니까? (　　　)

❶ (가)　❷ (나)　❸ (다)　❹ (라)

2) 위 글에서 서론과 본론의 내용을 요약하는 부분은 어느 곳입니까? (　　　)

❶ (가)　❷ (나)　❸ (다)　❹ (라)

3) 다음 표는 논술문의 결론에서 다루어지는 내용입니다. 각 기능이 나타난 부분과 표현을 찾아 쓰십시오.

기능	단락	문장
결론 암시하기	(가)	
요약하기		
제안하기		세계적이고 현대적인 온돌을 개발하려는 연구에 힘을 쏟아야 한다. 온돌의 현대화와 산업화를 서둘러야 한다.
전망하기		

02 〈한국인의 식생활——김치〉에 대하여 논술문을 쓰려고 합니다. 다음 표에 메모하면서 결론의 내용을 생각해 보십시오.

기능	문장
결론 암시하기	
요약하기	
제안하기	
전망하기	

03 위의 표를 바탕으로 논술문의 결론을 써 봅시다.

03 정리해 봅시다

I. 어휘

01 빈칸에 어울리는 단어를 찾아 쓰십시오.

탁해지다　경이롭다　소재　기증하다　안쓰럽다　흔하다
장치　형태　마다하다　되돌아보다　덕목

대가족 핵가족 동거가족 공동체가족	만화, 동화 실화 미래 사회 역사	자동차 에어백 안전벨트 놀이공원 안전바	학생들에 대한 사랑 지식에 대한 열정
[보기] 가족의 (형태)	영화의 (　　)	안전 (　　)	교사의 (　　)

• 죽은 나무에서 꽃이 피다니 정말 신기하다. • 이런 높은 탑을 사람이 세웠다니 정말 놀랍다.	• 구걸하는 어린 아이가 불쌍하다. • 아르바이트를 하면서 공부하느라고 늘 피곤해하는 친구가 가엽다.	• 전 재산을 대학교에 주다. • 장기를 환자에게 주다. • 쓰지 않는 물건을 바자회에 내놓다.	• 아이들끼리 놀다가 싸우는 일은 보통 있는 일이다. • 봄에는 어디에서나 진달래꽃을 쉽게 볼 수 있다.
[보기] 경이롭다			

02 다음 그림을 보고 빈칸에 〈보기〉와 같이 단어를 쓰십시오.

윗목　　아랫목　　아궁이　　처마　　굴뚝

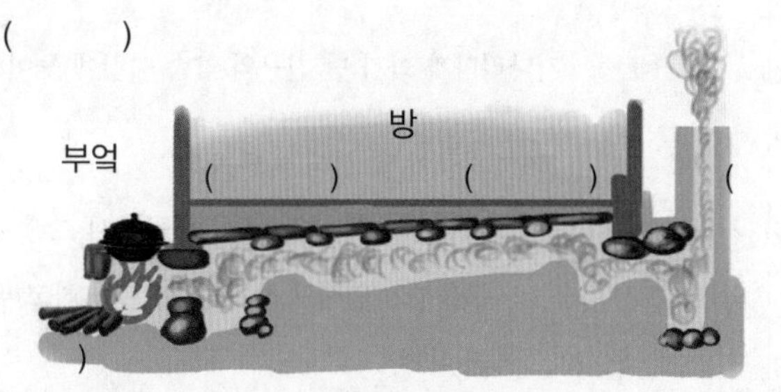

온돌의 구조

03 다음 이야기의 내용과 관계있는 단어를 찾아 쓰십시오.

충	효부	효녀	불교	불효자
수발하다	장유유서	공경하다	효도하다	조상 숭배

내 친구 정희는 그야말로 천사다. 길을 걸을 때 땅바닥의 개미나 지렁이도 함부로 밟거나 죽이지 않는다. 그리고 학교 [보기] 선배를 만나면 깍듯이 인사하고 음료수를 마실 때조차도 항상 선배를 먼저 챙겨 드린다. 또한 ❶어머니를 아주 극진히 모시는 소문난 딸이기도 하다. 오랜 병으로 누워 계신 어머니를 ❷날마다 씻겨 드리고 밥도 먹여 드린다. 물론 친할아버지 할머니를 대하듯❸이웃 어른들께도 항상 예의바르게 행동하고 잘 모셔서 칭찬이 자자하다. 그런 정희의 모습을 보면 나는 정말 ❹부모님 속만 썩여 드린 철없는 자식이라는 생각이 든다. 일찍 아버지를 여읜 정희는 날마다 말한다. 살아 계실 때 ❺부모님을 잘 모시라고, 해 드릴 수 있는 일을 하나라도 더 해 드리라고, 부모님은 기다려 주지 않으신다고…….	[보기] 장유유서 ❶ ____ ❷ ____ ❸ ____ ❹ ____ ❺ ____

II. 문법

다음의 문법을 이용하여 보기와 같이 주어진 상황에 맞게 대화를 만드십시오.

–다 못해　　–기에 망정이지　　–는 둥 마는 둥 하다　　–던 차이다

[보기] 기다리다가 화가 난 친구와 약속 시간에 늦어서 미안해하는 친구의 대화

가 : 지금이 몇 신데 이제 오니?

나 : 정말 미안해. 수업이 늦게 끝나서 그랬어. 마음이 급해서 수업도 듣는 둥 마는 둥 하고 친구들하고 인사도 하는 둥 마는 둥 하고 뛰어나왔는데도 이렇게 늦었네. 대신 내가 맛있는 거 살게.

가 : 당연하지. 지금 막 기다리다 못해 집에 가려던 차였으니까. 내가 워낙 참을성이 많기에 망정이지 다른 사람 같으면 아까 갔을 거다. 우리 뭐 먹으러 갈까?

01 회사에 사표를 내고 나온 친구와 그를 격려하는 사람의 대화

02 학교에서 갑작스런 시험을 보고 나온 두 친구의 대화

03 옆집 사람에 대해 각각 불평하는 두 사람의 대화

04 아르바이트를 찾고 있는 사람과 자신의 아르바이트 자리를 소개해 주는 친구의 대화

Ⅲ. 과제

다음은 유교 사상과 관련된 주장하는 글입니다. 다음을 읽고 여러분의 생각을 이야기해 보십시오.

어른을 공경하는 것은 젊은 사람으로서 당연한 일이고 아름다운 일이다. 노인을 우대하고 자신보다 연장자를 먼저 생각하는 정신은 효 사상의 연장으로 생각할 수 있다. 더구나 지금의 노장년층은 한두 세대 전에 나라를 위해 일해 왔고 오늘날의 우리를 있게 해 준 주역임을 명심한다면 그들을 받들고 모셔야 함은 말할 필요가 없다. 지하철이나 버스에서 노인들에게 무조건 자리를 양보하는 것은 장유유서나 경로 사상의 가장 기본적이고 당연한 의무라고 생각한다.

[보기] 지하철에서 경로석에 젊은 사람이 앉았다가 주변 사람들이나 노인에게 꾸지람을 듣거나 자리를 양보하기 싫어서 자는 척하다가 자기가 내릴 정류장이 되면 눈을 뜨고 내리는 젊은 사람들의 모습을 많이 보게 됩니다. 그런 모습을 보면 양보를 하는 것이 연장자를 위하는 순수한 마음이 있어서가 아니라 노인들에게 자리를 양보해야 한다는 강박 관념이 있기 때문에 양보를 하는 것 같습니다. 그리고 양보를 안 하는 젊은이에게 무조건 호통을 치거나 욕을 하는 노인들을 보면 양보 정신이 없는 젊은이들보다 더 도덕이나 예의가 부족한 것 같습니다.

01

부모와 자식의 관계를 친(親 : 친함)으로 규정한 '부자유친'은 '사랑'을 주고받는 관계이다. 부모가 자식을 사랑하는 형태는 자애로움으로 나타나고, 자식이 부모를 사랑하는 마음의 표현은 효도로 표현된다. 따라서 아버지는 자식을 위해서 허물을 숨겨 주고, 자식은 아버지를 위해서 허물을 덮어 주어야 한다. 즉, 서로의 잘못을 감싸 주고 좋은 일을 행하도록 인도하는 것이지, 법을 어겼다고 아버지가 자식을 고발하거나 자식이 아버지를 고발해서는 안 된다.

(의견)

02

'조상 숭배'를 주검을 숭배한다고 생각하는데 이는 잘못된 생각이다. 조상은 자기의 존재를 있게 해 준 사람이다. 집안에서 제사 지낼 때 고조부모, 증조부모, 조부모, 부모 등 4대를 제사 지내는 것은 자기가 볼 수 있는 조상을 의미한다. 그래서 제사는 효도의 연장이지 주검을 숭배하는 의식이 아니다. 명절 때 차례를 지내고, 조상의 묘소에 가서 절을 할 때 우리는 여러 가지 감정을 느끼게 될 것이다. 조상을 자주 찾아보지 못해서 미안한 마음도 들고, 삶과 죽음에 대해서 생각해 보는 시간을 갖게 되어 스스로 겸손한 자세를 갖추기도 한다.

(의견)

문화

한국인의 종교

최근 한국 통계청이 발간한 〈사회통계조사 보고서〉에 따르면 15세 이상 인구 3,590여 만명 가운데 불교 인구는 26.3%, 개신교는 18.5%, 천주교는 7.1%로 나타났다. 이 밖에 유교는 0.7%, 원불교 0.2%, 천도교 0.1% 순이었다.

한국에서 불교는 대략 4세기경인 삼국시대에 전래되어 나라의 종교가 되면서 널리 퍼졌고 고려시대에 와서는 팔관회, 연등회와 같은 대행사가 거행되면서 번성했다. 당시 불교는 호국적인 성격이 강하였으며 법회를 통해 내란과 외환 등의 악운을 물리치고 왕실과 국가의 안전과 평화 유지를 기원하였다. 또한 죽은 이의 명복을 빌거나 토속신을 섬기는 의식도 함께 행해졌는데 이러한 호국 불교의 이념이 가장 강하게 나타난 것은 신라시대의 승려인 원광이 만든 세속오계(世俗五戒)이다. 세속오계는 '나라에 충성하고(사군이충 事君以忠) 부모님께 효도하고(사친이효 事親以孝) 믿음으로 벗을 사귀고(교우이신 交友以信) 싸움에 나가서는 물러서지 않으며(임전무퇴 臨戰無退), 살아 있는 것을 함부로 죽이지 않는다(살생유택 殺生有擇).'는 내용을 담고 있다.

한국의 기독교는 18세기경 중국을 방문한 유학자들이 유럽에서 온 선교사들로부터 천주교 관련 서적을 전해 받아서 서학(西學:서양 학문이란 뜻)이라는 이름의 학문으로 소개하면서 전파되었다. 그 후 학자들은 점차 천주교의 종교적 진리를 깨닫게 되어, 이를 신앙으로 받아들이려는 움직임이 뚜렷해졌다. 초기에는 천주교 신자들이 비밀 집회를 갖고 조상의 제사를 무시한다는 이유로 많은 교인들이 신앙의 박해를 받고 순교하였다. 그러나 천주교의 남녀평등 사상과 내세사상은 사회적 약자들에게 현실의 고통에 대한 위안을 주었고 사회 개혁의 의지를 심어 주어 사회에서 멸시 당하는 천민과 상민, 그리고 중인들과 권력에서 밀려난 양반들, 여인들을 중심으로 교세를 확장하였다.

개신교는 19세기 초 미국의 선교사들에 의해 전해졌다. 그 당시 한국은 주변의 여러 열강에 의해 압력을 받고 있었으며 나라 안에서는 부정과 부패 정치로 정부가 약해져 있는 상황이었다. 따라서 이 시기에 전파된 개신교의 개혁 의지는 서민들에게 희망과 용기를 주는 힘으로 작용하였다. 개신교 선교사들은 교육사업 · 의료사업 · 사회사업 등을 통하여 사회 개선에 노력하였으며 일제 강점기에는 한국 국민의 자주정신을 고취하여 독립운동에도 기여하였다. 그 후 6 · 25전쟁 등을 겪으면서 한국의 기독교는 역사상 보기 드문 발전을 하였고 현재에도 세계 곳곳에 선교사를 보내는 등 활발한 활동을 하고 있다.

1. 인간에게 종교는 어떤 역할을 한다고 생각합니까?

2. 여러분 나라에는 어떤 종교가 있으며 사람들에게 어떤 영향을 주었는지 이야기해 봅시다.

문법 설명

01 -다 못해

형용사의 경우 상태의 정도가 지나쳐서 그 이상의 극단적 상태에까지 이르렀음을 의미하며 동사의 경우 한계에 이르러 더 이상 그 동작의 상태를 유지할 수 없음을 의미한다.

- 아이가 대학에 합격하니 기쁘다 못해 눈물이 난다.
- 배가 부르다 못해 터질 것만 같다.
- 그녀의 미모는 아름답다 못해 눈이 부시다.
- 상사의 부당한 요구를 견디다 못해 사내 고충위원회에 진정을 했다.

02 -기에 망정이지

당황스럽고 난처한 일이 생겼지만 우연히 벌어진 다행스러운 상황 덕분에 큰 문제 없이 그 상황에서 빠져 나왔음을 의미한다.

- (열쇠를 잃어버렸다) 비상열쇠가 있기에/있었기에 망정이지 집에 못 들어갈 뻔했다.
- (연설 도중에 마이크가 고장이 났다) 내 목소리가 크기에/컸기에 망정이지 뒷자리에 있는 사람들은 하나도 못 들을 뻔했다.
- (오후가 되면서 갑자기 날씨가 추워졌다) 아침에 옷을 두껍게 입고 나왔기에 망정이지 얼어 죽을 뻔했다.
- (회의 준비를 깜빡 잊고 안 했다) 회의가 취소됐기에 망정이지 큰일날 뻔했다.

03 -는 둥 마는 둥 하다

무슨 일을 하는 듯도 하고 하지 않는 듯도 함을 나타낸다.

- 걱정이 있어서 밥도 먹는 둥 마는 둥 했다.
- 좋아하는 프로그램이 시작돼서 엄마한테 인사를 하는 둥 마는 둥 하고 방으로 뛰어들어 갔다.

- 어젯밤에 자는 둥 마는 둥 했더니 피로가 안 풀려서 몸이 힘들다.
- 여자 친구와 헤어져서 요즘 수업도 듣는 둥 마는 둥 하고 밥도 먹는 둥 마는 둥 하며 지낸다.

04 -던 차이다

마침 어떠한 일을 하던 기회나 순간임을 나타낸다.

- 아르바이트를 찾던 차에 마침 영수가 좋은 자리를 소개해 주었다.
- 잠이 막 들려던 차에 전화가 왔다.
- 너를 만나러 가려던 차였는데 마침 잘 왔구나.
- 어떤 옷을 입고 갈까 고민하던 차였는데 옷장에 걸려 있는 언니의 옷이 눈에 띄어 허락 없이 입어 버렸다.

제9과 미래 사회

01

제목 | 자동화 사회
과제 | 자동화된 사회에 대해서 전망하기
정보 전달하기
어휘 | 자동화
문법 | -기 나름이다, -는다손 치더라도

02

제목 | 미래형 인간
과제 | 미래 사회에 대해서 의견 나누기
예측하기
어휘 | 미래형 인간
문법 | -는 한이 있더라도, 은 고사하고

03

정리해 봅시다

문화
지난 20년 간 사라진 것

01 자동화 사회

학습 목표 ● 과제 자동화된 사회에 대해서 전망하기, 정보 전달하기
● 문법 -기 나름이다, -는다손 치더라도 ● 어휘 자동화

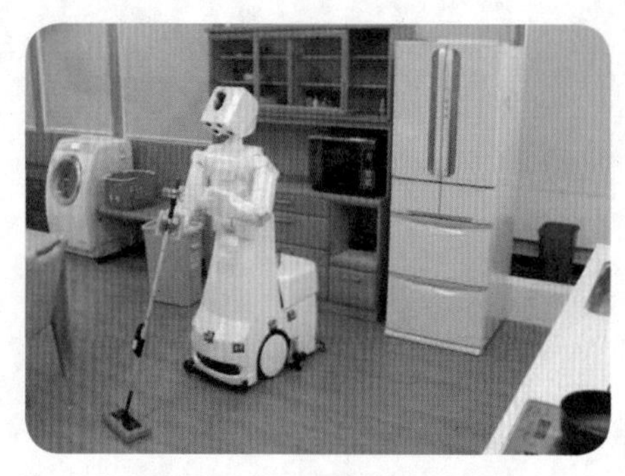

위 사진의 로봇들은 어떤 일을 수행하고 있습니까?
여러분이 알고 있는 로봇에는 어떤 것이 있습니까?

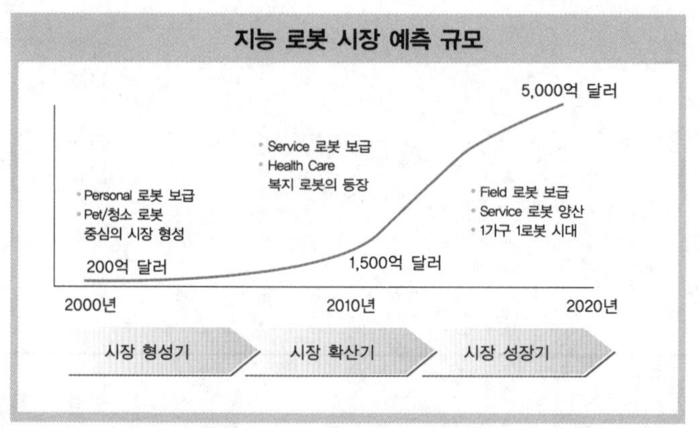

(출처 : 김병수, 가정용 로봇 산업 현황)

위 도표는 로봇 시장의 현황과 예측입니다.

1) 이 도표에서 알 수 있는 내용은 무엇입니까?

2) 사회의 변화에 따라 다양한 기능의 로봇이 필요합니다. 여러분은 앞으로 어떤 로봇이 필요하다고 생각합니까?

사회의 변화	로봇의 기능
노인 인구의 증가	
여성의 사회 진출 확대	가사 노동, 육아 기능을 담당하는 로봇
독신자의 증가	

대화

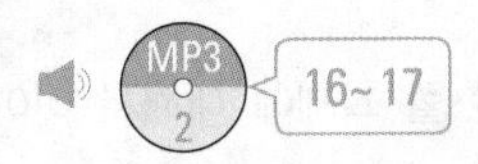

알렉스 이번에 과학기술원에서 기술 개발에 성공한 수술 보조 로봇에 대한 기사 봤어? 반응이 굉장하던데.

영수 어제 뉴스에서 봤어. 지금까지는 수술 위치를 정해 주거나 수술 시 절개 부위를 잡아 주는 등 한정된 역할만 할 수 있었는데 이번에 개발된 로봇은 직접 수술을 도와준다고 하니 대단하지.

알렉스 3차원의 입체영상을 통해 원격으로 수술을 집도하게 되니까 의사의 손떨림도 방지할 수 있고 미세한 봉합에 아주 적절하게 활용할 수 있다고 해.

영수 기사 내용을 보니까 앞으로는 수술 보조만 하는 게 아니라 직접 수술을 집도하는 수술 로봇을 개발할 계획이라더군. 하긴 옛날에는 사람의 손을 거쳐야만 했던 많은 일들이 거의 자동화되었으니 그게 먼 세상 얘기도 아니지 뭐.

알렉스 맞아. 지난주에 의료기기 전시회에 갔다왔는데 모든 기계가 인공지능으로 만들어져서 사람들이 직접 조절하거나 관리할 필요가 없더라.

영수 첨단 과학 기술의 발달로 모든 것이 다 자동화된다면 우리들은 뭘 해야 하나? 이러다가 로봇이나 기계가 사람의 자리를 대신하게 되어 인간의 존재 가치가 위협을 받게 되지는 않을까 걱정이야.

알렉스 그건 기술을 활용하기 나름이라고 생각해. 인간과 로봇이 공존할 수 있는 세상을 구현하도록 지혜를 모은다면 다양한 용도의 로봇을 이용해 편리한 생활을 즐길 수 있을 거야.

영수 아무리 인간 친화적인 로봇을 개발한다손 치더라도 자동화로 인한 부작용은 없앨 수 없을 거야.

01 알렉스와 영수가 공통적으로 느낀 점은 무엇입니까?

❶ 로봇의 판매 전략 ❷ 로봇의 활용
❸ 미래의 로봇 ❹ 인간과 로봇의 공존

02 위 대화에서 말한 자동화의 예로는 무엇이 있습니까?

반응 反应 **절개** 切开，剖开 **한정되다** 限于 **입체영상** 3D立体影像 **원격** 远程
집도하다 执刀，主刀 **미세하다** 微细，细小 **봉합** 缝合 **보조** 辅助，帮助 **거치다** 经手，动手
위협 威胁，威逼 **공존하다** 共存，共处 **구현하다** 实现 **용도** 用途 **친화적이다** 合得来

03 위의 대화를 이어서 기술 발달로 인한 부작용과 우리가 해결해야 할 과제에 대해서 이야기해 봅시다.

[보기] 통신 기술의 발달로 직접 만날 일도 줄어들고 끈끈한 인간미도 없어지면서 인간관계가 약화되고 있습니다. 온라인 상에서 형성된 관계를 오프라인으로 연계하는 작업이 중요하다고 생각합니다. 예를 들어 취미를 통해 형성된 관계라면 온라인으로 정보를 공유하고 오프라인으로는 전시회나 대회 등을 만들어 직접 참여하게 하는 것입니다. 이렇게 되면 자동화 속에서 소원해질 수 있는 인간관계가 친밀해질 수 있습니다.

어휘 자동화

01 다음의 표현들을 익히고 질문에 대답하십시오.

(가)	(나)
문서 처리	경비 절감
정보 유통	보안 강화
전자 결제	사무 업무의 효율화
원격 제어	정보 공유
자동 감지	능률 향상
전자 상거래	품질 향상

1) (가)에서 알맞은 표현을 찾아 빈칸을 채우십시오.

기능 설명	표현
인터넷을 통해 물건을 사고 판다	전자 상거래
집 안의 가전제품, 조명기기, 음향기기 등을 전화로 켜고 끈다	
물건을 구매한 후 대금을 온라인으로 지불한다	
가스 누출이나 화재, 도난 시에 경고음이 울린다	
필요한 자료를 도서관에 가지 않고 인터넷을 통해 찾는다	
각종 자료나 서류 등을 컴퓨터로 작성, 저장한다	

2) (나)의 표현을 이용하여 다음 빈칸을 채우십시오.

컴퓨터와 통신 기술의 획기적인 발전에 따라 자동화시스템은 더욱 발전하는 추세이다. 가정에서도 도난 시에 경보음을 울려 주는 자동 감지 기능을 통하여 ( )의 효과를 거두고 있다. 사무실에서도 사무 자동화를 통해 신속한 정보 수집, 사무 업무의 ( ) 및 내용의 질적인 향상을 도모할 수 있게 되었다. 또한 공장에서도 컴퓨터를 이용하여 사람들이 하던 일을 자동으로 처리하게 함으로써 사람의 개입을 최소화시켜 ( )의 효과를 가져 올 수 있다.

02 위의 표현을 이용하여 자동화 사회에 대해 이야기해 보십시오.

[보기] 현대 사회는 많은 부분이 자동화되어 사람들의 생활이 편리해졌습니다. 집안에서 금융 업무를 보거나 전자 상거래를 통해 집에서 물건을 주문하고 결제할 수 있게 되었습니다. 뿐만 아니라 최근에는 컴퓨터나 복잡한 기계 조작에 익숙하지 않은 사람들을 위해서 간편한 제품들도 많이 출시되고 있어 자동화 제품을 선호하고 이를 사용하는 인구는 점차 늘어날 거라고 생각합니다.

문서 처리 处理文件 **정보 유통** 信息流通 **전자 결제** 电子结算 **원격 제어** 远程控制 **자동 감지** 自动检测
전자 상거래 电子商务 **경비 절감** 节俭经费 **보안 강화** 强化治安 **사업 업무의 효율화** 提高工作效率
정보 공유 信息共有 **능률 향상** 提高工作效率 **품질 향상** 提高质量

문법

01 다음을 읽고 문법 및 표현을 익혀 봅시다.

안녕하세요? 오늘 저희 홈쇼핑에서 소개할 상품은 전자 의류입니다. 여러분이 원하는 적정 온도를 설정해 주시면 옷 안에 들어 있는 열선을 통하여 온도가 자동으로 조절됩니다. 비용이 좀 비싸다고요? 그것은 **생각하기 나름입니다.** 구입 비용은 다소 **부담스럽다손 치더라도** 한 벌 구입하시게 되면 사계절 모두 입을 수 있기 때문에 오히려 경제적입니다. 이젠 무겁고 착용감이 불편한 옷은 필요 없게 될 것입니다.

-기 나름이다

1) 다음 대화를 보기와 같이 완성하십시오.

[보기] 가 : 지금 시작하기에는 좀 늦지 않았어요? 제가 따라갈 수 있을지 걱정이에요.
나 : 그거야 자기가 하기 나름이지. 늦었다고 생각할 때가 가장 빠를 때니까 열심히 해 봐.

① 가 : 이 제품의 수명은 어느 정도인가요?
나 : .... 어떻게 사용하느냐에 따라 수명이 결정되는 거지요.

② 가 : 교육을 어떻게 시켰길래 저렇게 반듯하게 잘 자랐을까?
나 : .... 부모의 교육 방법이 아이들에게 큰 영향을 미친다고 봐.

③ 가 : 난 언제쯤 김 사장님처럼 경제적인 여유 속에서 행복을 누리며 살 수 있을까?
나 : .... 행복은 멀리 있지 않아. 네 마음 속에 있어.

④ 가 : 이번 시험에 제가 합격할 수 있을까요?
나 : .... 성실하게 준비한다면 시험에 붙을 거야.

-는다손/다손 치더라도

2) 다음을 연결하여 보기와 같이 이야기해 봅시다.

신제품 개발에 성공한다 •	• 비용이 너무 많이 들면 아무도 구입하지 않을 거다
전력상으로는 이길 가능성이 전혀 없다 •	• 못 오면 연락을 해야 한다
회사일로 바쁘다 •	• 영원히 안 보고 살 수는 없다
물건이 잘 팔리지 않는다 •	• 시합을 포기할 수는 없다
부모님과의 갈등이 있다 •	• 당장 장사를 그만둘 수는 없다

[보기] 아무리 신제품 개발에 성공한다손 치더라도 비용이 그렇게 많이 들면 아무도 구입하지 않을 거예요.

02 위의 표현을 이용하여 여러분이 가지고 있는 물건에 대해서 이야기해 봅시다.

[보기] 제가 가장 아끼는 물건 중의 하나는 휴대용 게임기입니다. 요즘 청소년들의 게임 중독에 대한 기사가 가끔 실리기도 하지만 전 게임이 무조건 나쁘다고 생각하지 않습니다. 게임은 본인이 활용하기 나름입니다. 다소 부작용이 염려된다손 치더라도 많은 장점을 활용할 수 있다면 우리에게 약이 될 것입니다.

기술의 진화는 어디가 끝일까요?

불과 몇 년 전만 해도 상상 속에서만 가능했던 많은 일들이 실현되었습니다. 가정과 사무실, 공장에서 자동화시스템을 도입하여 업무의 효율성과 생활의 질적인 향상을 가져왔습니다. 여기에서는 첨단 과학 기술의 발전이 우리의 생활에 어떤 편리함을 가져다 주었는지 구체적으로 살펴보고자 합니다.

첫째, 가정 자동화입니다. 가정 자동화란 집에 있지 않아도 집안에 있는 모든 가전제품이나 기기 등을 전화로 작동할 수 있게 해 주는 시스템을 말합니다. 일일이 사람의 손을 거쳐야 했던 일들을 이제는 기계가 대신합니다. 아파트에 들어설 때 입구에 부착되어 있는 홍채 인식 시스템을 지나가면 그 사람의 신상 파악에 필요한 정보가 입력됩니다. 신분이 불확실한 경우 자동으로 경비실에 연결이 되어 출입이 차단됩니다. 그 뿐만이 아닙니다. 퇴근하기 전에 원격 제어 기능을 통해 거주자의 취향에 맞게 집안의 온도, 습도, 조명 등을 맞춰 놓을 수 있습니다. 가사 노동에서도 해방됩니다. 가사 도우미 로봇이 냉장고가 제공하는 요리 재료와 요리 방법을 참고하여 하루 칼로리 섭취량과 선호 음식 등을 고려한 식단을 제공합니다.

둘째, 사무 자동화 부분입니다. 사무 자동화란 사무실에서 행해지는 업무를 자동화시키는 것을 의미합니다. 업무 처리의 자동화를 통해 날마다 교통 전쟁을 치르며 출근할 필요 없이 대부분의 일은 재택근무를 통해 해결합니다. 결재 서류도 직접 만나서 전달하지 않고 인터넷을 통해 주고 받기 때문에 시간이 크게 단축됩니다. 외국이나 지방에 있는 사람들과 회의를 하기 위해 시간을 투자해 이동할 필요도 없습니다. 정해진 회의 시간에 각자의 책상에 앉아 컴퓨터만 켜면 화상회의가 이루어질 수 있기 때문입니다.

셋째, 의료 자동화입니다. 지금까지는 찾아온 환자가 어떤 상태인지에 대해서 의사가 미리 알지 못하므로 진단과 치료가 지연되기 일쑤였습니다. 또한 환자들은 자신이 먹는 약이 무슨 성분인지도 모르는 채 약을 복용하며 자신의 체질과 과거 병력, 가족력은 고려되지 않은 처방을 받았습니다. 하지만 의료 기술의 발달로 자신의 몸속에 들어 있는 칩을 통해 본인의 건강을 실시간으로 확인할 수 있습니다. 이상이 생겼을 경우에는 자동으로 주치의에게 연락이 되어 환자의 모든 상태가 고려된 처방이 내려집니다. 수술 시에도 의사의 시간에 맞출 필요 없이 담당 로봇이 수술을 집도하게 됩니다.

01 위 글은 무엇에 대한 글입니까?

02 글의 내용에 맞게 빈칸을 채우십시오.

〈가정 자동화〉

보안 시설	홍채 인식 시스템으로 신분 확인
주거 환경	
가사 노동	

〈사무 자동화〉

근무	재택근무 가능
결재	
회의	

〈의료 자동화〉

진찰	
처방	
수술	로봇이 진찰, 수술 등 직접적인 의료 행위를 담당

03 다음은 우리가 생활 속에서 늘 사용하는 제품들입니다. 미래에는 어떤 기능들이 더 제공될지 이야기해 봅시다.

	휴대전화	컴퓨터	텔레비전	신분증
현재의 기능	전화기, 사진기	정보 검색, 통신	시청각 자료 제공	신분 증명서
미래의 기능				

과제 2 정보 전달하기  18

기능 표현 익히기

- 기존의 제품과는 달리 본 신상품은 전력 소모를 최소화했**다는 것이 가장 큰 특징입니다.**
- 지금까지의 휴대전화가 젊은 층을 주 대상으로 개발된 것**인 반면에** 이번 제품은 전 연령층에서 다양하게 사용될 수 있도록 고안된 것입니다.
- 교내에서의 휴대전화 사용의 문제는 교사의 입장, 학생의 입장 등 다양한 부분에서 요구 조사가 이루어져야 한**다고 봅니다.**
- 로봇의 편리함은 다양하게 분석하여 발표되고 있지만 가격 경쟁력 부분은 기존의 기술로 해결하**기에는 어려운 점이 많습니다.**
- 따라서 저희 회사에서는 소비자들의 가격에 대한 부담을 줄여 드리**고자** 필수적인 기능만을 담은 일반형 모델을 출시하게 되었습니다.

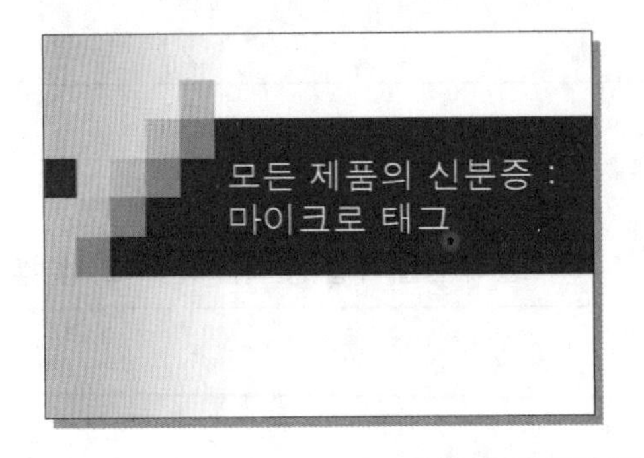

개발 배경

1)판매자의 불편:
재고 관리의 문제

2)구매자의 불편:
고가품의 도난, 분실

장점

1)재고 관리의 효율성 : 판매 증진

2)개개 품목 추적 가능 : 도난 방지

3)계산의 용이함 : 쇼핑의 편리 추구

01 마이크로 태그란 어떤 제품입니까?

02 마이크로 태그의 장점에 대해 이야기해 봅시다.

03 다음은 제품에 대한 간단한 설명입니다. 구체적으로 정보를 전달해 봅시다.

제품명	개발 배경	장점
엠피스리(MP3)	① 시디(CD)나 카세트는 기계가 필요하므로 들을 수 있는 장소의 제약이 있다. ② 시디(CD)나 카세트의 구입 비용이 많이 들며 보관도 불편하다.	① 인터넷에서 다운로드 받은 음악 파일을 휴대하고 다니면서 언제든지 들을 수 있다. ② 좋아하는 곡을 선별할 수 있다. ③ 비용을 절약할 수 있다.
전자 서적	① 책의 부피 때문에 보관할 장소가 필요하다. ② 들고 다니기가 불편하다.	① 원하는 책의 칩만 사면 다양한 책을 볼 수 있다. ② 휴대와 보관이 용이하다.
스마트 카드	① 신분증, 각종 신용카드를 여러 개 보유하는 것이 불편하다. ② 사이버 공간에서 신용카드 결제에 각종 정보를 입력해야 하므로 불편하다.	① 신분증 기능과 다양한 결제 기능을 가지고 있다. ② 사이버 공간에서 결제 시 단일 패스워드만 입력하면 된다.

04 여러분은 미래에 어떤 제품이 개발되리라고 생각하십니까? 우리의 생활을 편리하게 해 주는 상품을 구상하고 그 특성이나 기능을 구체적으로 설명해 봅시다.

02 미래형 인간

학습 목표 ● 과제 미래 사회에 대해서 의견 나누기, 예측하기
● 문법 -는 한이 있더라도, 은 고사하고 ● 어휘 미래형 인간

미래 사회는 어떤 사람을 원할까요?
여러분들은 여러분의 미래를 위해 어떤 준비를 하고 있습니까?

미래 사회에서 필요한 습관
1. 주도적이 되어라.
2. 목표를 먼저 세우고 행동하라.
3. 중요한 것부터 먼저 하라.
4. 윈-윈(win-win) 전략을 추구하라.
5. 남의 말을 먼저 듣고 이해한 후 그 다음에 남을 이해시켜라.
6. 시너지를 활용하라.
7. 심신을 단련하라.
8. 네 목소리를 찾아라. 그리고 다른 사람들도 자신의 목소리를 찾도록 영감을 줘라.

위의 표는 미래 사회에서 필요한 8가지 습관입니다.

1) 각각의 의미가 무엇인지 생각해 봅시다.

2) 여러분은 이 중에서 어떤 습관을 갖고 계십니까? 미래 사회에서 필요한 9번째 습관은 무엇이라고 생각하십니까?

대화

부장 김 과장이 이번에 세무사 시험에 합격했다면서? 새벽에 학원에 다니느라고 1년 넘게 고생하더니 보람이 있네.

민철 요즘은 퇴근하고 학원에 다니는 사람들이 많아졌어요. 우리 사회도 경력개발이니 평생 학습이니 하는 것들이 생활화되었나 봐요.

부장 그럼. 끊임없이 자신을 개발하지 않으면 한 순간에 도태되고 말아. 자신의 개인 생활을 포기하는 한이 있더라도 장래에 필요한 기술과 능력을 미리 준비하고 대비해야 성공할 수 있는 사회지.

민철 취업 경쟁을 뚫고 이제야 겨우 직장일에 익숙해져 가고 있는데 또 다시 새로운 것을 준비해야 되다니. 이 사회가 우리에게 너무 많은 걸 요구하는 것 같아요.

부장 정 대리도 확실한 미래를 잡으려거든 지금의 회사 생활에 안주하지 말고 필요한 자격증이라도 따는 공부를 시작해 보지 그래? 전공이 경제학이니 회계사 공부도 좋을 것 같은데.

민철 전 지금 공부는 고사하고 제가 맡은 일만으로도 벅찬걸요. 미래 사회는 폭넓은 지식을 갖춘 전문가를 필요로 한다지만 누구나 다 그렇게 될 수는 없잖아요? 오히려 그런 시대의 흐름에 너무 억지로 맞추려다 보니 한 우물을 파는 사람이 적어지는 단점도 있는 것 같아요.

부장 그렇지만 평생직장의 개념이 사라진 현대 사회에서 주어진 일에만 충실하다가는 살아남기 힘들지 않을까? 미래가 원하는 인재형이 그런 거라면 우리도 시대의 변화에 따르는 게 옳다고 보는데.

민철 물론 그런 점도 있지요. 하지만 묵묵히 자신의 일을 처리해 나가는 사람도 이 사회에 꼭 존재해야 된다고 생각해요.

01 위 글에서 말하는 변하는 인재형에 대해 정리해 봅시다.

02 위의 두 사람은 현대 사회가 요구하는 인재형에 대한 입장의 차이를 보이고 있습니다. 입장이 어떻게 다른지 이야기해 봅시다.

도태되다 淘汰 **대비하다** 预备，应对 **요구하다** 要求 **안주하다** 不思进取，安于现状
회계사 注册会计师 **벅차다** 吃力，费劲 **억지로** 勉强，硬是 **충실하다** 忠于 **묵묵히** 默默无闻地

03 바람직한 미래형 인간의 모습에 대한 여러분의 생각을 이야기해 봅시다.

[보기] 인터넷이 전 세계 공통의 도서관 역할을 하는 요즘 세상에서 전문 지식의 의미는 그다지 크지 않다고 생각합니다. 원하는 고급 지식을 언제 어디서나 바로 인터넷으로 연결하여 얻어낼 수 있는 세계에서 개인의 경쟁력은 새로운 것을 창조해내는 창의력에 있다고 생각합니다. 따라서 미래형 인간의 바람직한 모습은 변화하는 사회에 대처할 수 있는 문제 해결 능력을 갖춘 창의적인 인간이라고 생각합니다.

어휘 미래형 인간

01 다음 표현을 익히고 질문에 대답하십시오.

(가)	(나)
두뇌 전쟁 원격 학습 생명공학 극미세기술(나노기술) 대체 에너지 유비쿼터스 인간 소외 물질 만능	전문 지식 폭넓은 교양 국제 감각 외국어 구사 능력 진취적이며 긍정적 사고 유연성 창의력 인간미 올바른 가치관

1) (가)에서 알맞은 표현을 찾아 빈칸을 채우십시오.

컴퓨터 화면을 통해 미국인 영어 강사에게서 영어를 배운다	
돈만 있으면 무엇이든지 이룰 수 있다고 생각한다	
심장에 문제가 생겨 바이오 심장을 이식해 건강하게 생활하고 있다	생명공학
석유대신 태양열 에너지나 원자력 에너지에 대한 연구가 한창이다	
생활은 아주 편리해졌지만 마음 맞는 사람이 없어 늘 외롭다	

2) (나)에서 알맞은 표현을 찾아 빈칸을 채우십시오.

이제 시대는 급변하고 있다. 한 우물만 파다가는 생존하기 어려울지도 모른다. 자신의 전공 분야에 대한 (　　　　　)은/는 물론이고 다양한 분야의 폭넓은 지식을 요구하는 사회이다. 학교에서도 공부벌레보다는 급변하는 사회에 대처할 수 있는 (　　　　　)과/와 자신만의 새로운 것을 만들어내는 (　　　　　)을/를 키워 주는 교육이 이루어져야 할 것이다.

02 위의 표현을 이용하여 미래 사회의 모습에 대해 이야기해 봅시다.

[보기] 미래에는 인간의 노동력이 거의 필요 없을 거라고 생각합니다. 생활 속의 대부분의 것들이 자동화될 테니까요. 유비쿼터스 시스템도 완벽하게 구축되어 장소에 관계없이 네트워크에 접속할 수 있게 되겠지요. 또한 생명공학의 발전으로 불치병, 난치병도 사라지게 될 것이며 인간의 평균 수명이 100세를 넘을 것이라고 생각합니다.

두뇌 전쟁 头脑风暴 **원격 학습** 远程学习 **생명공학** 生命工程 **극미세기술(나노기술)** 纳米技术 **대체 에너지** 替代能源 **유비쿼터스** 泛在网络 **인간 소외** 人与人关系的疏远 **물질 만능** 物质主义 **전문 지식** 专业知识 **폭넓은 교양** 深厚的涵养 **외국어 구사 능력** 外语应用能力 **진취적이며 긍정적 사고** 乐观进取主义 **유연성** 弹性，灵活性 **창의력** 创意 **인간미** 人情味 **올바른 가치관** 正确的价值观

문법

01 다음을 읽고 문법 및 표현을 익혀 봅시다.

미래 사회에는 다양한 능력을 지닌 인간만이 살아남을 수 있다고 한다. 사회적인 성공을 위해 자신의 모든 개인 생활을 포기해 가며 분주하게 뛰어다니는 동료들을 보면 '그들은 지금 행복한가?'라는 의문이 생긴다. 친구, 동료는 사라지고 경쟁자만이 존재하는 현실에서 인간적인 **정은 고사하고** 따뜻한 인사를 나누기도 힘들다. 조금 **처지는 한이 있더라도** 인간적인 정을 나누고 인간미를 느낄 수 있는 사회를 만들고 싶은 소망은 과연 나만의 것일까? 성공에 대한 강박 관념을 가지고 남보다 앞서려고만 하기보다 자신이 정말 행복하게 살고 있는지를 한 번쯤 생각해 보는 시간을 가졌으면 좋겠다.

-는 한이 있더라도

1) 다음 표를 완성하고 문장을 만드십시오.

예상되는 좋지 않은 결과	의지
[보기] 주식을 지금 팔면 투자 금액도 못 건질 것이다	오늘까지는 꼭 팔아야만 한다
이번 일이 잘못되면 회사를 그만둬야 할 것이다	
서류를 완벽하게 작성하려면 기한을 지키지 못할 것이다	
오늘까지 이 일을 끝내려면 밤을 새워야 할 것이다	
이렇게 훈련을 받다가는 쓰러질지도 모른다	
새로운 사업을 시작하려면 여가 활동은 포기해야 할 것이다	

[보기] 투자 금액을 못 건지는 한이 있더라도 오늘 안으로 꼭 팔아야 해요. 오늘까지 은행 빚을 갚지 못하면 집이 경매로 넘어간단 말이에요.

은/는 고사하고

2) 다음 표를 완성하고 문장을 만드십시오.

희망 사항	못마땅한 현실
[보기] 기본 예의는 지켰으면 좋겠다	이기적인 행동만 한다
상여금을 받고 싶다	
집에 에어컨이 있었으면 좋겠다	
종합병원에서 치료를 받고 싶다	
빌려 준 돈의 이자를 받았으면 좋겠다	
이번 인사 이동에서 승진이 되었으면 좋겠다	

[보기] 기본 예의는 고사하고 너무 이기적으로 행동해서 참기가 좀 힘들었어요.

02 위의 표현을 이용해서 여러분들의 강한 의지를 이야기해 봅시다.

[보기] 이번 프로젝트가 실패하면 승진은 고사하고 회사에서 쫓겨날지도 모른다. 그래도 내가 시작한 일인 만큼 내 자리를 내놓는 한이 있더라도 끝까지 밀고 나갈 생각이다.

과제 1 듣고 말하기 MP3 2 21

미래 사회에서 필요로 하는 인재의 요소입니다. 듣고 질문에 대답하십시오.

01 미래의 인재가 가져야 할 다섯 가지 요소는 무엇입니까?

02 T자형 인간이란 무엇입니까? 구체적으로 설명해 봅시다.

03 다음은 각 기업에서 제시한 인재상입니다. 여러분들이 생각하는 인재상에 대해 이야기해 봅시다.

회사명	삼성	엘지(LG)	에스케이(SK)	현대자동차
인재의 요소	세계 수준의 전문성, 도덕성, 리더십	전문성, 혁신적인 성향, 실행력	패기와 지식을 겸비한 사회적 기업인	창조하는 도전인, 학습하는 전문인, 봉사하는 사회인

04 위의 내용을 바탕으로 자신이 미래 사회에 꼭 필요한 인물이라는 것을 광고해 봅시다.

과제 2 예측하기

기능 표현 익히기

- 영어를 공용어로 사용하자는 영어 공용화를 시행하게 되면 단기적으로는 다음과 같은 결과가 나타**날 것으로 보입니다.**
- 분배 문제가 원활하게 해결되지 않으면 소득의 양극화**가 초래될 것입니다.**
- 주가의 변동은 **좀처럼 예측하기 힘든 문제라고 할 수 있습니다.**
- 지금은 모두들 현실성이 없다고 하지만 앞으로 몇 년 내에 실용화**될 것이라고 장담합니다.**
- 빠르게 급변하는 현대 사회에서 미래를 **내다볼 수 없다면** 성공의 가능성은 낮아질 것입니다.

다음은 빗나간 지난날의 예언들입니다. 읽고 질문에 대답하십시오.

01

인구 폭발(18세기 말 맬더스의 '인구론')

1950년대의 인구에 비해 1960년대에 40%의 인구 증가를 제시하면서 세계 인구가 증가해 결국 지구가 수용할 수 없게 될 것이라고 내다봤다. 하지만 인구는 크게 늘지 않고 오히려 현재는 한국을 비롯한 여러 나라들이 저출산 문제로 골머리를 앓고 있다.

1) 18세기 말에 맬더스가 인구의 폭발을 예측한 근거는 무엇입니까?

2) 앞으로 인간의 평균 수명은 어느 정도까지 연장되리라고 생각합니까?

3) 현재의 고령화나 저출산 문제는 어떻게 되리라고 생각합니까?

4) 미래에는 어떤 인구 문제가 발생할 수 있을까요?

02

지구의 냉각화

1940년부터 1970년에 이르기까지 지구의 온도가 지속적으로 떨어지는 것을 보고 뉴욕타임즈는 새로운 빙하시대가 올 거라는 기사를 실었다. 당시의 학자들은 온실가스가 햇빛을 차단해 냉각화를 일으키는 주범이라고 생각했으니 대단한 모순이라고 볼 수 있다. 뿐만 아니라 1975년 뉴스위크지는 '차가워지는 지구(The Cooling World)' 라는 제목 아래 지구의 기온이 점점 떨어져 곡식의 생산량이 감소하게 되어 결국은 온 인류가 기아에 허덕이게 될 것이라고 전망했다. 하지만 현재 지구는 냉각화와는 정 반대의 현상인 지구 온난화 문제가 심각한 실정이다.

1) 지구가 냉각화될 것이라고 예측한 근거는 무엇입니까?

2) 여러분은 지구 온난화 문제가 어떻게 될 것이라고 생각하십니까? 예측해서 이야기해 봅시다.

3) 그 외에 어떤 환경 문제가 초래될 것이라고 생각하십니까?

03

컴퓨터 사용의 저평가

인터넷이 사람들의 생활에 이렇게 깊이 침투하리라는 것을 예측한 사람은 많지 않다. 불과 얼마 전만 해도 컴퓨터를 통해 정보를 공유할 수 있을 거라는 말을 비웃는 사람이 많았다. 1981년 컴퓨터의 황제인 빌 게이츠조차도 메모리가 640KB 정도면 모든 사람들에게 충분하고도 넘치는 용량이라고 예측했다. 하지만 현재 보통의 사람들이 수만 배의 메모리 용량을 사용하고 있다.

1) 빌 게이츠의 잘못된 예측은 무엇입니까?

2) 인터넷은 어느 정도까지 발전되리라고 생각하십니까?

04

2100년의 지구와 인류의 상황을 예측하고 근거를 제시하면서 발표해 봅시다.

03 정리해 봅시다

I. 어휘

01 다음의 단어를 분류하고 보기와 같이 짧은 문장을 만드십시오.

위협하다　도태되다　대비하다　안주하다　충실하다　억지로　묵묵히

〈긍정적〉
- 대비하다
-
-

〈부정적〉
- 위협하다
-
-
-

[보기] 만일의 사태에 대비하여 모든 시설을 다시 한 번 점검해 주시기 바랍니다.

1) ....
2) ....
3) ....
4) ....
5) ....
6) ....

02 다음의 제시어와 관계있는 단어를 쓰십시오.

[보기] 생명공학

(1) (2) (3) (4) (5)

[보기] 유전자 조합, 동물 복제, 줄기세포 : 생명공학

1) 온라인 학습, 동영상 강의, 사이버대학 :

2) 무선 조종, 리모컨, 무인 감시 :

3) 인터넷 뱅킹, 온라인 쇼핑, 공인 인증서 :

4) 센서, 비상벨, 스프링클러 :

5) 원자력, 태양열, 바이오 연료 :

II. 문법

다음의 여러 주장에 대해서 보기와 같이 반대의 의견을 이야기해 봅시다.

-기 나름이다　　-다손 치더라도　　-는 한이 있더라도　　은 고사하고

[보기] 주제 : 시한부 선고

주장하기 : 이미 중병으로 인해 심약해진 환자에게 시한부 선고를 한다면 환자의 상태는 더욱 더 나빠질 것입니다. 자신의 인생이 얼마 남지 않았다는 절망보다 환자가 나을 수 있다는 희망을 가질 수 있도록 배려하는 것이 좋다고 생각합니다.

반론하기 : 환자에게 무엇이 더 나은 방법인지는 생각하기 나름입니다. 처음에는 죽음을 받아들이기 힘들다손 치더라도 그것은 개인이 겪어야만 하는 삶의 과정이라고 생각합니다. 고통의 시간을 보내는 한이 있더라도 환자 스스로가 자신의 인생을 정리할 수 있도록 미리 알려 줘야 합니다.

01

주제 : 정리해고

주장하기 : 여러분들도 아시다시피 요즘 회사의 재정 상태가 아주 나쁩니다. 회사가 살아남을 수 있는 길은 인원 감축밖에 없습니다. 장기적으로 볼 때도 생산 시설을 자동화하여 인력을 줄이는 것이 생산비의 단가를 높여 판매 수입을 늘이는 가장 효과적인 방법이라고 생각합니다.

반론하기 :

02

주제 : 지하철 무료 승차권 지급

주장하기 : 현재 65세 이상의 노인들에게 지급되는 지하철 무료 승차권이 지하철 적자 운영의 가장 큰 원인입니다. 나이가 많다는 이유 하나만으로 모든 노인들에게 무료 승차권을 지급해야 한다는 것은 이해가 되지 않습니다. 수익자 원칙에 따라 이용하는 사람이 비용을 지불하는 것은 당연합니다.

반론하기 :

Ⅲ. 과제

다음은 인간의 생물학적인 능력을 뛰어넘은 영화 속 주인공입니다.

이식 경위 : 교통사고로 인한 신체의 결손 부분을 첨단 과학의 힘을 동원해 초인적인 능력을 지닌 새로운 인간으로 재탄생시킴.

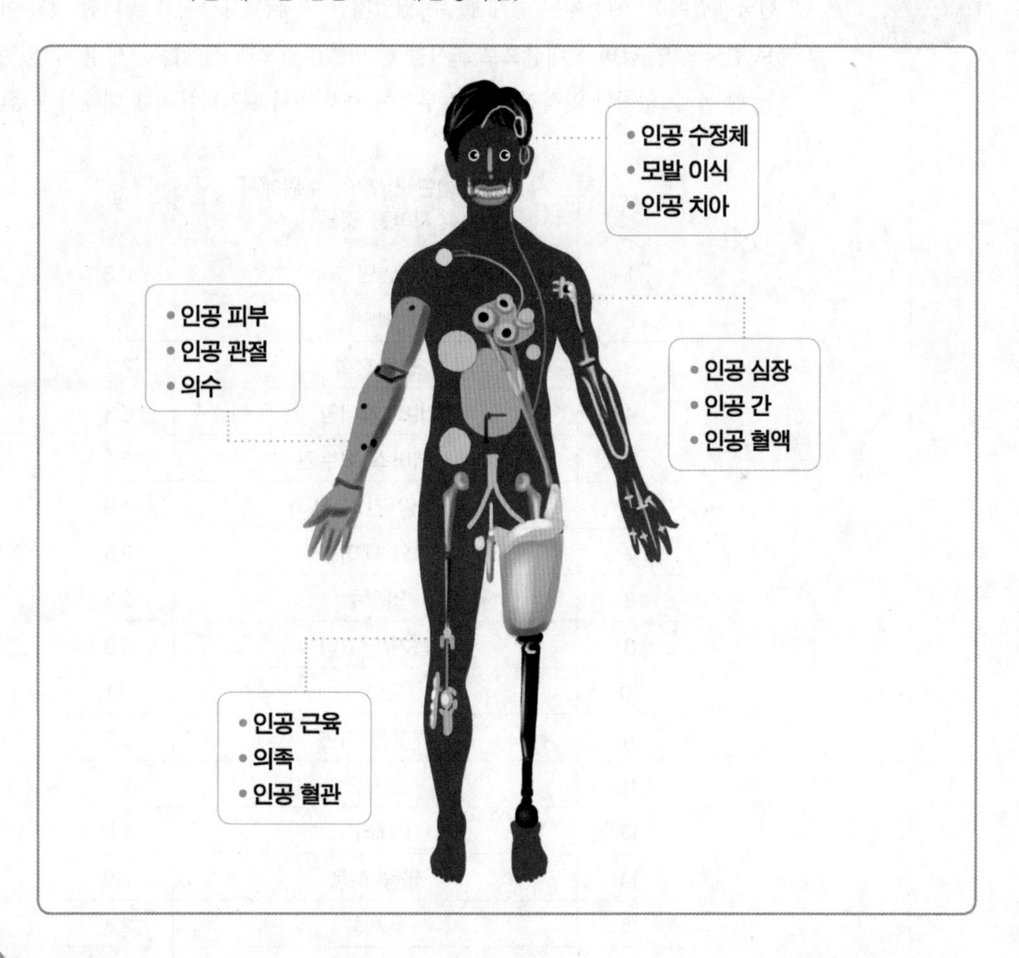

01 여러분이 알고 있는 영화나 소설 속의 등장인물 중에서 첨단 과학으로 인간의 한계를 뛰어넘는 능력을 가지게 된 인물에 대해 이야기해 봅시다.

02 이식 기술의 발달로 인해 생길 수 있는 문제점과 그 해결 방안에 대해서 이야기해 봅시다.

문화

지난 20년 간 사라진 것

한국갤럽에서 '예전에는 쉽게 볼 수 있었지만 지금은 사라지고 잊혀진 것들'이라는 주제로 한국 성인 남녀를 대상으로 조사를 한 바 있다. 오래 전에는 쉽게 볼 수 있었지만 요즘은 잘 볼 수 없거나 잊혀진 것들로 무엇이 가장 먼저 생각나는지에 대해서 물었다.

순위	지난 20년 간 우리 주위에서 사라진 것들	%
1	연탄	11.3
2	삐삐	9.3
3	공중전화	7.3
4	버스 안내양	5.3
5	시내버스 회수권	5.1
6	사람 간의 정	4.9
7	가요 테이프	3.5
8	엿장수	3.3
8	뽑기/달고나	3.3
10	편지	3.1
11	깨끗한 자연	3.0
11	초가집	2.7
13	제비	2.5
14	불량 식품	2.5
15	우체통	2.4
15	어린아이들의 순수	2.4
17	석유 곤로	2.3
18	고무신	2.2
19	아이스케끼	2.1
19	함박눈	2.1
20	넉넉한 인심	2.1

(한국갤럽 2007년 12월)

단어만 들어도 추억이 떠오르고 향수가 느껴지는 많은 것들이 급격한 트렌드의 변화 속에서 사라지고 있다.

휴대전화가 등장하기 전 당시로서는 첨단 통신 기기였던 '삐삐'가 사라지고 대중들의 주요 통신 수단이었던 '공중전화'가 사라지고 있다는 것은 격세지감을 느끼게 한다. 또한 '사람 간의 정'이나 '넉넉한 인심'과 같이 온정이 식어 버리는 세태를 반영하는 답변들은 '정'을 중시하던 우리 사회의 안타까움이 표현된 것이라고 하겠다. 오래도록 간직해야 하는 자산인 '깨끗한 자연'이 사라지고 있다는 응답은 환경 오염에 대한 경각심을 일깨워 준다.

앞으로 20년 후에는 어떤 것들이 사라지고 잊혀질까? 또 어떤 것들이 새로 생겨날까?

1. 지난 20년 간 사라진 것들의 원인은 무엇인지 이야기해 봅시다.

2. 여러분 나라에서는 지난 20년 간 어떤 것들이 사라졌습니까?

3. 미래를 위해 우리가 간직해야 하는 것에는 어떤 것들이 있을까요?

문법 설명

01 -는다손/-다손 치더라도

선행문의 내용을 인정한다고 해도 그러한 것이 후행문에 아무런 영향을 미치지 않음을 나타내는 표현으로 '-다고 하더라도'와 같은 의미이다. 뜻을 분명하게 하고 강조하기 위해서 '아무리'와 함께 쓰는 경우가 많다.

- 수술을 한다손 치더라고 결과를 보장할 수는 없다고 합니다.
- 그 사람이 부자라손 치더라도 사람의 마음을 살 수는 없어요.
- 아무리 바쁘다손 치더라도 자기가 맡은 일을 미루면 안 되지요.
- 아무리 화가 났다손 치더라도 기본 예의는 지켜야 되는 거 아닙니까?

02 -기 나름이다

어떻게 하느냐에 따라 일이나 행위의 결과가 달라짐을 의미한다.

- 모든 일은 생각하기 나름입니다.
- 제품의 수명은 소비자가 사용하기 나름입니다.
- 다른 사람에게 인정을 받고 못 받고는 다 자기 하기 나름이에요.
- 그 말은 해석하기 나름인 것 같아요. 어떻게 해석하느냐에 따라 의미가 다르지 않아요?

03 은 고사하고

선행문의 내용은 말할 것도 없을 만큼 불가능하거나 어려우며 그것보다 정도가 약한 후행절의 경우라도 쉽지 않다는 의미를 나타낸다.

- 장학금은 고사하고 낙제나 하지 말았으면 좋겠어요.
- 생일 선물은 고사하고 축하한다는 전화 한 통 없었어요.
- 너무 긴장해서 어려운 문제는 고사하고 아는 것도 틀렸다.
- 보상은 고사하고 미안하다는 말 한 마디조차 하지 않더군요.

04 -는 한이 있더라도

뒤의 행위를 위하여 앞에 오는 상황이 희생하거나 무릅써야 할 극단적인 상황임을 나타낸다. 극단적인 상황을 전제하여 말하는 사람의 강한 의지를 표명할 때 쓰이는 표현이다.

- 쓰러지는 한이 있더라도 끝까지 포기하지 않을 거예요.
- 굶어 죽는 한이 있더라도 그 사람에게 돈을 빌리지는 않을 거야.
- 전 재산을 날리는 한이 있더라도 이번엔 꼭 투자를 해 볼 생각이야.
- 하늘이 두 쪽이 나는 한이 있더라도 이번 일은 성공적으로 완성시키고 말 거예요.

제10과 진로와 취업

01

제목 | 진로 상담
과제 | 진로에 대해서 조언하기
상담하기
어휘 | 진로
문법 | -으려고 들다, -노라면

02

제목 | 취업 면접
과제 | 면접시험에서 질문에 대답하기
자기소개서 쓰기
어휘 | 면접
문법 | -은 바, -을 바에야

03

정리해 봅시다

문화
조선시대의 신분 제도

01 진로 상담

학습 목표 ● 과제 진로에 대해서 조언하기, 상담하기
● 문법 -으려고 들다, -노라면 ● 어휘 진로

사람들은 보통 어떤 문제로 상담을 합니까?
여러분은 상담하고 싶은 문제가 있습니까?

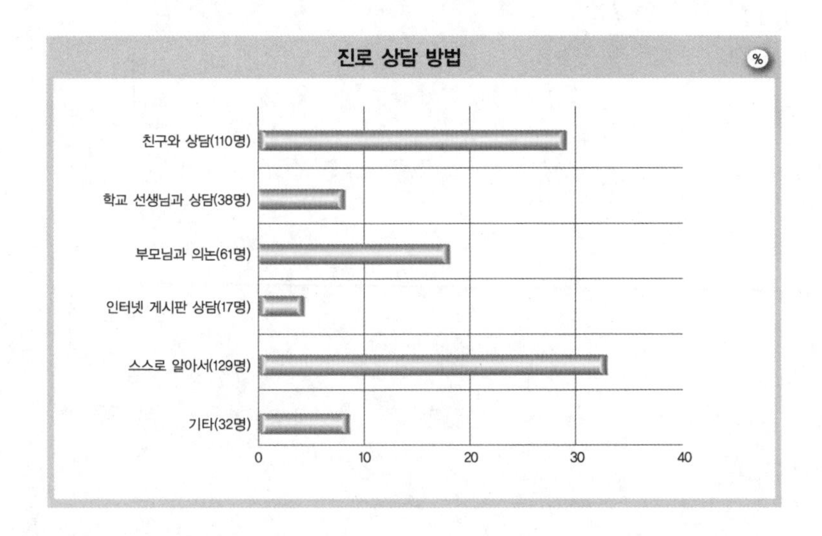

위 표는 고등학생 387명을 대상으로 진로 상담 방법에 대해 설문 조사를 한 결과입니다.

1) 조사 결과를 통해서 알 수 있는 것은 무엇입니까?

2) 여러분은 진로에 대한 고민이 있을 때 어떻게 합니까?

대화

영수 선생님, 감사합니다. 선생님들께서 많이 도와주신 덕분에 드디어 졸업을 하게 되었습니다. 어떤 때는 너무 힘들고 어려워 포기해 버릴까 하는 생각도 했었어요.

선생님 이럴 때 고생 끝에 낙이 온다는 말을 쓸 수 있는 거지요. 그런데 졸업 후에는 뭘 할 거예요? 취직을 할 건가요? 아니면 계속 공부를 할 건가요?

영수 실은 진학하지 않고 취직을 하기로 결정하기는 했는데 제가 입사하고 싶은 회사는 한국에서 손꼽히는 유명한 대기업이라 경쟁이 만만치 않을 것 같아요.

선생님 대기업은 연봉이 높고 복리후생이 잘 되어 있는 까닭에 취업 준비자들이 너도나도 입사하려고 드니까요. 하지만 무엇보다도 자기가 정말 하고 싶은 일을 할 수 있고 아울러 자신의 능력을 충분히 발휘할 수 있는 곳인지 먼저 살펴봐야 해요.

영수 그런 생각을 안 해 본 것은 아니지만 아무래도 큰 조직에서 많은 경험을 통해 일을 배울 수 있는 대기업이 더 낫지 않을까요?

선생님 제 얘기는 무조건 대기업에 지원하지 말라는 얘기가 아니에요. 대기업만큼 안정적이진 않을지라도 도전적이며 자신을 발전시켜 줄 가능성이 높은 중소기업이나 벤처기업으로도 한번 눈을 돌려 보라는 거지요.

영수 선생님 말씀을 듣고 보니 제가 너무 근시안적이었던 것 같네요. 이제부터는 어떤 회사가 저에게 가장 잘 맞는지 기업에 대한 구체적인 정보를 찾아봐야겠네요. 그러면서 그 곳에서 필요로 하는 사람이 되도록 경쟁력을 높여 나가노라면 제 꿈을 이룰 수 있겠지요. 유익한 말씀 정말 고맙습니다.

01 위 대화에서 영수가 선생님을 찾아온 목적은 무엇입니까?

❶ 취업에 필요한 추천서를 받기 위해서
❷ 졸업 후 뭘 해야 할지 몰라서
❸ 중소기업에 취직하고 싶어서
❹ 인사도 하고 취업 상담도 하려고

손꼽히다 数得上，屈指可数 **만만치 않다** 不一般，不容易 **복리후생** 福利 **까닭** 原因，缘故
조직 组织，机构 **도전적이다** 具有挑战性的 **중소기업** 中小企业 **벤처기업** 风险企业 **눈을 돌리다** 关注，注意

02 이 대화에서 말하는 대기업과 중소기업의 장단점을 이야기해 보십시오.

	장점	단점
대기업		
중소기업		

03 여러분이 하고 싶은 일에 대해 보기와 같이 이야기해 보십시오.

[보기 1] 저는 광고회사에 들어가서 아이디어로 승부하는 카피라이터나 광고 기획자가 되고 싶은데요.

[보기 2] 저는 휴대폰 디자이너가 되어서 사용하기 편리하면서도 소비자의 감성을 자극하는 멋진 디자인을 개발하고 싶어요.

어휘 진로

01 다음 표현을 익히고 질문에 답하십시오.

(가)	(나)
구직자 구직난 구인난 전문직 단순직 종사자 자영업자	진로 상담 진로정보센터 직업 적성 검사 취업정보사이트

1) (가)에서 알맞은 표현을 찾아 빈칸을 채우십시오.

❶ 의사나 변호사 등과 같은 고도의 지식을 필요로 하는 직업을 (　　　　)이라고/라고 부른다. 반면 (　　　　)은/는 특별한 기술이나 전문적인 지식이 없어도 할 수 있는 일을 뜻한다.

❷ 어떤 한 가지 일에 매진해 일하는 사람을 그 분야의 (　　　　)이라고/라고 하며 (　　　　)이란/란 사업 등을 독립하여 자기 힘으로 경영하는 사람을 말한다.

❸ 이력서는 직업을 구하는 (　　　　)과/와 채용 담당자와의 첫 만남이라고 할 수 있으므로 정성을 다해 작성해야 한다.

❹ 요즘은 불경기로 인한 (　　　　) 때문에 그 일에 적합한 능력과 실력을 갖추고도 입사 시험에 낙방하는 사람들이 많다.

2) (나)에서 알맞은 표현을 찾아 빈칸을 채우십시오.

❶ (　　　　)은/는 졸업 후에 사회에 나아가거나 진학하는 문제로 상담을 하는 것이다.

❷ 취업에 관한 여러 정보를 알려면 (　　　　)에 가는 것이 좋은데 여기에서는 자신이 직업과 관련된 특정 능력을 어느 정도로 갖추고 있는지 알 수 있는 (　　　　)을/를 받아볼 수 있다.

❸ 자신의 직업 관련 능력을 알아본 다음에는 (　　　　)에 접속해서 자신에게 맞는 직업을 찾아볼 수 있다.

02 이 대화에서 말하는 대기업과 중소기업의 장단점을 이야기해 보십시오.

[보기] 저는 한국에서 취직하는 것이 제게 유리하다고 생각해요. 요즘 한국도 구직난이 심하지만 우리나라보다는 심하지 않거든요. 게다가 세계가 점점 좁아지고 있는 요즘 외국 유학 생활과 외국에서의 직장 생활은 앞으로의 제 삶에 큰 도움이 될 것 같아요. 아무리 구직자가 많다고 해도 취업정보사이트에 꾸준히 접속해서 정보를 찾고 진로정보센터에 가서 진로 상담도 받으며 적극적으로 일자리를 찾노라면 제가 원하는 일을 찾을 거라 확신해요.

구직자 求职者 **구직난** 求职难 **구인난** 雇工难 **전문직** 需要专业知识和技术的工作 **단순직** 不需要专业技术的工作 **종사자** 工作者 **자영업자** 个体经营者 **진로 상담** 就业、升学咨询 **진로정보센터** 就业、升学信息中心 **직업 적성 검사** 职业适应性检查 **취업정보사이트** 就业信息网

문법

01 다음을 읽고 문법 및 표현을 익혀 봅시다.

이른바 명문대를 졸업하고도 번번이 입사 시험에서 떨어져 3년째 취업 준비를 하고 있는 우리 오빠를 보면 취업난이 얼마나 심각한지를 나는 피부로 느낀다. 하지만 무조건 최상의 조건을 갖춘 회사에만 **입사하려고 드는** 오빠에게도 문제가 있다. 우리 속담에 '첫술에 배부르랴'라는 말도 있듯이 우선 웬만한 회사에 들어가 경험과 경력을 **쌓노라면** 좋은 기회가 올 텐데 왜 내 충고를 귀담아 듣지 않는지 모르겠다.

-으려고/려고 들다

1) 다음을 연결하고 보기와 같이 이야기해 보십시오.

노력을 하지 않다 •	• 좋은 결과만 얻다
공부를 열심히 하지 않다 •	• 자꾸 대들다
내 동생은 내 말을 안 듣다 •	• 인터넷 게임만 하다
취직 준비는 안 하다 •	• 학점만 잘 받다

[보기] 내 동생은 노력은 하지 않고 좋은 결과만 얻으려고 드니 정말 큰일이에요.

-노라면

2) 빈칸을 채우고 보기와 같이 이야기해 보십시오.

고민이나 문제	해결 방법	얻을 수 있는 결과
취직이 어렵다	열심히 취업 준비를 하다	원하는 회사에 들어갈 수 있다
처음 맡은 업무라서 일이 손에 익지 않는다		
한국말이 늘지 않는다	꾸준히 연습하다	
다이어트를 해도 살이 빠지지 않는다		살을 뺄 수가 있다
몸이 늘 무겁고 피곤하다	잘 먹고 충분한 휴식을 취하다	

[보기] 취직이 어렵다지만 열심히 취업 준비를 하노라면 원하는 회사에 들어갈 수 있을 거예요.

02 다음의 고민이나 문제에 대해 보기와 같이 조언을 해 보십시오.

[보기] **고민** : 너무 말라서 걱정인데 아무리 먹어도 살이 찌지 않아요.
조언 : 무조건 많이 먹으려만 들지 말고 하루 세 번 영양이 풍부한 음식을 규칙적으로 먹고 꾸준히 운동을 하노라면 살이 찌게 될 거예요.

고민 1) 회사에서 동료와 사이가 안 좋아 자주 싸운다.

고민 2) 부모님이 결혼을 반대하신다.

고민 3) 요즘 잠이 오지 않아 불면증에 시달린다.

취업난이 심해지면서 '어떻게 하면 좀 더 빠른 시간에 정확하게 자신의 적성과 진로를 찾아서 취업에 성공할 것인가?'하는 것이 모두의 관심사이다.

이에 온라인 취업사이트 사람인(www.saramin.co.kr)은 대학생들의 취업에 도움이 될 수 있는 네 가지 방법을 다음과 같이 소개했다.

첫째로 나를 객관적으로 잘 아는 것이 취업 성공의 지름길이 될 수 있다. 따라서 본인의 성격과 적성이 무엇인지 알고 싶을 때는 MBTI(성격 유형 검사)와 MMPI(다면적 인성 검사)등의 성격 및 적성 검사를 통해 이를 확인하는 방법이 있다. 한국청소년상담원에 가면 이러한 검사를 받을 수 있다.

두 번째 방법은 노동부 산하 고용지원센터에서 운영하는 '청년층 직업 지도'라는 프로그램에 참가하는 것으로 여기에서는 주로 취업에 도움이 되는 실제적인 방법들을 익히고 연습하는 활동을 한다. 이 프로그램의 참가자들은 진로 설계나 직업 선택, 자기소개서 작성, 면접 기법 등의 도움을 받는데 15~29세의 청년층이면 누구나 참여가 가능하고 신청은 가까운 노동부지방사무소 및 고용지원센터에서 하면 된다.

그 다음으로는 각 대학에서 마련한 재학생들의 취업과 경력개발을 위한 취업지원실을 이용하는 것이다. 이곳에서는 취업 및 진로에 관한 고민 상담, 기업의 인턴십 소개, 취업캠프 주최 등 다양한 일을 하고 있다. 교내 취업지원실에서 운영하는 프로그램은 현재 재학생에게 꼭 필요한 내용들로 구성되는 경우가 많기 때문에 적극적으로 이용하면 큰 도움을 얻을 수 있다.

마지막으로 사회에 진출한 선배가 역할 모델이 되어 주는 '멘토 프로그램'이 있는데 이 프로그램에서는 실무에서 얻은 지식이나 경험 등을 전해 들을 수 있기 때문에 이를 잘 이용하면 체계적인 미래 계획을 세우는 데 도움이 된다. 멘토는 주변 지인의 도움을 받아 만날 수도 있고 제도적인 프로그램을 이용할 수도 있다. 현재 몇 개 대학을 중심으로 '교내 멘토 프로그램'이 실시되고 있다.

01 이 글의 중심 내용은 무엇입니까?

❶ 멘토 프로그램 소개　　❷ 취업지원실 이용 방법

❸ 취업에 도움이 되는 여러 방법　　❹ 요즘 대학생들의 최대 관심거리

02 여러분이 구직자라면 위 방법 중에서 어느 방법을 가장 먼저 사용하겠습니까?

03 온라인 취업사이트에서 소개한 네 가지 방법을 다음 표에 정리하고 각각의 장점을 이야기해 봅시다.

방법	장점

04 위에서 소개한 방법 외에 직업을 구하는 데 도움이 되는 또 다른 방법이 있습니까?

과제 2 상담하기 MP3 2 24

기능 표현 익히기

〈상담 요청하기〉

- 이런 때는 어떻게 해야 할까요?

〈공감하기〉

- 그런 마음이 드는 것은 아주 자연스럽고 당연한 현상입니다.

〈위로하기〉

- 그런 일이 있었다니 정말 힘드셨겠습니다.
- 누구나 그런 때가 한 번쯤 있기 마련입니다.

〈상대방의 입장에서 바라보기〉

- 저도 ...... 씨 입장이었다면 그렇게 했을 겁니다.

〈해결 방법 찾아 주기〉

- 이렇게 해 보는 것도 하나의 방법이 될 수 있다고 생각합니다.

01 다음은 상담을 요청하는 이야기입니다. 듣고 빈칸을 채우십시오.

피상담자 정보	1) 이름 : 2) 현재 하고 있는 일 :
상담 요청 내용	

02 다음은 위의 상담 요청에 대한 전문가의 답변입니다. 빈칸을 채우십시오.

위로 또는 공감 내용	
문제 해결 방법 제시하기	• • • •

03 여러분의 장래에 대한 상담표를 만들고 이야기해 보십시오.

피상담자 정보	1) 이름 : 2) 현재 하고 있는 일 :
상담 요청 내용	

04 친구의 고민을 듣고 상담 전문가의 입장에서 해결 방법을 찾아 이야기해 보십시오.

02 취업 면접

학습 목표 ● 과제 면접시험에서 질문에 대답하기, 자기소개서 쓰기
● 문법 -은 바, -을 바에야 ● 어휘 면접

면접관은 면접시험에서 보통 어떤 질문을 할까요?
여러분도 면접시험을 본 적이 있습니까? 기억나는 특별한 질문을 이야기해 보십시오.

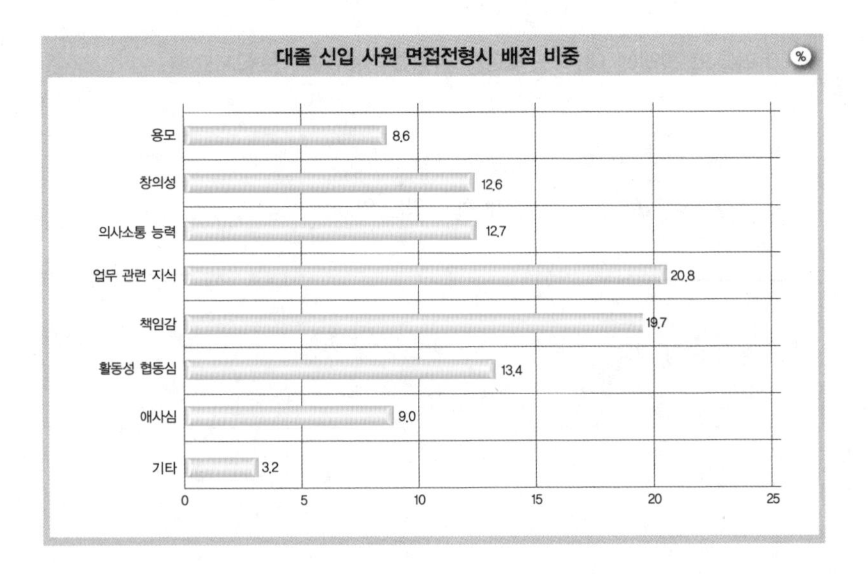

위 도표는 신입 사원 면접 시의 배점 비중에 대한 것입니다.

1) 이 도표에 따르면 일반적인 면접시험에서 어떤 점을 중요하게 생각합니까?

2) 여러분이 면접관이라면 어떤 점을 가장 중요시하겠습니까?

대화

면접관 먼저 외국인으로서 우리 회사에 지원하게 된 동기가 무엇입니까?

웨이 저는 대학교에서 국제 무역을 전공했습니다. 우리 중국과의 무역을 적극적으로 추진하고 있는 이 회사야말로 제 능력을 펼칠 수 있는 곳이라고 확신해서 지원했습니다.

면접관 간단하게 자신의 장점을 소개해 보십시오.

웨이 저는 사교적이고 적극적인 성격이어서 학창 시절부터 폭넓은 대인관계를 유지하고 있습니다. 여러 무역회사에서 아르바이트를 하거나 연수를 받으면서 실무 경험도 쌓은 바 있습니다.

면접관 우리 회사엔 열정과 패기가 넘치는 사람이 필요합니다. 그 점은 어떻습니까?

웨이 제 취미는 철인 3종 경기입니다. 국제대회 입상 경력도 있습니다. 약 50km를 수영과 자전거와 달리기로 완주해야 하기 때문에 끈기와 패기가 없으면 불가능한 운동입니다.

면접관 우리 회사보다 조건이 좋은 곳도 있을 텐데 우리 회사를 선택한 특별한 이유라도 있습니까?

웨이 저에게 가장 중요한 조건은 바로 근무 환경과 분위기입니다. 틀에 박히고 구태의연한 업무 방식을 버리지 못하는 곳에서 일할 바에야 실업자로 지내는 게 낫다고 생각합니다. 이 회사에서는 창의적으로 업무를 수행하고 능력에 따라 평가받을 수 있으리라고 판단했기 때문에 지원한 것입니다.

01 웨이는 면접관의 질문에 어떻게 대답했습니까? 간단하게 이야기해 보십시오.

지원 동기	• •
자기 소개	• • • •

연수 进修 **패기** 雄心 **철인 3종 경기** 铁人三项 **입상** 获奖 **완주하다** 跑完，赛完全程
틀에 박히다 死板，呆板 **구태의연하다** 依然如故 **실업자** 失业人员 **수행하다** 执行

02 웨이는 이 회사의 어떤 점에 끌렸습니까?

03 여러분이 면접관이라면 어떤 질문을 하겠습니까? 위의 대화에 이어서 면접관과 지원자가 되어 이야기해 봅시다.

[보기] 면접관 : 그럼 분위기만 좋으면 연봉이 아주 적어도 상관없단 말인가요?
지원자 : 네. 처음엔 적게 받더라도 능력에 따라 평가만 해 주신다면 곧 제대로 받게 될 테니까요.

어휘 면접

01 다음 어휘를 익히고 질문에 답하십시오.

(가)	(나)
지원 동기 직업관 포부 자격증 자기 PR	리더십이 있다 협동심이 강하다 책임감이 강하다 창의성이 풍부하다 전공을 살리다 일익을 담당하다 능력을 펼치다 실무 경험을 쌓다

1) 다음은 무엇에 대한 대답입니까? (가)에서 찾아서 쓰십시오.

❶ 정보 처리 기사 시험에 합격했습니다. ( )

❷ 이 분야의 일인자가 되는 것입니다. 누구보다 뛰어난 능력을 인정받는 최고가 되고 싶습니다. ( )

❸ 노력의 대가로 주어지는 급료도 무시할 수는 없지만 그보다는 회사에 도움이 되고 보람된 일에 더욱 가치를 두겠습니다. ( )

❹ 이 회사의 제품들이 소비자들로부터 큰 신뢰감을 얻고 있다는 것과 타사에 비해 수출 실적이 높다는 것입니다. ( )

2) 다음 글에서 관련되는 표현을 (나)에서 찾아서 쓰십시오.

❶ 기업은 개성이 다른 사람과 조화를 이룸으로써 운영되는 것이라고 생각합니다. 그런 의미에서 다른 사람들과 협력해 가며 업무를 수행하는 데 매력을 느낍니다. ( )

❷ 그리고 제가 맡은 일은 반드시 완수하고 맙니다. ( )

❸ 학창 시절에 자주 친구들의 상담자 역할을 했습니다. 대학 입학 후에는 국제교류동아리를 만들어 회장으로 활동했습니다. ( )

❹ 또한 새로운 아이디어를 생각해 내서 재미있는 일과 새로운 일을 기획하는 데 자신이 있습니다. ( )

❺ 대학교에서 공부한 경영학을 활용하여 마케팅 관련 일을 하고 싶습니다. ( )

❻ 우리 회사를 우리나라 제 1의 기업으로 발전시키는 데 기여하고 싶습니다. ( )

02 위의 단어를 사용하여 자신을 소개해 보십시오.

[보기] 저는 한국어학교에 다닐 때 좌담회에서 사회자를 맡은 적이 있습니다. 다양한 사고방식을 가진 세계 여러 나라 사람들의 의견을 모아 찬반 토론을 진행하는 것은 생각만큼 쉽지 않았습니다. 저는 강한 책임감으로 철저하게 준비를 하였습니다. 좌담회는 성공적이었다는 평가를 받았습니다. 이 경험을 통해 제 자신에게 숨겨진 리더십도 발견하는 계기가 되었습니다.

지원 동기 应聘动机 **직업관** 职业观 **포부** 抱负 **자격증** 资格证 **자기 PR** 自我介绍，自我展示
리더십이 있다 有领导才能 **협동심이 강하다** 合作能力强 **책임감이 강하다** 责任感强
창의성이 풍부하다 创造力丰富 **전공을 살리다** 活用专业 **일익을 담당하다** 起重要作用
능력을 펼치다 施展能力 **실무 경험을 쌓다** 积累工作经验

문법

01 다음을 읽고 문법 및 표현을 익혀 봅시다.

이제 막 학교를 졸업한 사회 초년생인 나는 다음 달부터 한 중소기업에서 일하게 됐다. 사실 나도 남들처럼 대기업에 몇 군데 응시했다가 낙방의 슬픔을 **경험한 바 있다.** 그러나 그 아픈 경험으로 얻은 것은 훨씬 크다. 내 능력을 알아 주지 않는 대기업에 들어가서 기회를 얻지 **못할 바에야** 작은 조직의 중소기업에 들어가서 다양한 업무를 익히고 경험을 쌓아 실력을 인정받는 게 낫다는 생각을 하게 된 것이다.

-는/은/ㄴ 바

1) 다음을 연결하고 보기와 같이 이야기해 보십시오.

영수는 컴퓨터회사에서 수년 간 일했다 •	• 이 정도의 문제는 간단하게 고칠 수 있을 거예요
유재식 씨는 수차례에 걸쳐 큰 시상식을 진행하였다 •	• 가장 선호하는 배우자의 직업으로 공무원이 1위를 차지했대요
결혼정보회사가 배우자의 직업 선호도를 조사했다 •	• 이번 영화제도 성공적으로 진행할 수 있을 겁니다
아파트 안내 방송을 통해서 공고됐다 •	• 솔직하게 모두 말씀해 주십시오
이번 뺑소니 사건에 대해서 안다 •	• 오늘 아침 9시부터 오후 5시까지 단수됩니다

[보기] 영수는 컴퓨터회사에서 수년 간 일한 바 있어서 이 정도의 문제는 간단하게 고칠 수 있을 거예요.

-을/ㄹ 바에야

2) 다음 표를 보고 보기와 같이 문장을 만드십시오.

상황	선택 1	선택 2
[보기] 진로를 고민할 때	대기업에서 주말도 없이 일한다	중소기업에 취직한다
사이가 안 좋을 때	만날 때마다 싸운다	헤어진다
거리가 멀 때	4번씩이나 차를 갈아탄다	비싸도 학교 근처로 이사한다
학비를 벌어야 할 때	아르바이트하느라고 공부도 제대로 못한다	휴학한다
음식이 맛이 없을 때	먹는다	굶는다

[보기] 대기업에서 주말도 없이 일할 바에야 중소기업에 취직하는 게 낫겠어요.

02 과거의 경험이 선택에 영향을 미친 경우를 위의 두 표현을 사용해서 이야기해 보십시오.

[보기] 저는 부동산 소개업자의 감언이설에 넘어가 서울 근교의 부동산에 투자를 했다가 엄청난 손해를 입은 바 있습니다. 그래서 요즘 다시 불붙기 시작한 부동산 재테크에는 전혀 관심이 없습니다. 또 그런 어리석은 일을 저지를 바에야 그 돈을 어려운 이웃에게 다 나눠 주는 게 훨씬 낫지요.

과제 1 듣고 말하기 MP3 2 27

01 다음을 듣고 질문에 답하십시오.

1) 이 리포트는 무엇에 대한 것입니까?

❶ 면접시험의 질문의 유형
❷ 신입 사원의 사직 이유 분석
❸ 면접시험 볼 때의 주의 사항
❹ 질문에 따른 면접관의 유형

2) 면접의 형태가 다양해지고 질문이 진화하는 이유는 무엇입니까?

3) 다음 질문은 어느 유형에 들어갈까요?

문제 해결형　　로또형　　시험형　　경력 로드맵형

❶ 10억이 생긴다면 어떻게 하겠습니까?
❷ 같은 지역에 식중독이 발생하면 어떻게 대처하겠습니까?
❸ 3 · 5 · 10년 뒤 자신의 일상생활은 어떨까요?
❹ 일의 특성상 야근이 많고 때로는 철야도 해야 하는데 가능합니까?

4) 본문에 제시된 유형 중 어느 것이 가장 어려운 질문이라고 생각합니까? 왜 그렇습니까?

02 다음 질문에 답하십시오.

1) 여러분이 면접관이라면 '공휴일에 일해도 좋은가?'라는 질문에 대해 어느 대답이 가장 설득력 있다고 생각하십니까?

❶ 회사 업무가 우선이므로 야근과 휴일 근무를 불사하겠다.
❷ 회사 생활과 개인의 삶을 조화해 나가도록 최선을 다하겠다.
❸ 가정과 대인관계가 원만해야 회사일도 잘 할 수 있으므로 개인적인 시간도 중요하다.

2) 직장별로 '문제 해결형' 질문은 어떻게 다를까요? 질문을 만들어 봅시다.

❶ 은행의 경우
❷ 여행사의 경우
❸ 대형 마트의 경우
❹ 외식업체의 경우
❺ 보험회사의 경우
❻ 기타(　　　　　)

기능 표현 익히기

- 저는 외국계 기업에서 5년 간 실무 경험을 쌓은 바 있습니다.
- 많은 형제들 속에서, 협동과 양보 그리고 신뢰감이 얼마나 중요한가를 배우면서 자랐습니다.
- 몸에 밴 독서 습관을 통해 논리적인 사고력과 어학 능력을 기를 수 있었습니다.
- 자신의 진로를 스스로 결정하기 위해 위인과 인생 선배들의 글을 읽고 말씀을 들으면서 자신에게 옳은 길은 어느 것인지 찾으려고 노력했습니다.
- 친구 따라 왔던 여행이 계기가 되어 한국 유학을 결심하게 되었습니다.

자기소개서 쓸 때의 주의 사항에 관한 글입니다. 읽고 답하십시오.

입사 시험 등에서 자기소개서를 요구하는 것은 입사 원서나 이력서만으로는 평가할 수 없는 가정 환경이나 성장 과정을 통해 그 사람의 대인관계나 책임감, 성실함, 창의성 등을 파악하기 위해서이다.

자기소개서를 쓰는 방법은, 먼저, 자신의 성장 과정을 연대기 순으로 기술한다. 가족 사항이나 가풍을 언급하고 학창 시절의 특기할 만한 점을 독특한 체험이나 에피소드를 섞어 가며 작성한다.

둘째, 자기 성격의 장단점이나 특기 사항을 구체적으로 언급한다. 가령, 외국어 실력이 높다든가, 리더십이 있다든가 하는 업무를 수행하는 데 도움이 될 만한 사항은 자신의 체험과 함께 자세히 기술해야 한다. 또한 단점은 단점대로 솔직하게 시인하면서 실수나 실패를 통해 새로운 가치를 경험했다는 방식으로 장점으로 활용하는 것도 하나의 방법이다. 이때 지나치게 자신의 장점만을 강조하지 않는 것이 좋다.

셋째, 지원 동기를 구체적으로 밝힌다. '평소 관심이 있었다, 이 회사 경영 방침이 마음에 들었다' 등의 너무 단순하고 막연한 내용보다는 해당 분야에 대한 자신의 소질이나 신념, 전공과의 관련성을 구체적으로 언급한다.

넷째, 장래의 희망 또는 포부를 밝힌다. 이것은 일에 대한 의욕을 표현하는 부분이므로 '열심히', '최선을 다해' 따위의 판에 박힌 표현보다는 어떠한 계획이나 각오를 갖고 일할 것인가를 분명히 서술하는 것이 좋다. 특히 지원하는 회사의 방침이나 특성을 미리 파악하여 자신의 성격에 맞도록 재포장하는 지혜도 필요하다.

다섯째, 문장은 간단명료하고 어휘는 현실성 있는 표현으로 진솔하게 구성한다.

01 입사 시험에서 자기소개서를 요구하는 이유가 아닌 것은 무엇입니까?

❶ 지원자의 학력과 경력을 알 수 있기 때문에
❷ 가정 환경이나 성장 과정을 파악할 수 있기 때문에
❸ 지원자의 대인관계나 성격 등을 파악할 수 있기 때문에
❹ 입사 원서나 이력서에 나타나지 않는 것을 알 수 있기 때문에

02 다음 자기소개서의 문장들을 읽고 위의 주의 사항에 어긋나는 것은 어느 것인지 찾아 보십시오.

❶ 저는 초등학교 교사를 하시는 부모님 밑에서 3남매 중 막내로 태어났습니다.
❷ 어려서부터 공부면 공부, 운동이면 운동, 미술이면 미술, 못하는 것이라고는 없었습니다.
❸ 저는 대학에서 응용 미술을 전공하였으며 국내 최고의 광고기획사인 귀사에서 제 능력을 더욱 갈고 닦아 귀사의 발전에 일조를 하고 싶습니다.
❹ 모교의 대표로 출품했던 작품이 독창적인 아이디어가 넘친다는 평가를 받았습니다. 광고들마다 톡톡 튀는 아이디어로 고객을 사로잡는 귀사에서 제 능력을 펼쳐 보고 싶습니다.

03 위의 주의 사항에 따라 자기소개서를 써 봅시다.

1) 먼저 주요 사항을 간단히 정리해 봅시다.

성장 과정	가족 관계	
	가풍	
	학창 시절	
성격	장점	
	단점	
특기와 취미	특기	
	취미	
지원 동기	전공	
	신념	
	포부	

2) 위의 표를 바탕으로 보기와 같이 자기소개서를 써 보십시오.

'성실과 사랑'을 가훈으로 하는 평범한 중산층의 가정에서 2남 3녀 중 장남으로 태어난 저는 비교적 많은 형제들 속에서, 협동과 양보 그리고 사람끼리의 신뢰감이 얼마나 중요한가를 배우면서 자랐습니다.

주위에서 상상력이 풍부하고 말주변이 좋다는 평을 들었던 저는 초등학교 시절에는 교내외 백일장에서 여러 번 입상하였고, 중고등학교 재학 시는 학교 간부직을 맡아 리더십을 익혔으며 합창반 단원으로 활약하기도 했습니다.

학창 시절에 저는 앞으로 사람들에게 감동을 줄 수 있는 훌륭한 작품을 쓰는 문학가가 되고 싶었습니다. 그러나 주위의 권고, 특히 장남에게 거는 아버님의 기대를 저버릴 수 없어 법대에 진학했습니다.

저의 대학 시절은 모든 법대생들이 그렇듯 고시 공부에 중심을 두고 착실히 학업에 전념하였습니다. 그러나 제 가슴속에 남아 있는 예술에 대한 미련과 '끼'는 버릴 수 없어 '극예술 연구회'와 '문학 동우회' 등에서 법전 연구 못지않은 정열로 사랑과 예술 그리고 인생의 의미를 느껴 보려고 몸부림치기도 했습니다. 법과 시가 반반씩 제 머리와 가슴속에서 자리잡고 제 운명의 열쇠를 쥐고 있던 시절이었습니다.

대학 3년을 마치고 한 군 입대는 저에게 새로운 삶에 대한 시각을 열어 주는 계기가 되었습니다. 최전방에 황량하게 부는 바람과 갈대는 이제껏 '개인'이란 차원에서만 맴돌던 행복과 진실이 '민족'이란 차원으로 승화하여 좀 더 넓은 삶의 의미를 깨우쳐 주었습니다.

그러나 복학 후 저는 제 자신이 남을 판결하는 일에는 맞지 않고 더 넓은 세계로 향한 저의 꿈과 욕망은 법조문을 뒤적이는 것에는 어울리지 않음을 깨달았습니다. 그래서 이제까지 한 법전 공부를 토대로 법 지식을 활용할 수 있고, 자신의 예능과 사회에 대한 관심과 욕구를 최대한 충족시킬 수 있는 곳은 결국 언론사라는 결론을 얻어, 귀사의 제 27기 수습기자 모집에 지원하기로 결심했습니다.

항상 민중의 대변자임을 자처하고 정확하고 신속한 사실 보도에 사명을 다한다는 귀사의 언론관은 민주주의 사회에서 꼭 필요한 언론인의 사명을 다하고 싶은 저에게 저 자신을 투신하여 젊음과 정열을 불사를 수 있는 곳이라는 확신을 주기에 충분하였습니다.

이제 적으나마 저의 능력과 지식을 이 사회에 봉사할 기회로 삼아 귀사에 수습기자직으로 지원하게 된 것을 영광으로 생각하며 무궁한 발전을 기원합니다.

출처 : 이기종 편저 〈작문의 이론과 실제〉

03 정리해 봅시다

I. 어휘

01 빈칸에 알맞은 단어를 골라 쓰십시오.

패기	입상	포부	자격증	실업자	철인 3종 경기
지원 동기	직업관	복리후생	근시안	조직	추진하다
펼치다	완주하다	틀에 박히다	구태의연하다	돌리다	

대기업에 지원할까?

→ 장점
- 연봉이 높다.
- 사원을 위한 (   )이/가 잘 되어 있다.
- 큰 (   )안에서 다양한 경험을 축적할 수 있다.

→ 단점
- 경쟁이 치열하다.
- 능력을 발휘할 기회가 적다.

중소기업에 지원할까?

→ 장점
- 자신의 능력을 개발하고 (   )을/ㄹ 기회가 많다.
- 학벌이나 전공보다는 실무 능력에 대한 관심과 열정을 우선시한다.
- 고속 승진이 가능하다.

→ 단점
- 임금과 근로 조건이 대기업만큼 좋지 않다.
- 안정적이지 못하다.
- 일을 (   )는 방식이 경영자 개인의 성격이나 능력에 좌우되는 일이 많다.

→ 결론
- 당장의 결과만을 기대하는 (   )적인 사고에서 벗어나 다른 가능성으로 눈을 (   )어/아/여 보기로 했다.
- 학벌에 자신이 없으므로, 내 성격의 장점 즉 쉽게 포기하지 않는 (   )과/와 (   )을/를 인정해 줄 중소기업이 있다면 거기에 들어가기로 했다.

02 다음을 연결하고 보기와 같이 쓰십시오.

[보기] 전공	쌓다
❶ 일익	살리다
❷ 능력	펼치다
❸ 실무 경험	담당하다
❹ 창의성	강하다
❺ 책임감	풍부하다

[보기] 사회복지학 전공을 살려서 사회복지센터에서 일하게 되었다.

❶ ....

❷ ....

❸ ....

❹ ....

❺ ....

03 다음 글자로 끝나는 단어들을 쓰십시오.

1) □□난 : ...., ..., ..., ...

2) □□직 : ...., ..., ..., ...

3) □□자 : ...., ..., ..., ...

YONSEI KOREAN 6

II. 문법

알맞은 문법을 한 개 이상 골라 보기와 같이 이야기를 완성하십시오.

-으려고/려고 들다　　-노라면　　-는/은/ㄴ 바　　-을/ㄹ 바에야

[보기] 직장에 입사한 지도 3년이 지났지만 회사를 위해서 아직 이렇다 하고 한 일이 없는 것 같다. 그래서 스스로에게 회의가 들기도 했는데 그러던 중 '직장을 위해서 당신이 할 수 있는 일'이라는 책을 접하게 되었다. 그 책에 쓰여진 바에 따르면 성급하게 뭔가 실적을 올리려고 들지 말고 자기에게 주어진 일을 충실히 하노라면 언젠가 기회는 올 것이며 그 기회를 놓치지 않는 것이 중요하다는 것이었다.

01 친한 친구와 말다툼을 하고 일주일째 연락을 하지 않고 있다. 하루가 멀다 하고 만나고 하루에도 몇 번씩 문자 메시지를 주고받는 사이였는데 이런 일이 생겨서 마음이 불편하다. ....

....

....

....

02 새로 부임한 부장은 너무나 꼼꼼하고 치밀한 성격이다. 한 번에 끝내도 될 듯한 서류를 검토하고 수정하고 검토하고 수정하고. 이런 방식에 익숙하지 않은 직원들 중에는 불평을 하는 사람도 있다.

....

....

....

03 정부는 1가구 2주택자, 즉 주택을 둘 이상 소유한 경우에 대해 세금을 올리기로 결정했다고 한다.

....

....

....

04

뭐든지 다른 사람들에게 퍼주기를 좋아하시는 우리 어머니. 다른 사람들과 나누는 것이 좋은 일이라는 건 알지만 요즘 같이 물가도 비싼 세상에 아깝다는 생각이 드는 게 사실이다. ....

....

....

....

Ⅲ. 과제

두 사람이 짝이 되어 보기와 같이 모의 면접을 해 보십시오.

〈지원자 정보〉

성명 : 김영수(남, 27세)

성격 : 매사에 적극적이며 지기 싫어하고 욕심이 많은 편이다.

전공 : 사회체육학

포부 : 한국 스포츠팬들이 스포츠를 보다 바르고 다양하게 즐길 수 있도록 정보를 제공하는 기사를 쓰고 싶다.

지원 부문 : 신문사 스포츠 기자

특기 사항 : 대학 시절 교내 신문 기자로 활동했다.

[보기]

면접관 자신의 성격의 장단점을 말씀해 주십시오.

김영수 저는 매사에 적극적입니다. 그것이 저의 장점이기도 하지만 때로는 단점이기도 한 것 같습니다. 무슨 일이든 남에게 지기 싫어합니다. 어차피 해야 할 일이라면 남보다 앞장서서 남보다 잘 해내고 싶다는 욕심 때문에 적극적이다 못해 지나칠 때도 있는 게 아닌가 하고 스스로 반성하기도 합니다. 그러나 매순간 충실히 살았던 것에 대해서는 후회하지 않습니다.

면접관 학창 시절에는 어떤 동아리 활동을 하셨습니까?

김영수 학교 신문사에서 기자로 활동했습니다. 주로 학생들에게 적당한 여러 스포츠를 소개하고 손쉽게 접할 수 있는 방법들을 알려 주고자 노력했습니다.

면접관 장래의 포부는 무엇입니까?

김영수 대학에서 공부한 체육 이론을 바탕으로 우리 국민들에게 스포츠를 더욱 폭넓게 보급하기 위해 스포츠에 대한 정확하고 다양한 정보를 제공하는 기사를 쓰고 싶습니다.

면접관 이 부문을 지원한 이유는 무엇입니까?

김영수 제 포부를 실현하기 위해서는 기자가 되는 길 밖에 없다고 생각했습니다. 언론의 힘이 얼마나 크고 위대한지 잘 알기 때문에 이 방법으로 제 꿈을 이루겠다고 마음먹은 것입니다.

01

성명 : 이미영(여, 24세)

성격 : 책임감이 강하나 지나치게 완벽을 기하려고 한다.

전공 : 의류디자인

포부 : 우리 한복의 세계화를 위해 한국을 대표할 수 있는 의상 디자이너가 되어 한복의 아름다움과 장점을 세계에 알리고 싶다.

지원 부문 : 여성의류회사의 디자인 부문

특기 사항 : 연극 동아리에서 의상을 담당했다.

02

성명 : 박민수 (남, 26세)

성격 : 끈기와 참을성이 강하나 내성적이다.

전공 : 사회복지학

포부 : 노인 복지 관계 업무를 하는 공무원이 되어 노인 복지 제도 개선과 윤택한 노인의 생활 환경 조성에 기여하고 싶다.

지원 부문 : 구청 노인 복지 관계 업무

특기 사항 : 학창 시절에 사회 봉사 시설에서 다양한 봉사 활동을 했다.

03

성명 : 이지영 (여, 26세)

성격 : 명랑하고 솔직하나 성격이 급하다.

전공 : 유아교육학 / 레크레이션

포부 : 어린이들의 거울이 될 수 있는 교사가 되어 어린이들의 밝고 행복한 미래를 위해 바르고 건강하게 성장하도록 도와주고 싶다.

지원 부문 : 유치원 교사

특기 사항 : 학창 시절에 춤 동아리에서 다양한 춤을 연습했다.

문화

조선시대의 신분 제도

사농공상은 조선 초기에 백성을 나누던 네 가지 계급이다. 사는 선비, 농은 농민, 공은 공장, 상은 상인을 이르던 말이다. 조선 왕조의 계급 질서는 고려시대로부터 내려오던 전통적인 사회적 기반과 새로운 유교적 이념에 입각해서 사회 계층을 사농공상의 순대로 정했다.

선비는 대부분이 최상위의 사회 지배층인 양반이었고 상인은 최하층으로 천대를 많이 받던 계급이었다. 조선시대의 귀족이었던 양반은 그들의 특권적 위치를 더욱 강화하고 지속시키기 위하여 그들 스스로가 신분 차별 정책을 기획, 실현하였다. 각 신분층은 서로 상하우열로 평가되는 직업을 각각 세습하였다. 다른 신분층 간의 결혼은 금지되었으며 거주 지역조차 서로 분리되는 경우가 많았다.

조선시대는 농본주의와 농자는 천하지대본의 사상으로 농민은 사의 그 다음 계층으로 여겼다. 농민은 크게 두 가지로 나뉘었다. 그 하나는 사유지를 경작하는 자작농으로서 그 비율은 아주 작은 편이었다. 다른 하나는 소작농으로서 대부분의 농민이 거기에 속하였다. 소작농은 국유지 또는 양반의 사유지를 경작하고 국가 또는 지주에게 지대를 바치었다.

농민의 그 다음 계층은 공장이었다. 공장은 수공업에 종사하는 사람들이었다. 조선시대는 유교 문화의 영향을 많이 받았기 때문에 물건을 사고, 팔고 돈을 버는 상인들을 최하 계층으로 간주하였다.

이러한 신분 차별은 조선 초기로부터 수백 년 동안 계속되다가 1894년(고종 31) 갑오개혁 이후 점차 그 질서가 무너졌다. 조선 후기에는 농업 기술의 발달에 의한 농산물의 증수와 전란 당쟁을 통한 국가 통치력의 약화에 따라서 상민층의 일부는 양반으로 신분 상승이 가능하였다.

1. 조선시대의 신분 제도에 대해 알아봅시다.

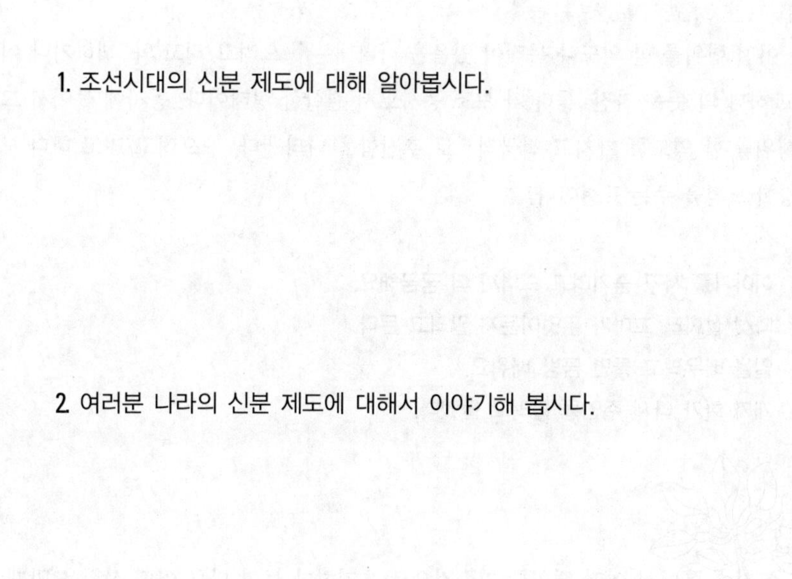

2. 여러분 나라의 신분 제도에 대해서 이야기해 봅시다.

문법 설명

01 -으려고/려고 들다

어떤 행위를 할 의도나 목적이 있음을 나타내는 '-으려고/려고'와 '꾀하거나 이루려고 하다'의 뜻을 가진 '들다'가 보조 동사로서 결합한 형태이다. 동사에 붙어서 그러한 행위를 할 의도를 가지고 적극적으로 추진함을 나타낸다. '-으려고/려고 하다'보다는 강한 느낌을 주는 표현이다.

- 이야기를 자꾸 숨기려고 드니까 더 궁금해요.
- 다섯 살짜리 꼬마가 무엇이든지 알려고 든다.
- 일을 배우려고 들면 금방 배워요.
- 개가 화가 나서 주인을 물려고 들었다.

02 -노라면

동사에 붙어서 어떤 행위를 지속적으로 유지하다 보면 다른 어떤 상황을 맞게 된다는 뜻을 나타낸다. '-다가 보면'이나 '계속해서 한다면'과 의미가 비슷하다.

- 계속 운동하시노라면 건강을 회복하실 수 있을 거예요.
- 그 노래를 듣고 있노라면 마음이 편안해진다.
- 사노라면 언젠가는 즐거운 날이 올 거야.
- 열심히 노력하노라면 성공할 수 있을 거예요.

03 -는/은/ㄴ 바

앞에서 말한 내용 그 자체나 일 따위를 나타내는 말이다. 특히 '은/ㄴ 바 있다'는 '어떤 일을 한 경험이 있다'는 의미로 뒷절의 근거로 이용되는 경우가 많다.

- 그 선수는 올림픽에서 메달을 딴 바 있는 우수한 선수입니다.
- 홍보과에서 공고한 바와 같이 이번 창립기념일에는 자사 주최 바자회가 정문 앞광장에서 열립니다.

- 일부 언론사가 보도한 바에 의하면 재벌 기업의 비자금 문제의 실체가 조만간 밝혀질 것으로 보입니다.
- 새로운 교육 정책에 대해서 생각하시는 바를 허심탄회하게 말씀해 주시기 바랍니다.

04 -을/ㄹ 바에야

앞 절의 내용을 절대로 받아들일 수 없어서 그것을 선택하는 것보다는 오히려 뒷절의 내용을 받아들이는 게 낫겠다는 의미이다.

- 결혼해서 구속당하면서 살 바에야 외로워도 자유롭게 혼자 사는 게 낫지 않아요?
- 그 사람한테 내 돈을 맡길 바에야 차라리 고양이한테 생선 가게를 맡기는 게 낫지요.
- 이렇게 제대로 된 일 한 번 못 해 보고 잔심부름만 할 바에야 돈은 못 벌어도 백수로 지내는 게 낫겠어요.
- 복권에 당첨돼서 가족 사이가 나빠질 바에야 가난해도 행복하게 사는 게 훨씬 나아요.

듣기 지문

1과 2항 과제 1 (p.20) MP3 1 05

먼저 청소년들의 개괄적인 인생관을 알아보기 위한 질문으로 인생을 살아가는 데 가장 중요한 것이 무엇이냐고 물었습니다. 이에 청소년들의 절반 이상인 50.2%가 '가족' 이라고 응답했습니다. 다음으로는 건강 20.4%, 돈 12.3%, 친구 8.7%, 종교 2.7%, 학력 1.5% 등이 중요하다고 응답했습니다. 또한 지금의 삶에 대해 행복한가라는 질문에는 긍정적인 응답이 66.4%로 부정적인 응답 33.6%보다 높게 나타났습니다. 향후 직업 선택 시 중요하게 고려하는 것은 능력 발휘 33.2%, 적성 32.8%로 능력 발휘와 적성을 가장 중요하게 보았으며, 그 외에 경제적 수입, 직업의 장래성 등의 순이었습니다.

다음은 청소년들의 결혼관과 가족관에 대한 질문이었는데 청소년들은 4명 중 1명꼴로 결혼을 반드시 해야 하는 것으로 생각하지 않았으며, 배우자 선택 시 58.3%가 성격을 가장 중요하게 생각한다고 응답했고, 다음으로 경제력, 외모, 직업 등을 꼽았습니다. 결혼 후 자녀는 평균 2.09명을 희망했고, 딸을 선호한다는 응답이 33.5%로 19.4%의 아들을 선호한다는 응답보다 높았습니다. 한편 결혼 후 부모님을 모시고 사는 것에 대해서는 66.8%가 긍정적으로 응답했습니다.

청소년들의 사회 · 국가관에 대해서는 79.1%의 청소년이 우리 사회가 공정하지 못하다고 보고 있었으며 대통령 선거에 대해서는 54.9%가 관심이 없다고 응답했습니다. 존경하는 인물에 대한 질문에는 1,592명이 '부모님' 을 가장 존경한다고 응답했고, 세종대왕, 이순신, 빌게이츠, 선생님, 헬렌켈러, 유관순 등이 뒤를 이었습니다. 역대 대통령 중에 존경하는 인물이 없다는 응답이 65.8%였으며, '있다' 고 응답한 경우에는 김대중 대통령이 18.3% 박정희 대통령이 1.4%였습니다. 국가관과 관련해서는 '이 나라에 태어난 것이 자랑스럽다' 는 응답이 68.5%였으나, '나라가 위급하면 무엇이든 하겠는가' 라는 질문에는 39.4%만이 긍정적으로 응답했습니다. 또한 '나라의 발전이 곧 나의 발전인가' 라는 질문에는 51.1%가 긍정적으로 응답하고 있어, 청소년의 국가관에서 개인 지향적인 성향을 읽을 수 있었습니다.

마지막으로 청소년들의 통일관 및 다문화 의식에 대한 조사를 실시했습니다. 먼저 '통일의 필요성' 과 '통일 가능성' 에 대해서는 65.9%와 58.1%로 긍정적인 응답이 많았으며, 북한에 대해서는 76.9%가 북한을 '협력 대상' 으로 보고 있었으나 믿을 수 '없다' 는 응답이 71.6%로 나타났습니다. 대한민국이 단일민족이라고 생각하는지에 대해 전체 응답자의 52.6%만이 단일민족이라고 응답, 혈통 중심의 단일민족 의식이 청소년층에서 약화되고 있다는 것을 알 수 있었습니다. 청소년의 다문화 의식과 관련해서는 다문화라는 용어를 들어 본 적이 '있다' 는 응답이 56.3%로 '없다' 보다 다소 높았으며, 우리 사회가 다문화 사회가 되는 것이 국가 발전에 도움이 된다는 '긍정적 응답' 이 67.7%로 부정적 응답보다 높게 나타났습니다.

2과 1항 과제 1 (p.44) 

경상남도 부산시 주민들이 혐오 시설로 기피 대상이 되어 온 쓰레기 소각장 유치를 놓고 치열한 경쟁을 벌여 관심을 모으고 있습니다. 부산시는 하루 100톤 처리 규모의 소각장 건립을 위해 지난 5월부터 후보지를 공개 모집한 결과, 현재까지 17개 지역이 신청서를 제출했다고 7일 밝혔습니다. 이 같은 현상은 IMF외환위기 이후 지방자치단체의 재정 상태가 악화되어 지역의 여러 사업 해결이 어려워진 상황에서 도가 상당히 유리한 조건을 제시했기 때문인 것으로 보입니다.

경상남도는 쓰레기 소각장 유치 지역에 대해 환경영향평가를 실시한 뒤, 정도에 따라 해당 지역 주민에게 10억 원 상당을 현금으로 보상하고 주민들을 소각장 경비원으로 채용한다는 조건을 제시하고 있습니다. 또 유치 지역에 도로 개설과 주민회관 설치 등 지역 개발 사업비로 해마다 5억 원씩 10년 간 50억 원을 지원하는 한편 소각로의 열을 이용한 42도의 온수를 가정에 무료로 공급하는 등 다양한 혜택도 줄 방침입니다.

지역 선택 방법에 대해서는, 신청 지역 가운데 먼저 3개소를 선택한 뒤 선정위원회를 열어 후보지를 최종적으로 결정할 예정입니다. 이처럼 혐오 시설 후보지를 공개적으로 뽑는 방식은 지역이기주의 현상 등으로 혐오시설 건립에 어려움을 겪고 있는 다른 지방자치 단체에 좋은 사례가 될 것으로 보입니다.

– 2000년 8월 10일 YBS뉴스 –

3과 2항 과제 1 (p.85) 

여성의 사회 진출 확대와 전문직 여성의 증가 등의 영향으로 집에서 아이를 돌보거나 살림을 떠맡는 남성 '전업주부' 가 급증하고 있습니다. 여성들이 고소득 전문직으로 활발하게 진출하는데다 질 좋은 일자리가 줄어들면서 남성이 돈을 벌어 오고 여성이 육아와 가사를 담당하던 가부장적 부부 관계가 깨지고 있는 것입니다.

통계청은 초등학교에 입학 전인 미취학 아동을 돌보는 것을 '육아' 로 분류하고, 초등학교 이상인 자녀를 돌보며 집안일을 하는 것을 '가사' 로 분류하고 있습니다.

통계청 자료에 따르면, 2006년 비경제활동인구 중 이러한 육아나 가사 활동을 전담하는 남성은 모두 15만 천 명으로 집계됐습니다. 이는 육아나 가사 활동을 하는 남성이 10만 6천 명이었던 2003년과 견줘 42.5%나 늘어난 것입니다. 반면 육아와 가사 활동을 하는 여성은 지난해에 비해 1.1% 증가하는 데 그쳐 큰 변동이 없었습니다.

또 다른 통계청 자료를 보면, 여성 취업자 수는 3년 전에 비해 6.6% 늘어난 데 반해, 남성 취업자 수는 3년 동안 3.2% 증가하는 데 그쳤습니다. 그 뿐만 아니라 전문직 여성은 지난해 92만 명으로 3년 전보다 14만 명 정도 증가한 반면 전문직 남성은 같은 기간 약 10만 명만 늘어났습니다.

또한 여성이 고소득 풀타임 직장을 다니고 남성이 파트타임 직업을 가진 부부 중에 남성이 육아와 가사를 책임지는 경우가 많은 것으로 조사되었고 사회 전체의 일자리 감소와 전통적인 남녀 역할 변화, 여성 연상 커플의 증가 등으로 남자들의 가사 노동이 늘어나고 있는 것으로 밝혀졌습니다.

4과 2항 과제 1 (p.121) MP3 1 20

〈전반부〉

사회자　오늘 드디어 반세기 만에 남북의 열차 길이 뚫렸습니다. 이번 남북 철도 시험 운행의 의미를 어떻게 보십니까? 이 장관님께서 이번 개통의 의미를 잠깐 설명해 주실까요? 어떻게 생각하시는지…….

통일부 장관　우선 우리가 남북의 분단을 생각할 때 늘 떠오르는 것이 녹슨 기관차였는데요. 이번에 드디어 경의선은 56년 만에, 그리고 동해선은 57년 만에 군사 분계선을 넘었습니다. 이 사실은 대단히 중요한 의미가 있다고 봅니다. 한마디로 민족의 혈관이 다시 이어진 것이 아닌가, 이렇게 생각을 합니다.

사회자　박 의원님께서도 같은 생각이신지 궁금하네요. 의견을 말씀해 주시겠습니까?

박 의원(야당)　남북을 잇는 철도가 56년 만에 개통된 것에 대해서는 큰 역사적인 의미가 있다고 봅니다. 그렇지만 우리는 이것을 위해 상당히 많은 비용을 치렀습니다. 경의선하고 동해선을 합쳐 보니까 한 53km정도 되는데 그동안 정부가 들인 돈이 약 5,400억 원 정도입니다. 또 추가로 2,400억 원을 지원하기도 했고요. 이번 행사는 일회성 행사인데 그렇다면 아마 1km 달리는 데 100억 원 이상이 쓰인 것입니다. 우리가 일회성 이벤트를 위해서 이런 막대한 돈을 북한에 제공해야 하는지 생각해 볼 여지가 있습니다. 만약에 우리가 다시 열차 시험 운행을 하자, 또 정기적으로 열차를 운행하자고 했을 때, 북한이 다시 물자를 요구한다든지, 또 다른 것을 요구하면 어떻게 할 것인가 이런 점이 커다란 문제점으로 지적됩니다.

〈후반부〉

통일부 장관　남북 철도 개통은 한반도의 평화와 안정에 기여함은 물론 장기적으로는 막대한 경제적 가치를 가질 것이라고 확신합니다.

사회자　반론 있으십니까?

박 의원(야당)　정부는 북한에 다녀와서 여러 가지 청사진을 제시했는데 과연 그게 쉽게 이루어질 수 있는지 의심스럽습니다. 정부의 계획이 그대로 이루어진다면 북한을 개혁 개방으로 이끄는 지름길이 될 것이고, 우리의 통일도 그만큼 앞당겨지겠지요. 하지만 북한이 하나씩하나씩 할 때마다 모든 것에 조건을 걸고, 또 적지 않은 웃돈을 요구하고 있습니다. 이런 본질적인 부분들이 개선되지 않고서는 남북

간에 진정한 대화가 힘들다는 생각이 듭니다.

통일부 장관 박 의원님의 말씀에 대해서는 저는 두 가지 면에서 다른 의견을 가지고 있습니다. 첫째, 남북 대화는 사실상 긴 기간이 걸린다는 것입니다. 그러므로 단기간에 손해와 이익을 계산하는 태도는 바람직하지 않습니다. 이번 철도 행사만 하더라도 약 6년 7개월이 걸렸습니다. 남북 철도를 연결하기 위해 무려 61회의 당국 간 회담이 있었고 거의 200일 동안 서로 의논을 하면서 오늘에 이르게 된 겁니다. 기찻길이라는 것은 한번 열면 그 다음 단계는 훨씬 더 쉬워질 수 있는 것입니다. 한번 열지 못하면 그 다음 단계를 기대할 수가 없는 거죠. 두 번째는 비용 문제입니다. 이번에 총 5,400억 원 정도가 들어갔는데 이 가운데 3,600억 원 이상이 남쪽 지역에 철도를 놓는 데 경비가 들어간 것이고, 북쪽 지역에 들어간 것은 1,800억 원입니다. 그런데 이 1,800억 원도 우리가 그냥 준 것이 아니라 차관으로 제공한 것입니다. 그냥 무상 제공한 것은 결코 아닙니다.

박 의원(야당) 그게 나중에 받을 수 있을지는 두고 봐야 되겠습니다만 그동안 포용 정책이라는 이름 아래 우리가 북한에 얼마나 갖다줬는지 생각해 봐야 합니다. 적어도 10조 이상이 들어갔습니다. 물론 어느 정도 성과야 있었지만 투자한 비용에 비해 산출된 결과는 초라하기만 합니다. 그야말로 고비용 저효율 그 자체입니다. 이런 상태에서 북한에 대해서 퍼주기식 지원을 계속한다는 것은 다시 생각해 볼 여지가 있다고 봅니다.

통일부 장관 한마디만 더 하겠습니다. 한국 경제에 있어서 가장 중요한 것은 한반도의 안보 위기를 관리하는 거라고 생각합니다. 2000년에 남북 정상 간 회담이 이루어지고 오늘 철도 임시 개통이 이루어지기까지 지속된 평화와 안정의 분위기가 바로 한국 경제가 단계적으로 성장할 수 있는 기반이 됩니다. 또한 외국인들이 한국에 투자할 수 있는 바탕도 되고요. 아시다시피 우리 주식 시장이 700조입니다. 1%만 달라져도 지금 말씀하신 10조에 가까운 7조의 국부 부가가치가 달라지는 거죠. 우리가 들인 돈의 경제적 가치는 장기적으로 봐야 합니다.

5과 1항 과제 1 (p.143) MP3 1 23

박 선수가 지난 올림픽 수영 종목에서 금메달을 목에 걸기까지는 스포츠 과학도 큰 몫을 했다. 대표 팀 감독은 운동생리학을 전공한 박사와 함께 훈련의 전 과정에서 박 선수의 몸의 변화를 점검하는 스텝테스트를 실시했다. 200미터를 6분 주기로 7회 실시하고 각 회마다 맥박과 혈액을 채취했는데 횟수가 늘어날수록 운동량이 쌓이기 때문에 그동안 훈련을 제대로 해 왔는지, 지구력은 얼마나 쌓였는지 알 수 있고 향후 훈련 방향도 잡을 수 있다. 특히 박사가 개발한 스피드 측정기를 통해 좌우 균형을 잡는데도 도움을 받았는데 낚싯줄처럼 가는 줄을 몸에 매달고 수영을 하면서 좌우 호흡시의 속도 변화를 측정해서 어느 쪽 균형이 흐트러졌는지를 파악했다고 한다. 여기에다가 후원사가 개발한 새 수영복도 기록 단축에 보탬이 됐는데 이 수영복은 미국항공우주국과 협력해 최첨단으로 만들어졌다. 물의 저항력을 최대한 줄여 주고 부력을 향상시키며 근육을 잡아 줘 물속에서 최대한 힘을 쓸 수 있도록 하는 것이 이 수영복의 효과다. 이 수영복이 출시되자마자 이를 입고 뛴 선수들이 줄줄이 세계신기록을 경신하자 일부 수영인들은 '기술적인 도핑' 이라며 비아냥거리기도 했다.

여기서 간단하지 않은 문제가 제기된다. 스포츠는 단지 과학의 도움을 받는 것인가, 아니면 점점 더 과학에 의존해 가고 있는 것인가. 이런 질문에 맞서 단호하게 과학을, 아니 과학에의 의존을 거부한 선수가 있다. 1990년대 수영계를 지배한 러시아의 포포프이다. 전신 수영복이 올림픽에 본격적으로 등장한 시드니 대회 때 포포프는 전통적인 삼각 수영복을 고집했다. 그리고 그는 '전신 수영복에 의존하는 것은 정직한 스포츠맨십이 아니다' 라고 일침을 가했다. 금메달은 놓쳤지만 그의 원칙과 소신은 금메달 이상의 인상을 남겼다. 지금도 전신 수영복을 '과학적인 약물 남용' 이라고 비판하는 시각이 있다. 올림픽 도핑테스트는 약물 복용에 대해선 이 잡듯 철저하다. 신경안정제를 먹었다가 도핑테스트에 걸려 메달을 박탈당한 선수도 있는데 전신 수영복을 입고 기록을 단축하는 것은 문제가 없을까? 이제는 스포츠와 과학이 만나는 적정선에 대해서도 생각해 볼 때가 아닌가 한다.

6과 2항 과제 1 (p.188) MP3 2 05

경제 발전 초기에는, 국산품을 사용하는 것이 기업을 보호하고 육성하는 데 도움이 될 수 있습니다. 그러나 국산품을 사용하는 것이 한 나라의 경제에 긍정적인 영향만을 미치는 것은 아닙니다. 즉, 품질이 좋지 않은 것도 국산품이라고 해서 구매한다면, 기업들의 생산성 향상이나 품질 개선 노력을 저해하게 될 것이며 결과적으로 대외 경쟁력을 약화시키고 수출도 어렵게 만들 것입니다.

글로벌경쟁시대에 세계의 다국적 기업들은 전 세계를 생산 기지화하고 있습니다. 가장 싼 곳에서 부품을 공급받아, 가장 비용이 적게 드는 곳에서 조립하여 세계 각처에 제품을 공급하고 있는 것입니다.

21세기는 이제까지의 자기중심적 민족주의를 버리고 보편적 세계주의 시대로 변화해야 할 것입니다. 이것은 우리 민족의 이익을 지키기 위해서도 꼭 필요한 것입니다.

세계는 수년 내에 경제적 면에서 국경이 없어질 것이며, 우리나라의 농촌도 전 세계의 농촌과 경쟁해야 하고, 뒷골목의 조그마한 공장도 전 세계의 공장과 겨뤄야 합니다. 그러므로 국산품 애용이 반드시 애국이 아니며, 국산품도 세계 경쟁에서 이길 수 없는 것은 도태되어야 합니다.

7과 1항 과제 1 (p.207) MP3 2 08

안녕하십니까? 창덕궁에 오신 관람객 여러분을 진심으로 환영합니다. 지금부터 여러분은 개별적인 자유 관람은 할 수 없고 제 안내에 따라서 1시간 20분 간 관람하실 수 있습니다.

유네스코가 지정한 세계문화유산인 창덕궁은 1405년에 지어진 것으로 처음에는 별장 개념으로 사용된 궁궐이었으나 1610년부터 1868년까지 정궁으로 사용되었습니다.

여러분이 방금 들어오신 문은 창덕궁의 정문인 돈화문으로 서울에서 가장 오래된 목조 건물이고 현재 남아 있는 궁궐 정문 중에서도 가장 오래된 것입니다. 조선시대에는 2층에 종과 북이 있어서 시간을 알려 주었다고 하나 지금은 남아있지 않습니다. 이 앞에 있는 다리는 금천교라고 하는데 현재 서울에 남아 있는 돌다리 중에서 가장 오래된 돌다리입니다. 조선의 궁궐에는 공통적으로 입구 부근에 맑은 물이 흐르게 하고 그 위에 돌다리를 놓았고 다리의 중간과 아래에 동물들을 조각해서 나쁜 귀신을 쫓고 궁궐을 지키게 했다고 합니다. 자, 저를 따라서 이쪽으로 오십시오. 지금 보고 계시는 건물은 인정전이라고 하는데요, 이곳은 왕의 자리에 오르는 의식인 즉위식을 하거나 외국에서 온

사신을 만나는 등 나라의 중요 행사가 진행되던 궁궐의 대표적인 공간입니다.

– 중략 –

여기는 왕들의 휴식처로 쓰이던 후원 즉 뒤뜰입니다. 이곳은 300년이 넘은 큰 나무와 연못, 정자 등의 시설이 자연과 조화를 이루도록 함으로써 창덕궁을 한국에서 가장 아름다운 궁궐로 꼽히게 했습니다. 이쪽으로 오십시오. 이것은 부용지라고 부르는 연못입니다. 이 연못의 네모난 모양과 저 안의 동그란 섬을 잘 보십시오. 조선의 궁궐 연못은 그 당시 사람들이 믿고 있었던 '하늘은 둥글고 땅은 네모나다' 는 사상에 의해서 만들어졌습니다. 즉 땅을 상징하는 네모난 연못 속에 하늘을 상징하는 둥근 섬을 만들었습니다.

– 후략 –

8과 1항 과제 1 (p.242) MP3 2 13

풍수지리란 지형이나 방향을 인간의 길흉화복과 연결시켜, 죽은 사람을 묻거나 집을 짓는 데 알맞은 장소를 찾는 이론을 말하는데, 이 이론에서는 좋은 터에 지은 집을 좋은 집이라고 정의한다. 그리고 좋은 터라는 것은 수맥이 흐르지 않는 땅이라고 말한다. 즉, 사람은 언제 어디서나 땅의 기운을 받으며 생활하므로 그 땅의 기운이 좋으면 좋은 기를 받아 모든 일이 잘 되고, 땅의 기운이 나쁘면 나쁜 기운을 받아 모든 것이 좋지 않게 된다는 것이다. 그래서 예부터 조상들은 묏자리나 집터를 고르는 데 신중했고 정성을 다하였다. 그런데 나쁜 기운을 내는 나쁜 땅의 대표는 바로 수맥이 흐르는 땅이다. 여기에서는 나무조차 잘 자라지 못한다. 완전히 생기를 상실한 나쁜 터이기 때문이다. 따라서 이곳에 집을 짓지 않아야 하는 것은 당연하다. 좋은 집이란 좋은 땅의 기운이 많이 배출되어 좋은 기운을 지속적으로 받을 수 있는 그런 터에 지어진 집이다.

좋은 집으로 인정받으려면 집이 향하는 방향도 중요하다. 방향은 다름 아닌 태양의 기운을 얼마나 많이, 오래 받을 수 있느냐의 문제로서 남향과 동향집이 좋고 북향집이나 서향집이 좋지 않다는 것이 일반적인 정설이다. 왜냐하면 동쪽과 남쪽으로부터 아침의 밝고 충만한 기운을 받을 수 있어 채광과 환기가 제대로 잘 되기 때문이다.

그 외에도 집은 주변의 환경으로부터 영향을 많이 받게 되는데, 예를 들어 집 주위에 커다란 고압선이 지나가는 곳, 큰 도로를 끼고 있는 곳, 하천과 가까이에 있는 곳, 혐오 시설이나 짓다가 만 흉측한 건물이 있으면 좋은 집터가 아니다.

9과 1항 과제 2 (p.278) MP3 2 18

여러분, 안녕하십니까?

수년 간의 연구를 통해 새롭게 선보이게 된 이 제품은 책, 의류 등 모든 물건에 눈에 띄지 않게 부착하는 마이크로 태그입니다. 그야말로 각 제품들의 신분증의 역할을 할 수 있는 소형 칩입니다.

이번에 개발된 마이크로 태그는 물건을 판매하는 판매자와 물건을 구입하는 소비자 모두가 가지고 있었던 각각의 불편함을 해소하고자 연구, 개발하게 되었습니다. 그동안 판매자가 어떤 물건이 얼마나 판매되었는지를 파악하는 데는 많은 시간과 인력 투자가 필요했을 겁니다. 이러한 불편은 이제 각 제품에 부착되어 있는 마이크로 태그가 해결해 줄 것입니다.

소비자의 입장에서는 큰맘 먹고 구입한 고가품이나 각 제품들의 도난, 분실에 대한 우려가 컸습니다. 또한 사이버 공간에서 개인 정보와 카드 번호를 공개하는 것에 대한 불안감도 큰 사회 문제로 대두되었습니다.

이러한 판매자와 구매자의 불편은 이 마이크로 태그 하나로 완벽하게 해결할 수 있습니다. 우선 마이크로 태그를 사용하게 되면 제품의 재고관리가 용이해집니다. 왜냐하면 제품이 판매되는 순간 그 제품에 대한 모든 정보가 입력되기 때문입니다. 뿐만 아니라 구매자의 정보도 입력이 되므로 제품의 구매와 동시에 누가 이 제품을 소지하고 있는지를 파악할 수 있습니다. 또한 모든 제품의 추적이 가능하므로 도난을 당했을 경우 제품의 위치와 경로를 확인할 수 있습니다. 따라서 분실이나 도난에 대한 걱정은 사라지게 됩니다. 쇼핑 후 계산대에서 오래 줄을 서서 기다릴 필요도 없습니다. 구매한 물건은 마이크로 태그를 통해 자동으로 계산되어 소비자의 은행 계좌에서 빠져 나갑니다.

9과 2항 과제 1 (p.286) MP3 2 21

사회적으로 인재를 평가하는 시각이 달라지면서 인재가 지녀야 할 요소들도 크게 달라지고 있다. 과거에는 학력과 경력을 중심으로 해당 분야에 대한 전문적인 능력만 있으면 인재로 평가받을 수 있었지만 앞으로는 업무 능력 외에도 여러 능력을 고루 갖춘 인재가 높은 평가를 받게 될 것이다. 미래 사회에서 인재로 평가받으려면 어떤 요소를 갖춰야 할까?

첫째, 비전을 가져야 한다.

미래의 변화를 예측하고 그에 적합한 꿈을 가져야 한다. 뜬 구름을 잡는 듯한 모호한 비전이 아니라 구체적이고 실제적인 비전을 지녀야 한다. 눈 앞의 이익만을 고려하는 것이 아니라 거시적인 관점에서의 비전을 구상해야 한다.

둘째, T자형 인간이 되어야 한다.

미래 사회에서는 자신의 전공 분야만 아는 인재는 성공 가능성이 낮아질 것이다. 자신의 전문 분야뿐만이 아니라 다양한 분야에 걸쳐 깊이 있는 폭넓은 지식을 지녀야 한다. T자의 세로 선은 전공 분야에 대한 깊이를 의미하며 가로 선은 다방면에 걸쳐 박식한 지식을 지녀야 함을 의미한다. 따라서 T자형 인간이란 깊이와 다방면의 박식함을 두루 갖춘 인간형을 의미하는 것이다.

셋째, 국제 감각을 익혀야 한다.

우물 안 개구리는 글로벌 사회에서 성공하기 힘들다. 시야를 세계로 돌려야만 생존할 수 있을 것이다. 국제 감각을 익히기 위해서는 외국어 구사 능력은 필수 조건이다.

넷째, 유연성을 길러야 한다.

미래 사회의 기술적 변화와 치열한 경쟁에 적응하기 위한 필수 조건은 유연성이다. 변화하는 사회에 유연하게 대처하지 못한다면 예기치 못한 어려움에 직면하게 될 것이다.

다섯째, 창의성을 키워야 한다.

20세기 산업화 사회에서 요구하는 인재형은 성실성과 충성심이 가장 중요한 요소였고 윗사람에게 순종하고 자신의 임무만 충실하게 수행하면 인재라는 말을 들을 수 있었다. 하지만 시대가 변해 이제는 새로운 정보와 기술을 개발하고 활용할 수 있는 창의력이 인재의 중요 덕목이다.

10과 1항 과제 2 (p.306) 

(질문) 올해 대입에 실패하고 학원에 다니고 있는 강동건입니다. 전 배우가 되고 싶습니다. 그래서 연기학원에 다니고 있었는데, 부모님께서 제가 배우가 되는 것을 반대하셔서 학원을 그만두었습니다. 공부를 해서 대학에 가라는 겁니다. 대학에 연극영화과가 있지만 하도 반대가 심해서 지금은 대학 입시 준비를 도와주는 학원에 다니고 있습니다. 하지만 공부에 아무런 흥미를 느낄 수가 없어서 마음은 다른 곳에 가 있고 의자에 몸만 앉아 있는 셈입니다. 연기학원에 다시 다니고 싶지만 부모님이 크게 실망하실까 봐 선뜻 말을 꺼내지 못하고 있습니다. 부모님도 제 맘을 잘 알고 계시지만 별 말씀이 없으십니다. 어떻게 해야 할까요?

(답변) 하고 싶은 일을 하지 못하고 원치 않는 수업을 듣고 있다니 참으로 괴롭겠습니다. 힘들겠지만 우선 부모님이 정말 동건 군을 얼마나 사랑하고 있는지를 한 번 생각해 보세요. 자식을 너무 사랑하고 있기 때문에 섣불리 무엇이라고 답하기 어려우신 게 아닐까 하고 생각해 보세요. 혹시나 배우가 되라고 도와주었다가 실패하여 다른 좋은 일을 할 기회를 놓치게 된다면 얼마나 마음이 아프시겠어요. 만약 그렇게 되면 부모님을 원망하지 않을까요? 요즘 젊은 사람들 사이에서는 가수나 연예인들이 우상이 되다시피 하여 많은 젊은이들이 그런 사람이 되고 싶어합니다. 부모님도 그런 것을 걱정하고 계신 게 아닐까요?

강동건 군은 배우가 자신의 적성에 맞는지 스스로 확신을 가질 수 있고 또 이를 부모님이나 누구에게도 객관적으로 보여 줄 수 있는 증거를 가지고 있나요? 그렇지 않다면 일단 적성 · 흥미 · 성격 검사를 한 번 받아 보십시오. 그리고 가까운 상담소에 가서 진로 상담을 적어도 세 번 이상 받아 보십시오. 상담을 해서 배우가 적성에 맞는지, 배우는 어떤 생활을 하는지, 배우가 되려면 노래 말고 어떤 다른 재능도 필요한지, 그리고 배우 말고 다른 직업인이 될 수 있는 방법은 없는지 등을 진지하게 알아보고 고민해 보십시오. 그리고 나서도 배우가 되는 것이 최선이라고 판단이 선다면 그땐 그 일을 적극적으로 추진하시기 바랍니다.

이제 이러한 절차를 거쳐서 배우가 되기로 확신을 가졌다면 부모님과 진지하게 이 문제를 상의해 보십시오. 부모님께 자신의 생각과 그동안의 진로 상담 결과를 잘 전달해서 설득을 하시기 바랍니다. 혼자서 할 자신이 없으면 주변에서 도와줄 수 있는 사람을 구해 보십시오. 부모님이 반대한다고 무조건 화내거나 싸우지 말고 부모님을 충분히 이해시키고 설득시킬 수 있도록 하는 것이 중요합니다. 물론 거기에는 충분한 근거들이 있어야 하겠지요. 그렇게 한다면 부모님은 성숙한 아들의 모습을 보며 적극적으로 지원해 줄 겁니다.

10과 2항 과제 1 (p.314) 

요즘 취직하기가 하늘의 별따기라지만 1, 2년 다니다 그만두는 신입 사원이 많은 것도 사실입니다. 그래서 기업들은 그걸 막으려고 능력 못지않게 끈기를 확인하는 면접의 필요성을 느끼고 있습니다. 그것이 면접의 형태와 질문이 진화하는 까닭입니다. 한 취업포털사이트가 지난 1년 간 기업 채용 때 등장한 면접관들의 질문 4,000여 건을 정리해서 내놓았는데요. 오늘은 그것을 소개해 보겠습니다.

크게 4가지 유형으로 구분할 수 있습니다. 첫 번째 유형은 '문제 해결형' 입니다. 이것은 직장 생활에서 생길 만한 문제 상황을 주고 어떻게 대처할지를 묻는 방식인데 '난동을 피우는 고객이 있으면 어떻게 하겠는가' 와 같은 질문을 던집니다. 학점이나 어학 성적이 좋은 모범생이라도 순발력과 현장 감각이 떨어지면 곤란하다는 것입니다.

두 번째는 '로또형' 입니다. '로또에 당첨돼도 회사에 다닐 것인가' 하는 이런 질문에 대해 '그만두겠다' 는 취지의 응답을 하면 탈락을 각오해야 합니다. 직업관과 직장관을 알아보고자 하는 의도입니다. 비슷한 질문으로는 '10억이 생긴다면 어떻게 하겠나' 등이 있습니다.

세 번째는 '시험형' 으로 지원자를 살짝 시험에 들게 하는 것입니다. 직장에 대한 충성심이나 구직자의 자세를 평가합니다. '잦은 야근으로 대인관계가 소홀해지면 어떻게 하나', '공휴일에 일해도 좋은가' 등입니다.

네 번째 유형은 '경력 로드맵형' 입니다. 어떤 비전을 갖고 회사 생활을 할지를 살펴보려는 것으로 '15년 뒤 자신의 모습을 그려 보시오' 등입니다. 실현 가능성을 고려하고 구체적으로 답하는 게 좋다고 합니다.

색인

- 문법 색인
- 어휘 색인

문법 색인

어휘 색인

ㄱ

YONSEI KOREAN 6

ㄹ

ㅁ

ㅂ

ㅅ

ㅇ

ㅊ

ㅌ